未来救済宣言——グローバル危機を越えて

Rescue: From Global Crisis to a Better World
by
Ian Goldin

First published in the English language by Sceptre, an imprint of Hodder & Stoughton, an Hachette UK company.
Japanese translation rights arranged with Hodder & Stoughton Limited, London, through Tuttle-Mori Agency, Inc., Tokyo.

パンデミックで苦しむすべての人々にとって
禍転じ、よりよき世界への導きとなるように

目次

未来救済宣言

凡　例

一、本書は、Ian Goldin, *Rescue: From Global Crisis to a Better World* (London: Sceptre, 2021) の全訳である。

一、訳文中の（　）、——は原著者によるものである。ただし、これらについては、一部原文から取り外して訳出した箇所がある。

一、原文中の「ＣＯＶＩＤ-19」は「新型コロナ」とした。

一、原文中の引用符は「　」で括り、大文字で記された文字についても「　」で括った箇所がある。

一、原文中で強調のためイタリック体で記された箇所には、原則として傍点を付した。

一、訳者による補足は、〔　〕で括って挿入した。また、説明注が必要と思われる箇所には＊〔1〕というかたちで章ごとに通し番号を付し、原注のあとに続けて掲載した。

一、原著で引用されている文献のうち既訳のあるものは、わかる範囲で書誌情報を併記した。また、訳出にあたっては可能なかぎり既訳を参照したが、訳文については必ずしもそれに拠らない。

一、原著の明らかな間違いや体裁の不統一については、訳者の判断で整理した箇所がある。

一、索引は原著に則って作成したが、訳者のほうで整理した箇所がある。

序論　危機をチャンスに

新型コロナウイルス感染症（ＣＯＶＩＤ-19）が非常に重要な局面を生み出している。すべては、どちらに転ぶかわからない状態にある。新型コロナのパンデミックは、もしそれが起こらなかったなら、動き出すのに何十年もかかる流れをたった一年でつくりだした。私たちを歴史の変曲点に導いたのだ。この歴史的契機を生かせれば、一人ひとりの運命、人類の運命を形づくる潮流を転換できる。そうなれば、人類を破滅から救済し、よりよき世界を創りだせるだろう。

新型コロナに対する多くのコメントで繰り返される決まり文句は、私を暗澹《あんたん》たる気分にさせる。「いままでどおりの日常」に戻るだの、「すぐに立ち直る」だのというコメントは、私たちを今日いるところに導いたのと同じ方向を目指せということになる。ほかにも世に蔓延《はびこ》る表現がいくつもある。どれも頭を抱えるものばかりだ。「前進しよう」だと、いままでと同じ道の上を飛び跳ねていくだけだ。別の言い回しもよく耳にする。世界経済フォーラムでは「グレート・リセット」、一般的には「再起動」といわれる。これだと、必要とされているのは別のＯＳなのに、すでにプログラムされたものに戻れということになる。「よりよき再建（Building back better）」は、アメリカ大統領選に臨んだバイデン＝ハリス陣営が掲げたスローガンで、まだ気分は高まるが、それでも不安は残る。新型コロナの教訓があるとすれば、それは、私たちのシステムが脆弱な土台の上に構築されていること、不安定な土台の上に再建しても、将来崩壊するのは目に見えていることだからである。

「いままでどおりの日常」こそが、私たちを破滅的状況に追い込んだ。新型コロナよりもさらに悲惨な状況を引き起こしかねない将来のパンデミックを回避し、破滅的な気候変動を阻止するためには、目指すべき方向をラディカルに変える必要がある。気候変動や不平等、地政学その他にまつわる危機はますます加速し、私たちの社会を引き裂いているが、新型コロナ危機がそれに加わったのだ。今後、ワクチンの普及にともない、徐々に日常に戻れたら、大きな安心がもたらされるだろう。家族とハグしあったり、友人と会ったり、雑踏を歩いたりできれば、もちろん私たちは、そこにささやかな喜びを見いだせるだろう。政府の刺激策と、たまりにたまった消費欲求とが結びつけば、急成長につながり、経済は回復するだろう。

しかしながら、過去の生活を復活させて楽しむだけの自己満足に陥ってはいけない。パンデミックを含め、私たちが直面せざるをえないその他の危機が加速している。社会がいままでとはまったく異なった方向に動き出さなければ、この状況を克服できないだろう。新型コロナ後、世界はこれまでとは異なったものになる。問題は、世界がどこまで、これまでとは十分に異なったものになるかである。

私たちは分岐点に立っている。どちらか一方にしか行けない。このまま、危機が拡大し悲惨な結果が待ち受ける道を突き進むか。あるいは、共存共栄のより健全で包容力のある世界につながる新たな方向に転換するか。どちらかを選ばなければならないのである。

今回のパンデミックは、私たちを分岐点に導いた。地政学、経済学、技術、都市化、教育、グローバリゼーション、そしてさまざまな社会的関係が、その分かれ道にさしかかっている。好むと好まざるとにかかわらず、新型コロナは私たちの生活すべてを刷新した。仕事や教育、人生設計に関する私たちの優先順位を変えてしまった。どこに住み、どこで働くか、再考を迫られ、収入や将来設計がどう変わるか認識せざるをえなくなった。若者も年寄りも、金持ちも貧乏人も、都会に住もうと田舎に住もうと、働いていようとリタイアしていようと、富裕国の住人であれ貧困国の住人であれ、私たちはみな、影響を受けている。

今回のパンデミックが加速し、露わにした潮流は、けっして目新しいものではない。だが、世界に混乱が及ぶ範囲と程度をみれば、ショッキングなことに、私たちの社会や国際協調の構造的脆弱性は誰の目にも明らかである。

ただしパンデミックは、私たちが何を優先すべきかをはっきりさせる、またとない機会を生み出した。必要なのは、ラディカルな改革をおこない、貪欲な個人主義、破壊的なナショナリズムよりも社会のニーズや持続可能性を優先することである。一人ひとりの創造的個性は育まれるべきだし、すべての国は自決権を有する。でも、それは他者や将来世代に犠牲を強いるものであってはならない。日常生活を送る個々人、企業、政府が優先順位を変え、より大きな連帯に向けて動き出せば、政治のやるべきことも変わる。一国内でも国家間でも、より包容力があり持続可能な社会の構築に向けて、政治を再編成するようになるだろう。権力の座に就くべき人を変えるだけでは十分ではない。私たちの社会に根ざす脆弱性に立ち向かう本気の改革が必要なのである。

ラディカルな改革という発想は多くの人にとって心配かもしれないが、本書における私の提案など、「いままでのとおりの日常」がもたらす未来に比べれば、恐れるに足りない。このままだと、不安定さが増し、大多数の市民にとっての将来がますます暗くなるのは目に見えている。世界は混乱し、リスクが増大しているが、それらの管理に失敗すれば、私たちはこれから何度もパンデミックに見舞われることになるだろう。地政学的緊張も高まり、戦争や環境破壊、そのほか大災害のリスクも増大する。各国内で不平等が拡大すれば、ポピュリズムと保護主義が高まる。それによって成長の鈍化スパイラルに拍車がかかり、少数の特権階層以外の人たちにとって将来はますます暗くなる。

　このままのやり方を続けていては、よりおぞましい状況に驚愕することになるのは確実だ。一方、不安定さの根源に対してラディカルな改革がおこなわれたなら、かつて公平性と持続可能性を高めたさまざまな政策が注目され、もっと予見可能な世界を生み出せるはずである。現在、ラディカルと思われている政策は、アメリカやイギリスではつい最近まで主流と考えられていたものだ。当時は再分配効果の高い税制に支えられ、保健医療や教育、社会的セーフティネットに対し多額の公共投資がおこなわれていた。これらは、第二次世界大戦後のセツルメント事業に不可欠の信条とみなされていた。実際、こうした政策は、デンマーク、フィンランド、ノルウェー、スウェーデン、オランダなど数多くの国で、いまだに幅広い支持を集めている。新型コロナとの闘いは、各国社会が第二次世界大戦後に直面した最大の課題である。

　歴史は繰り返さないが、韻を踏む歴史を理解することによって非常に重要な知見が得られる。鍵となるのは、歴史は、今日のリーダーを第一次世界大戦時と第二次世界大戦時、どちらのリーダーに寄せて評価するかという問いである。第一次世界大戦は、歴史上の偶発的惨事から始まり、二〇〇〇万人以上の人々（うち約半数は兵士）を死に追いやり、二三〇〇万人以上を傷つけ、各国の経済と社会を灰燼《かいじん》に帰した。よりよき未来を望もうにも、それはスペイン風邪によってすぐさま打ち砕かれた。一九一八年と一九一九年のパンデミックは世界大戦以上の死者を出し、その後、大不況が追い打ちをかけた。高まる不平等と失業がポピュリズムを煽り、それがファシズムの台頭をもたらして、第一次世界大戦以上に悲惨な戦争につながった。

H・G・ウェルズは、一九一四年から一九一八年の闘いを「戦争を終わらせる戦争」と評した。残念ながら、その闘いは、もうひとつの大戦の前兆にすぎなかった。第一次世界大戦後、戦勝国はドイツに対する報復措置をとり、賠償金の支払いや石炭の供出を求めた。またドイツのラインラントが割譲され、フランスが支配下に置いた。ドイツは賠償金支払いの屈辱を受けたうえ、賠償金の支払い不能という事態となった。怨嗟の感情が高まり、ナショナリズムが再燃し、紙幣増刷によってインフレがもたらされた（ドイツが賠償金を支払い終えたのは二〇一〇年の一〇月であり、第一次世界大戦後、九〇年もあとのことである）。さらには、イギリス、フランス、イタリアといった連合国はアメリカに巨額の借入があったのだが、各国はそれを返済できず、アメリカは借換を拒んだ。それどころか、アメリカの銀行は新規融資をおこない、持続不可能な債務の山が積み上がった。アメリカでは保護主義が高まり、それは二万品目超の輸入品に対する関税を引き上げるスムート＝ホーリー一九三〇年関税法で頂点を極めた。ヨーロッパとアメリカでは、これによって貿易や成長が妨げられ、緊急経済対策が必要とされるにいたった。大不況期には、こうした過ちに政府支出の削減が輪をかけた。大きくなった赤字を支出削減で解決しようとしても、うまくいくわけがない。不況は深刻化し長引いてしまった。

第一次世界大戦後、政策の誤りが積み重なり、経済の不況、保護主義の増大、不満の鬱積というきわめてまずい組み合わせが生まれてしまった。ドイツやイタリアでは、これによってファシズムやナショナリズムの動きが高まり、第二次世界大戦につながったのである。

よりよき世界への構想は第二次世界大戦の渦中に練り上げられた。単なる偶然ではない。意図して生み出されたのだ。第二次世界大戦は人類史上、もっとも多くの死者をもたらした戦争だった。およそ七〇〇〇万人から八〇〇〇万人が亡くなったが、そのうち兵士は約一六〇〇万人にとどまった。第一次世界大戦の惨状から実に二〇年が経過し、リーダーたちを突き動かしたのは、過去に果たせなかった兵士や市民との約束だった。今回の犠牲はけっして無駄にしないとの約束である。

福祉国家や国際連合、ブレトンウッズ機関、マーシャルプランの種をまき、戦勝国だけではなく敗戦国の復興や開発に資金を供給するための機関を育もうにも、各国はいまでは想像できないほど敵対的な環境にあった。だが、戦時中に先を見越して取り組まれていたからこそ、平和を築き、来るべき世代の財産を構築できたのである。イギリス政府は、勝利できるかどうか、いまだはっきりしない戦争を五つの前線で繰り広げていた。敵の侵入を防ぐ塹壕がつくられ、オフィスや家屋が爆撃を受けていた。そうしたなかでも、官僚たちは、ジョン・メイナード・ケインズやウィリアム・ベヴァリッジといった経済学者と協力しながら、すべての人にとってよりよい生活を計画し、こんどこそ確実に、すべての戦争を終わらせる戦争にする任務を与えられていたのである。

『ベヴァリッジ報告』は戦争のまっただなか、一九四二年一一月、イギリスで発表された。福祉国家の基礎を築き、「欠乏・疾病・無知・不潔・怠惰」の「五大悪」の克服に向けて動き出すきっかけとなった。「世界の歴史において革命的瞬間であり、弥縫策をもてあそぶのではなく、まさに革命を引き起こすときだ」と説得的に論じられていた。戦時中、ウィンストン・チャーチルは勝利に導くリーダーシップがもてはやされていた。だが戦争終結後、一二週間のうちに、チャーチルには、これらラディカルな戦後改革アジェンダを支えていく気のないことが明らかになった。チャーチルは、一九四五年の選挙で「平民」クレメント・アトリー率いる労働党に敗れた。その結果、「ゆりかごから墓場まで」の福祉国家が生まれ、すべての人に対し、保健医療と教育が無償で提供されるようになった。資金は、再分配度の高い税制と完全雇用実現を目指す拡張的経済政策によって生み出された。

同様の拡張的政策は、ケインズの著作に鼓舞され、アメリカでも採用された。一九四六年雇用法では、需要の下支えと完全雇用の創出が目指された。フランスでは、シャルル・ド・ゴール将軍のもと、「計画経済」政策による国家主導型成長が図られ、「栄光の三〇年間」と称される好況が始まった。アメリカからヨーロッパへの支援策であるヨーロッパ復興プログラムは、マーシャルプランとして知られている。これによって一五〇〇億ドル以上が提供され、ヨーロッパのインフラストラクチャーや産業の復興資金がまかなわれた。新たに創設された国際復興開発銀行（のちに世界銀行グループとして知られるようになる）は、フランスをはじめ、ドイツや日本にも、譲許的もしくは低金利の資金を供給した。一九四八年には、関税および貿易に関する一般協定（ＧＡＴＴ）が発効し、保護主義への回帰を阻止して貿易を支えた。良好な国際貿易環境、平和と安定を目指す新たな世界秩序と相まって、譲許性の高い借入や高率の課税で資金を得ながら、国家主導の投資が社会福祉やインフラ、産業の分野でおこなわれた。これによって、資本主義の黄金時代として知られるようになる戦後の時代へと跳躍していったのである。

いまだ激しく戦争が続くなか、一九四四年六月、フランクリン・ローズヴェルト大統領は、ケインズをリーダーとするイギリス代表団をはじめ、四四の同盟国すべての代表を歓迎し、ニューハンプシャー州ブレトンウッズのマウント・ワシントンホテルに招き入れた。出迎えの言葉は次のようなものだった。「経済的な病いは非常に伝播しやすいものです。したがって、すべての国の経済が健全かどうか、これこそが、遠近問わず、同胞すべてにとっての正しい関心事項になります。……私たちが果たすべき事柄は、協調しながら成し遂げられなければなりません。協調しなければ成し遂げられないのです。……よりよき世界を切に望みながら犠牲になってきた人々がいます。私は、みなさん全員が彼らへの責任を強く感じつつ仕事をしてくれるものと認識しております(1)」。

ローズヴェルトは、各国の政策と国際システムのラディカルな改革が必要であり、各国が協調してこそ、そうした改革が実現できるとわかっていたのだ。いまの私たちは、ローズヴェルトのような認識に立てるだろうか。

七五年を経て、ふたたび世界史の重大局面にいる。パンデミックによって私たちは、人生と歴史を方向づける流れを変えるチャンスが与えられた。一人ひとりの運命、そして人類の運命についての決断が迫られている。選択するのは、私たちだ。

第Ⅰ部　不平等——深刻化する分断の克服

第1章　不平等の縮小

歴史家のウォルター・シャイデルが『暴力と不平等の人類史』〔原題 *The Great Leveler*〕で述べているように、パンデミックは、戦争、革命、国家の失敗と並んで、歴史上、より大きな平等化に導く四大原因のひとつであった[1]。経済学者のトマ・ピケティも『二一世紀の資本』で同様の指摘をしている。二つの世界大戦と一九一八〜一九一九年のスペイン風邪が、一九四五年以後の不平等の低下につながった[2]。だが、大量死が労働力の減少をもたらし、賃金上昇につながる可能性があるといっても、パンデミックは不平等縮小の必要条件でも十分条件でもない。新型コロナのパンデミックは、「大いなる衡平化装置」どころか、富や人種、ジェンダー、年齢層、教育、居住地という点に関して、すでに存在していた不平等をあからさまにし、それらを増幅させたのである。

二〇二〇年の新型コロナのパンデミックは、ヨーロッパの人口の三分の一を死に至らしめた黒死病や、世界人口の約三分の一が感染したスペイン風邪になぞらえることはできない。利用可能な労働力の不足を招いたこれまでの危機と異なり、今回のパンデミックは、結果的に失業の増大をもたらした。また、大恐慌期をはじめ、過去の経済危機と異なり、新型コロナのパンデミックが生じてから株価や富裕層の資産価値は上昇し、貧富の格差が拡大した。パンデミックが必然的に不平等の縮小をもたらし、よりよき世界への案内人を連れてくると考えるのは無責任である。第一次世界大戦にしても、それが大いなる衡平化装置でなかったのは確実である。状況を好転させるどころか、多くの国で不平等は一九二〇年代初めにピークとなったし、大恐慌にさいなまれた一九三〇年代までには、アメリカやイギリス、フランスで失業と困窮が蔓延《まんえん》した。第二次世界大戦後には進歩がもたらされたわけだから、パンデミックや戦争といった大きな危機が何を引き起こすのか、事前には確定できないことがわかる。社会を形づくるのは、単なる出来事ではなく、人間の行動であり、指導者たちなのだ。本章では、個人、企業、政府がどのようにすれば不平等の縮小に向けて変化を促進できるのか、いくつかの方法を明らかにしたい。

新型コロナに見舞われる前から、ヨーロッパでもアメリカでも不平等は拡大していた。パンデミックはその傾向に拍車をかけただけである。第二次世界大戦後、数十年間は比較的安定していたが、そのあと、一九八〇年代から、全所得に占める労働分配率は、アメリカ、ヨーロッパ、イギリスで下落し続けた。主な原因は、イギリスのマーガレット・サッチャー、アメリカのロナルド・レーガンによる自由化への方向転換である。彼らの始めた、税制における底辺への競争、労働組合への攻撃、競争政策の弱体化〔独占禁止法の緩和〕はみな、企業集中と雇用主の権力増強につながった。二一世紀のいま、高所得国のなかでアメリカはもっとも不平等な国となり、イギリスがそれに続く。新自由主義運動がもっとも浸透してきたのがこの両国である[3]。

これと比べ、一九七〇年代以来、北欧諸国や東アジアで不平等のレベルが低い要因は、必要な人々への福祉支出額が多いこと、教育や保健衛生、居住分野への公共投資が高いことである。財源は富裕層に対する高率の税金によってまかなわれた。福祉支出も公共投資もかなりの財源が必要だが、二〇〇八年の金融危機以来、失業率が上昇し、すでに脆弱だった財政がさらに弱体化した南欧諸国では、ドイツが政府支出の二〇%を超す規模でおこなった大盤振る舞いの余裕はなくなっている。イタリアやスペインのような国、ポーランド、ハンガリーといった東欧諸国では、近隣の北欧各国が享受するレベルの支援などおこなわれなかった。その結果、南欧諸国では不平等が急拡大し、南欧・東欧と北欧との差はますます大きくなった。

新型コロナのパンデミックは、経済的にも保険医療面でも不平等を増大した。多岐にわたる原因が関係しあい、積み重なって、こうした事態がもたらされた。富裕層は、高給の職を維持できただけでなく、高騰する株式市場、住宅不動産価格の上昇によっても恩恵を受けた[4]。しかしながら、低賃金労働者は、接客や観光など、コロナで中断された経済活動に従事していた可能性が高い。看護、警察、教育、清掃、ゴミ処理、そして販売店員など、エッセンシャル業務で働いていた可能性も高い。どれもこれも新型コロナに感染する可能性の高い職場である。感染の可能性は、狭い部屋に住み共用のエレベーターやエントランスを使うアパート暮らし、そして公共交通機関の利用によって高くなった。近所で新型コロナが流行れば、彼らはロックダウンに巻き込まれやすいし、それがさらなる所得低下につながった。近隣の保健医療施設は貧弱で死亡率が高くなり、既往症のある住民も多いので、彼らはなおさら脆弱であった。

貧困な労働者の大半は、不安定な時間給雇用であり、社会保障や健康保険、緊急支援資金は得にくい。これらにアクセスできれば、所得の減少や新型コロナが生活に与える影響を緩和できただろう。イタリアでは、六人に一人以上がインフォーマルセクターで働いており、病休手当やその他の支援を会社に求められなかった。インドでは、労働者の半数がインフォーマル雇用と考えられており、契約上の権利がない。

公式の居住権を持たない不法移民はさらに脆弱な立場にあり、多くの国で医療・福祉を受給できない。彼らはまた、貯蓄についても最低レベルしかなく、一週間以上、仕事にあぶれたらほとんど余裕がなくなり、食料その他の必需品の不足にあえぐことになる[5]。

数多くのテック関連のプラットフォーム企業では、ギグワーカーは自営業に区分される。そうしたギグワーカーの増大は、ますます多くの労働者が会社の雇用保障に頼れなくなっていることを意味している。雇用主は彼らの技能や訓練への投資を減らしてもいる。彼らは労働組合にも加入しにくい。

パンデミックは、一〇年に及ぶ緊縮と賃金停滞の頂点で発生し、困難が深まるなか、ますます多くの人がそれに耐えなければならなくなった。三七カ国についておこなわれた調査によれば、パンデミックによって家計の四分の三、貧困家庭については八二％で収入減となった[6]。ヨーロッパ全体で貧困率は一〇％上昇した[7]。アメリカでは、パンデミックの結果、食料不足に陥ったと申告する家計が二〇〇〇万世帯以上増えた[8]。イギリスでは、人口の三分の一、実に二二五〇万人もの人々が社会的に受け入れ可能な最低限度の生活水準以下に落ちると予想されている[9]。

損失をこうむればこうむるほど、その地域では、すべての死因で死亡率が高くなる。コロナ前からかなりの程度の不平等が存在していたことによって、世界のなかでイギリス、アメリカ、ブラジルは、全死因中、新型コロナの死亡率がもっとも高くなる国に名を連ねることとなった。根底にある健康面の不平等、不健康につながる社会的条件がパンデミックによってむき出しになり、増幅された結果である[10]。

BAME不平等

新型コロナのパンデミックによって、黒人、アジア人、少数民族の人々（BAME: black, Asian, and minority ethnic）が経験してきた健康面および経済面の不平等が露わになるとともに、増幅された。パンデミックよりはるかに前から、アメリカ黒人男性の平均寿命は白人男性より四年半短かった[11]。アメリカにおける四〇歳のヒスパニック系住民は新型コロナで亡くなる可能性が同年配の白人より一二倍高く、同じくアフリカ系アメリカ人の場合は九倍高い[12]。こうした格差は、ほとんどの場合、狭い住居、公共交通への依存、粗末な食事やヘルスケア、仕事を通じて病気になる危険性の高さなど、社会的・経済的な不平等によるものである。マイノリティの人々は、その人口比以上に、病院、介護施設、店舗、公共交通などウイルスにさらされやすい職場で働くことが多かった。

イギリスでは、介護職就業者の二一％がＢＡＭＥに分類される人々だが、亡くなった介護職員の六三％がＢＡＭＥだった。看護職の二〇％がＢＡＭＥで、亡くなった看護職の六四％だったし、驚くことに、パンデミックの最初の一カ月で亡くなった医師の九五％が黒人もしくは少数民族だった[13]。ＢＡＭＥ系医療スタッフには過重な影響がもたらされたが、人口全体でみても同じだった。イングランドでは新型コロナによる死亡率が、アフリカ系黒人男性はイングランド白人男性の四倍、バングラデシュ系男性はほぼ三倍となった[14]。

健康面の不平等は、富を含め、その他の面での不平等も反映している。イギリスの白人中位家計の資産は二八万二〇〇〇ポンドであるのに対し、カリブ系黒人家計についてはその三分の一に満たない八万九〇〇〇ポンド、アフリカ系黒人はわずか八％の二万四〇〇〇ポンド、バングラデシュは七％担当の二万二〇〇〇ポンドであった[15]。

二〇〇八年に起こった金融危機のとき、アメリカでは黒人の営む事業の六〇％が閉鎖に追い込まれ、以後再開しなかったが、今回のパンデミックではそれ以上の影響が出ると予想されている[16]。新型コロナのパンデミックの最初の一カ月だけで、アメリカの零細企業の二二％が潰れた[17]。白人の営む企業は一七％にとどまったが、黒人の企業は四一％、ヒスパニック系の場合、三分の一が倒産した(18)。黒人所有の企業が二倍以上の倒産率となっているのは、それらが、パンデミックのホットスポットや貧困地域に集中する傾向にあることが一因である。金融基盤は脆弱で、蓄えも少なく、緊急支援資金の管理責任を政府から任された金融機関とのつながりも、白人の企業と比べて非常に弱かった。ブロンクス地区にある会社のうち、緊急支援資金を受給できたのは七％にすぎなかったのに対し、ニューヨークの裕福な地区にある会社の受給率は、ほぼその二倍だった(19)。

ジェンダー不平等

成人女性および少女の権利は大きく拡大してきたが、取り除かれるべきジェンダー差別は、どの国にも残っている。どの国の女性も、いまだに同一労働・低賃金の状況に置かれ、管理職に就く人も男性より少ない。不平等の程度は各国さまざまである。最貧国では、女性が働いて金を得る機会は零細農業に限られるし、女性は土地を所有できないことも多い。七つの産油国を含む最富裕国ですら、女性は自営生産事業に従事するか、インフォーマル経済で働かざるをえない状況にあり、収入は低く、労働条件もよくない。一般的に、女性は三重苦に耐えている。賃金労働、料理や掃除などの不払い家事労働、そして出産と育児である(20)。

世界経済フォーラム二〇二〇ジェンダー指数では、ジェンダー不平等のさまざまな指標をもとに一五三カ国をランクづけしている。成績優秀なのは、アイスランド、ノルウェー、フィンランド、スウェーデンである。そのあとに、ニカラグア、ニュージーランド、アイルランド、スペイン、ルワンダがくるが、世界経済フォーラムは、これらトップテンに入る国ですら向こう五〇年間、成績最下位層の国々だと一〇〇年以上もジェンダー不平等が続くとみている。比較可能なデータのある、ほぼすべての国で、同じ職種であっても、女性は男性の稼ぎより約二五％少ない[21]。一九六〇年代には、女性の稼ぎは男性のおよそ六〇％だった。これが二〇〇〇年までに、約七五％まで改善した[22]。その後はイタリアのような先進国を含め、一部の国では賃金ギャップがふたたび拡大してしまった[23]。

国際連合によれば、ジェンダー平等は、ここ二五年間、遅々とし苦痛をともないながらも進んできたが、パンデミックによって元の木阿弥になった[24]。アメリカでは、女性は労働力の半分を占めるにすぎないのに、失業率は二倍だった。二〇二〇年一二月、アメリカで純増した一五万六〇〇〇人の失業者はすべて女性だった。同じ時期、男性は一万六〇〇〇人が新たに職を得ていた[25]。イギリスでは、女性就労者のおよそ三分の一が、操業停止された部門で働いていたと思われる[26]。男性以上のこの失業者数に、飲食・観光といったサービス業に女性が従事していた可能性が高いという事実があらわれている。こうした業種は、二〇二〇年の大半、全国規模あるいは地方単位のロックダウン命令で閉鎖されていたからである。

これまでの不況期には、男性のほうが失業にあえいでいた。というのも、建設業や製造業といった部門が経済不況の影響を受けやすかったからである。だが、今回の危機はこれまでとは違う。店舗やレストラン、空港といった顧客対面の職場がもっとも大きな打撃を受けたからである。最悪の影響をこうむった部門に女性の仕事が集中していたのは確かだが、女性が雇用と所得の喪失に苦しむ原因はそれだけではない。女性差別も一因である。学校が閉鎖され、子どもを預けられなくなったとき、子どもの世話のために仕事を辞める圧力は、母親たちに向けられた[27]。

パンデミックの影響をいち早く、そして激しくこうむったイタリアの状況から、女性だけがどれだけ苦しめられたかわかる。ロックダウン期間中、イタリア女性の三分の一が雇い止めに遭い、そのうち八〇％が、男性パートナーより、平均して一日あたり一時間以上長く家事労働をおこなった。同じロックダウンの状況下、追加家事労働をおこなった男性は四分の一にすぎない[28]。イタリア経済は、早くても二〇二五年までは回復しないと見込まれているので、すでに高水準にあるイタリアのジェンダー不平等は、さらに高まる可能性が高い[29]。パンデミックの前から、ジェンダー平等において、イタリアは一五三カ国中七六位だった[30]。ほかの国と同じく、イタリアはパンデミックによってジェンダー不平等が増大してしまった。

　パンデミックのもたらす明るい兆しについて、巷間囁かれていたことがある。それは、働くことに対する、より柔軟な姿勢が生まれ、「出社主義（presenteeism）」のプレッシャーが軽減される可能性である。こうした変化は、家庭でより多くの時間を費やす必要のある人にとって恩恵をもたらし、ジェンダー不平等の縮小、特定の条件が整った職場における女性就業率の向上につながる可能性がある。実際、パンデミックの期間、スウェーデンでおこなわれた研究によれば、リモートワークとより柔軟な就業規則によって、収入に関するジェンダー格差が縮小に向かった[31]。いろいろな仕事をこなせとの圧力がさらに強まる、という対価をともなう可能性はある。でも、リモートワークによって、母親は在宅勤務を増やし、収入格差を減らせるかもしれない。こうした明るい兆しがあるというのだ。

　このような見解は、全体的には奇異に感じられる。明るい兆しどころか、女性はパンデミックによって、より多くの機会を与えられるのではなく、厳しく差別された。イギリスでは、ロックダウンによってケアや育児に関し、一週間四〇時間の追加労働が発生したが、この三分の二以上は母親が担ったとみられる[32]。しかも在宅勤務の母親は、仕事を邪魔されることが男性より五〇％も高くなりがちだった[33]。たとえ続けられても、パンデミックによって育児や看護・介護負担がさらに重くなり、仕事を中断する可能性が父親より二倍も高くなった[34]。パンデミック期間中、すべての国で育児や介護・看護のニーズが高まったが、それはとくに女性が担うことが多かった。

一〇歳未満の子どもを持つ母親の五人に二人は、必要とする育児支援を得るのに苦労した。就学前の育児や病後ケアをおこなう施設が閉鎖されていた時期は、これがさらに難しくなった。イギリスで働く母親の六人に一人（そのほとんどは低賃金雇用）は、勤務時間を減らさなければならなかった[35]。またアメリカでは、離職する女性が男性の四倍にものぼった[36]。

これから先、「在宅・出社混合型勤務」体制となる可能性が高い。そこでは、社員が一週間のうち数日、出社するかたちになるだろう。ただそうなると、十分な育児支援の受けられない女性が「意思決定」から閉め出される二層構造ができあがってしまう[37]。混合型オフィス到来となれば、意思決定を支配する「白人中年男性」がオフィスに戻ってくる一方、女性や民族的マイノリティの職場復帰が難しくなり、不平等はさらに高まる。そうした事態を防ぐためには、強い行動が必要となる[38]。

女性の労働市場参加について、成し遂げられてきた進歩がいまや逆回転している。パンデミックの恩恵を受ける産業での採用が男性に偏ることによって、この逆転傾向に拍車がかかるだろう。ヨーロッパ連合（EU）、アメリカ、イギリス、日本、オーストラリアでは、一〇〇万人弱の雇用がコンピュータプログラミングや関連業務で生み出された[39]。男性は、こうした比較的高賃金の部門で職を得る可能性が女性の五倍である。その一方、介護施設やヘルスケアといった女性の雇用に前向きな部門は、低賃金雇用となりがちで、就労時間が不規則なうえ、リモートではおこなえない仕事であることが多い[40]。

新型コロナのパンデミックは、ジェンダーや人種、その他の差別を乗り越えるため実現してきた進歩を反転させる大きな原因となった。これを乗り越えるには、いかなる救済政策パッケージでも差別克服が中心課題に据えられなければならないし、既存の政策・施策のラディカルな改革が必要となる。たとえば、最悪の打撃を受けた地域を重点対象としてパンデミックの影響を克服する手段を提供したり、すでに銀行や政府とつながりのある人々のほうが貸付を受けやすいというバイアスを取り除いたりすることである。ジェンダー差別の克服には、女性が大半を占める職業の賃金を引き上げる必要があるし、男性以上にフレキシブルな時間勤務となっている女性が差別されないよう、さらなる努力を積み上げなければならない。

貧困者のさらなる貧困化

「私たちはみな、同じ境遇にある」と政治家は口にする。だが、パンデミックの影響は貧困な人々やその居住地域に対し、より深刻なものとなった。不公平感が高まれば、政治家の戯言など、常にかき消されてきた。貧困地域の人々は、健康および経済の両面で衝撃を受けやすく、パンデミックによって地域間の不平等が拡大した。

富裕国において、貧困地域は他の地域と比べてはるかに脆弱である。ニューオーリンズでは、二〇〇五年、ハリケーン・カトリーナの洪水に飲み込まれたのと同じ低海抜地域が新型コロナの被害も大きく、他地域より死亡率が二倍から三倍高かった。より過密な空間に住み、低賃金サービス労働に従事し、公共交通機関に頼らざるをえないという事情によって、こうした地域の住民は富裕地域よりも新型コロナに感染しやすかった。人々はまた、糖尿病やそのほか慢性疾患にかかっている場合も多く、このことによっても感染しやすかった。その一方、医療ケアは受けにくく、メンタルヘルスのサポートは皆無に等しかった[41]。

イギリスでは、最貧地域の新型コロナの死亡率は富裕地域の二倍以上となった[42]。旧来の北東部工業地帯、ヨークシャーなどでは、三人に一人の雇用が失われたか、その危機にあった[43]。裕福な地域でさえ、五人に一人の雇用が不安定化していることに鑑みれば、パンデミックが経済全体に悪影響を与えたことがわかる。
パンデミックが、すでにあった格差を拡大したのは明らかである。子どもの貧困がもっとも急速に悪化したのは、イングランド北部の貧しい町だった。こうしたところでは、パンデミックよりもはるか以前から、子どもの四五%以上が貧困状態にあった[44]。パンデミック以前、ロンドンのもっとも貧しい地区では子どもの半分以上が貧困にあえぎ、北部の諸都市ほど急激ではないにしても、長期的には、これらすべての地域で貧困が悪化すると見込まれている。ますます多くの人たちが福祉制度やフードバンクの世話になり、地域での新規雇用の数が減っていく[45]。

多くの貧困地域で新型コロナの感染率が高くなると、とくに厳しいロックダウンに悩まされることになった。金を稼ぎ出す力はさらに落ち込み、イングランド北部の多くの地域において、失業率が過去三〇年以上にわたる期間で最高レベルに達してしまった[46]。こうした人々の困窮、当局による放置という事態は、以前から不正義ととらえられていたが、その感覚は経済不安が高まるにつれて最高潮となった。これらの地域の共同体意識、負担の分かち合いという感覚に支えられた、命綱ともいえる支援活動がロックダウンによって妨げられた。パブや集会所は閉じられ、「時とともに忘れ去られた土地に住んでいる」という感覚が多くの地域で広まっていった[47]。

狭苦しい家では、ウイルス拡大のリスクは高まるし、在宅勤務にふさわしい環境は確保しづらくなる[48]。貧困な人たちは、世界中どこでも、在宅勤務用の個室を確保できない[49]。

移民労働者はすべての国で、とくに弱い立場にある。彼らはまず最初に職を失う。狭い場所で寄宿生活を送ることが多く、新型コロナにかかりやすい。多くの移民労働者は、所得と住居を失い、困窮したが、飛行機は飛ばず、国境は閉じられ、母国に帰ることもできなかった。こうして彼らは、健康・経済・法的地位いずれの面でも、とりわけ厳しい状況に置かれることとなった。たとえばシンガポールでは、三〇万人以上の外国人労働者が寄宿生活をしているが、シンガポールの新型コロナ感染者の九四％は、こうしたコミュニティで発生した[50]。

保有資産一〇億ドル以上のビリオネア

パンデミックは、超富裕層には恩恵をもたらした。世界二一八九人のビリオネアの資産合計は、二〇二〇年中に三分の一ほど増大し、一〇兆二〇〇〇億ドル以上になり、アフリカ、ラテンアメリカ、南アジア各国を合算した経済規模を凌駕している[51]。アメリカでは、四四〇〇万人以上の人が職を失い、失業率が一五％にまで上昇する一方、二九人のビリオネアの資産は倍増した。最大の利益は、パンデミックで儲けたテック企業の大株主に転がり込んだ[52]。アマゾンの創設者ジェフ・ベゾスの資産はほぼ倍となり、資産二〇〇〇億ドルを超える史上初の人間になった。テスラの創設者イーロン・マスクの資産は、パンデミックの間に一六〇〇億ドル以上増え、一八四〇億ドルとなった[53]。二〇二〇年は、中国だけで二五七人がビリオネアとなった[54]。インドのリライアンス・インダストリーズは、通信やデジタルサービスを含む幅広い産業で事業展開しているが、所有者であるムケシュ・アンバニは資産を三分の一増やし、七五〇億ドルとする一方、大多数のインド人の貧困が深刻化したのは間違いない[55]。世界全体では、いまや上位二〇人のビリオネアが、世界人口の半数以上、四〇億人分の合計よりも多くの資産を保有している[56]。

一兆ドル以上の大儲けでは不十分と言わんばかりに、トランプ大統領による二兆ドル規模のコロナウイルス支援・救済・経済保障法によって最大の恩恵を受けたのは、アメリカの大金持ちだった[57]。この政策パッケージの骨子は減税であり、これによって、二〇二〇年、アメリカの最富裕層は八二〇億ドルにのぼる納税を回避できたからである。[58] 税制の変更は、不動産開発やヘッジファンドの経営陣にとくに有利に働いた。

テクノロジー、医薬品、娯楽その他、パンデミックで儲けた企業の大株主のようにラッキーな少数者は、資産を大きく膨らませた。しかし、危機以前、ビリオネアが苦しんでいたわけではない。一九八〇年から二〇二〇年の間、アメリカのビリオネアは一一三〇%というすさまじい率で資産を増やした。中位賃金が上昇する速さの二〇〇倍以上である。[59] 同時に、資産に対する比率でみた場合、アメリカにおけるビリオネアの税率は、一九八〇年から二〇二〇年の間に七八%下落した。[60] アメリカの上位一%の富裕層は、いまや平均して一四〇〇万ドルの資産を有し、一%で全人口の下位半分全体の三倍以上の資産額となっている。[61] 富は、高騰する株式市場に集中し、他の資産形態を圧倒している。上位一%の富裕層で一四兆ドル以上の株を保有しているが、この額は下位半分の層における保有合計の八八倍にのぼる。[62]

ごく少数の人の手にますます多くの富が集まるようになり、金持ち本人や相続人への課税圧力が高まっている。高所得国のなかでアメリカは、資産の不平等第一位、所得不平等第二位であり、世代間での階層流動性についても最低の国のひとつとなっている。つまり、個々人の将来は、おおむね親の所得で決まる。二〇二〇年だけで、富裕層の子どもは、およそ七六四〇億ドルを相続したにもかかわらず、この所得に対し、平均でたった二%しか税金を払っていない。[63] それとは反対に、労働者階級の平均税率は一六%だから、八倍も払っていることになる。こうした格差は、人種によってなおさらひどくなる。人種間の資産格差は、公民権闘争が最高潮に達していた一九六八年よりも、さらに拡大している。[64]

こうした状況に対処するには、まずはすさまじい不平等と税額控除を克服しなければならない。必要となる緊急対応策とは、たとえば、タックスヘイブンや抜け穴の閉鎖、上位一%の資産に対する財産税の導入である。そして、最下層の所得には免除され高額所得者には急激に上昇する累進所得税である。

ほとんどの国で、上位一〇％の富裕層が自らの資産について、年間たった一％の財産税を納めるだけで、下位半分の納税者が現在納めている税額を超える。[65] 非現実的に聞こえるかもしれないが、二〇二〇年一二月、イギリスの富裕税委員会は、五〇人を超す国際課税の専門家と協議したあと、ミリオネアのカップルに対し、五年間にわたり年間一％の財産税を課すというのを一度だけおこなうことを提案した。これだけで、二六〇〇億ポンドを調達し、新型コロナ危機の衝撃を相殺できると踏んでいる。[66] 財産額は住宅を含め、すべての資産をベースに算出されるべきであり、こうした税制なら、公平かつ効率的であるとともに、回避困難になるというのが富裕税委員会の結論だった。[67] アメリカでは、たった三・五％の財産税で、既存の税制のもと、現在徴収している税金と同額になる。[68] 企業の納税責任回避を許している抜け穴を塞ぐと同時に、高額所得者に課税できれば、はるかに多くの歳入が生まれる。そうなれば政府は、保健医療および教育の分野、あるいは二酸化炭素の排出削減に向けた予算を含め、緊急を要するその他の分野への支出を増やせるだろう。これによって、いまよりもはるかに平等で、持続可能で、包容力のある社会をつくりだせる。

拡大する不平等からの救済[69]

二〇一五年、当時、国際通貨基金（ＩＭＦ）の専務理事だったクリスティーヌ・ラガルドは、「過度の不平等を縮小することは、ただ道徳的かつ政治的に正しいだけでなく、経済学的にも正しい」と書き残している。[70] 根拠は明確だ。もしもひと握りの人間がロビー活動や汚職、公正な納税の回避を通じ、自らに都合のよいルールを作ったり、ルールをねじ曲げたりすれば、経済の潜在的可能性は損なわれ、社会の一体性は崩壊する。[71] 不平等が拡大すれば、都市のエリートやさまざまな権威に対する労働者階級や社会の周辺に追いやられている人たちの怒りも拡大し、蔓延する。[72]

ポピュリズムやナショナリズムの台頭をみれば、不平等がいかに社会構造を揺るがすのか、非常によくわかる。[73] 不平等が人々の怒りを煮えたぎらせ、それがイギリスにおけるブレグジットやアメリカにおけるドナルド・トランプの大統領選出、ヨーロッパ各地でのポピュリスト政党、ナショナリスト政党の勢力拡大の大きな原因となった。[74] 不平等の拡大は、南アフリカのジェイコブ・ズマ大統領（二〇〇九～二〇一八年在任）、ブラジルのジャイル・ボルソナロ大統領（二〇一八年一〇月の選挙で当選）が選ばれた要因でもあった。悲劇的なことに、こうしたポピュリストのリーダーが実施した政策によって恩恵をこうむったのは多数の市民ではなく、ごく少数の人たちだ。それによって不平等が拡大し、より強固になってしまった。

不平等を克服するには、どのような不平等に注目すべきか、それはなぜなのか、はっきりさせる必要がある。すべての人は唯一無二の存在であり、私たちはみな、何事かをなすさまざまな能力を有している。スポーツや演劇に長けている人もいるし、数学や音楽に優れた人もいるだろう。才能が重要となるこうした事例を除くと、人生における私たちのチャンスは、そのほとんどが、生まれた場所、親の所得や教育水準、自分の学歴のほか、自分ではどうしようもない要因によって左右される。たとえば、貧しい地域の貧困な若者がまともな学校で学べるようにして、成功のチャンスを全員平等に与えることを優先する。これによって機会の不平等を減らすことは、不平等の克服においてきわめて重要となる。不平等の克服には、結果に注目することも重要だ。人種、ジェンダー、宗教その他によって深刻な差別が蔓延しているので、たとえ個々人が同じ機会を得たところで、それでも、より恵まれた個人のようには成功できず、彼らとは似ても似つかぬ結果に苦しむことになりかねないからである。

みなが同じ出発点に立てるようにするだけでは、十分ではない[75]。貧困研究のパイオニアであるトニー・アトキンソンが述べているとおり、人生の競争は公平ではない。知らぬ間に重荷を背負って走らされ、行く手を阻む障害物で転ぶかもしれない人がいる一方、何ら邪魔されず、駆け抜けている人もいる。勝者総取りで敗者が何も得られないところでは、不平等は深刻となる[76]。資産格差が広がりはじめると、次世代の機会はますます制約される。成功した親を持つ子どもは、競争に備えて準備し、訓練し、補給体制も整えられるからである。こうなると、不平等のサイクルは強化され、永続する。

教育は、不平等克服の強力な手段である。学校教育のレベルは、各国間および各国内で非常に異なる。裕福な親の子どもは、親が貧困な子どもより五倍も就学前教育を受けられる[77]。初等教育における不平等は、後年まで持ち越される。イギリスでは、ケンブリッジ大学、オックスフォード大学の学生の八〇％は、上位二層の社会階級出身である[78]。機会の不平等はさらに大きくなる。オックスフォード、ケンブリッジの卒業生はイギリス成人人口の一％に満たないが、歴代の首相、上級判事、高級官僚の半数以上を輩出してきた[79]。

一面平らなところで、みなに平等な機会を生み出すことは、より公平というだけではなく、すべての個性が開花するためのチャンスを分け与えるうえで必須の条件である。特定の人たちだけではなく、社会全体が恩恵を受けられる。社会的・政治的な両極化は分断社会の特徴である。ますます深刻になる両極化にさまざまなリスクがあるのは、痛々しいほどに明らかだ。経済成長の停滞、犯罪増加、不健康と抑鬱など、社会や経済の抱える問題の広がりと不平等の拡大を関連づける研究はいくつもある[80]。本書内でも論じたが、不平等の増大は、ポピュリストの政治家、経済ナショナリズムへの支持拡大とも強く関係している[81]。

ノーベル経済学賞受賞者アマルティア・センにとって、何よりも注目すべき不平等は、人々が充実した人生を送るために利用できる機会の不平等であり、教育、ジェンダー、人権が中心的な関心事項となる。センが著書『自由と経済開発』〔原題 *Development as Freedom*〕のなかで強調しているのは、誰もが個人的に満足するだけではなく、公共善に貢献し充実した人生を送れるようにするために、なぜ不平等を克服する必要があるのか、ということである。センの数々の著作から「人間開発（human development）」という影響力のあるアイデアが生まれ、所得や経済成長に関する狭義の指標を超え、すべての次元で人間の能力向上を目指すこととなった[82]。こうした考えの実現に向けて、政策的介入の範囲がつぎつぎに広がり、さまざまな次元の問題に対処するようになったのだ。そのための法的枠組みは、人権や平等の推進を図るものから、持続可能性、食料、保健医療、教育その他のサービスを受ける権利を目的とするものまで、多岐にわたっている。

税制と給付による不平等の緩和

　こうした状況に、多くの富裕層は、自分たちは寄付をしていると反応する。効果的な慈善事業は数多あるが、それらは裕福な人が公正に納税することの補完にはなっても、代わりにはならない。魔法のように一部の人が幸運に恵まれても、寄付者の善意は政府による大きな決断、大きな能力の代わりにはならない。政府が決断すれば、もっとも必要な人々に資金を振り向けることができる。寄付はまた、寄付者の気前の良さに左右される可能性がある。寄付の優先順位が変えられたり、寄付が止められたりすれば、施しを受けていた人は放り出されてしまう。

　政府は不平等を克服するうえで中心的な役割を果たす。所得の向上、経済成長率の引き上げは重要だが、不平等の緩和は、これに勝るとも劣らない。教育、保健医療、エネルギー、インターネット、その他のサービスが平等に受けられる権利の保障はもちろん、最低限の生活水準保障が同じく重要なのだ。

第二次世界大戦後、資本主義の黄金時代において、アメリカとイギリスは、高額所得者に対する世界最高の税率、およそ九〇％を課す国であった。もし、今日のアメリカの所得分配が第二次世界大戦後の三〇年間と同じだとすれば、アメリカの所得下位九〇％の人たちは、現在よりも四七兆ドル分、豊かになっていた[83]。だが一九七〇年代以来、アメリカとイギリスは税率を低下させた。そして歳入の減少とともに、福祉、公教育、不平等の緩和を目標とする投資への支出も減らされた。政府の歳入、所得再分配能力が低下すると、不平等が拡大した。イギリスやアメリカといった英語圏と大陸ヨーロッパを比べると、その違いはますます明瞭になった。再分配政策を維持したヨーロッパでは、税制を通じ国民所得比で、より多くの予算が保健医療、教育、社会福祉に充てられた。ヨーロッパでは、イギリスやアメリカよりも一〇ないし二〇％高く、結果として、パンデミックに先立つ三〇年間を通じ、不平等はさほど拡大しなかった。

　税金は、保健医療、教育、社会保障、住宅供給、児童手当、障害者手当、その他の給付にいたるまで、さまざまなかたちでおこなわれる再分配の原資となる。税金は不平等克服に非常に重要な役割を果たせる。税金および政府支出を考慮しなければ、フランスの不平等度はアメリカやイギリスとほぼ同じ程度、アイルランドはこの二国よりはるかに高くなる。アイルランドは、もしも再分配がなければ、三四の富裕国のなかでもっとも不平等が深刻な国である[84]。しかしながらアイルランドやフランスでは、税制や再分配政策によって、イギリスをはるかに下回る水準まで不平等が引き下げられてきた。かたやアメリカでは、歴代政府が税制および財政支出を通じた不平等の克服に失敗してきたため、相変わらず、すべての富裕国のうちもっとも不平等な国なのである[85]。

　不平等の克服には、ここ数十年で資産を著しく増やしてきた高所得家族の富裕税と相続税を引き上げる必要がある。パンデミックの間に資産を二五％増やしたビリオネアが五％の富裕税を納めてくれたら、一二五〇億ドルになるが、それでも彼らはパンデミック前よりもはるかに多くの金が手もとに残る。同様に、ジェフ・ベゾスがアマゾンの従業員八七万六〇〇〇人全員に一人一〇万五〇〇〇ドルのボーナスを分け与えたとしても、彼はパンデミック発生前よりも裕福なのだ[86]。

　貧困国においても、政府の政策次第で状況は大いに変えられる。歴代のブラジル政府はさまざまな努力を積み上げ、近年、ぶり返しがあるとはいえ、貧富の格差削減に一部成功した。ボルサ・ファミリア計画は、子どもを学校に通わせ、定期健康診断を受ける親に、毎月（およそ三五ドルの）現金給付をおこなうというものである[87]。母親に支給された現金は、食料、文房具、衣服に使われることが多かった。「条件付き現金支給」というこの先駆的取り組みによって、ピーク時にはブラジルの全人口の四分の一にあたる五〇〇〇万人以上の低所得者に現金が届けられ、極度の貧困が半減したと考えられる[88]。

　ボルサ・ファミリア計画からの資金のおよそ九四％は、全人口の所得下位四〇％に支給され、不平等の大幅削減に貢献した[89]。最初はブラジルで一九九六年、メキシコで一九九七年（プログレッサと称された）、チリで二〇〇二年に導入されたが、これに類似した条件付き現金支給モデルは、インドネシア、南アフリカ、トルコ、モロッコなど二〇カ国以上で採用され、成果を収めている[90]。こうした考え方はニューヨークでも、オポチュニティＮＹＣのなかに採り入れられている。

　こうした例はあるが、やはり、よい政策をおこなおうとすれば、よき政府が権力の座についていなければならない。ブラジルでは政権交代によって緊縮政策がおこなわれ、社会政策が劇的に変更されたことによって、不平等の緩和に向けた努力が大いに損なわれた。政策が功を奏するには僥倖《ぎょうこう》が味方をすることもある。二〇〇〇年代には、商品市況ブームがブラジル経済を牽引した。しかしながら、その後は政策の失敗と経済停滞が重なり、四〇〇〇万人以上の人々が貧困ライン以下に逆戻りし、不平等が再拡大して世界最悪国の仲間入りとなった[91]。私の生まれ故郷である南アフリカは、地球上でもっとも不平等な社会という不名誉な称号を与えられている[92]。

ブラジル、そしてフランス、デンマーク、ボリビア、タイ、カンボジア、韓国といった国々で成し遂げられたことに鑑みれば、不平等は克服できるということがわかる[93]。これはよい知らせだ。貧困の削減は、スローガンを掲げるだけでは達成できない。いわゆるアメリカン・ドリームでは、一生懸命働けば、いまどれだけ貧しくても成功できる。これは、まったくのおとぎ話だ。知性や教育、汗水流して働くという意思よりも、親の資産が子どもの将来の成功を大きく左右する[94]。私たちはみな、逆境を乗り越えた人たちの尋常ではない話を賞賛するが、この手の話はまったく例外的な経験なのだ。不平等を克服するには、根本的原因を乗り越えなければならない。眼前に立ちはだかるとんでもない逆境に、貧困な弱者が打ち克つなどという話に乗ってはいけない。

危機は不平等を増幅する。これは二〇〇八年の金融危機でも明らかだったし、現在、世界中で気候変動危機が引き起こしている飢餓や被害でも明らかである。そして、パンデミック下でも明らかとなった。パンデミックを経験したことのない何百万という人々が、不適切な福祉システムに頼らざるをえない状況に置かれた。不平等は、どこか遠いところにある抽象的な事象ではない。私たち全員に脅威を与え、危険にさらしている。人々のウェルビーイング[*1]と私たちの地球を最優先するなら、不平等を克服しなければならない。不平等の拡大から各国の社会を救うには、増税と所得再分配の拡大、公衆衛生・教育・住宅・福祉・交通システムへの投資拡大が必要である。さらには、企業に働きかけ、まっとうな雇用を生み出すための規制やインセンティブが必要だし、ジェンダー、人種、民族、宗教、年齢その他の差別を取り除くため、法制化して差別解消の責任を明記する必要がある。これらの目標をすべて達成した国はないが、私たちは、手の施しようがなさそうな差別や不平等に立ち向かって、これまでに達成された進歩から学ぶことができる。いまや四二カ国以上で同性婚が法律で認められている。フランスでは最低所得制度が確立し、南アフリカでは制度的人種差別の克服にいくつかの進歩があった。そして多くの北欧諸国で不平等削減に向け大きな進歩が成し遂げられてきたのをみれば、さまざまな社会に変革能力があることがわかる。ほかの地域でも同じだが、社会の変革では、言葉を並べるよりも行動のほうが大きな意味を持つ。

　パンデミックは、不平等と差別を悪化させるとともに、その実相をさらに浮き彫りにした。パンデミックによって、こうした不正義に立ち向かうことが、これまで以上に喫緊の課題であることが明らかになった。政府や実業界は、二〇二〇年一月だったら、ありえないと思われたような方法で、パンデミックに対応してきた。こうした取り組みにもとづき、すべての場所で差別と不平等を削減することが目下の課題である。

第2章　若者と老人の連帯

若者にとって、新型コロナのパンデミックの間にすべてが変わった。社会的連帯が経済学に勝利し、世代間の対立が覆された。三〇歳未満の若者にとって新型コロナで死ぬ可能性は、自動車事故で死ぬより低かった。学齢期の子どもにとっては、雷に打たれて死ぬより低かった。にもかかわらず、若者は自らの教育、社会生活、雇用見込みをいったん保留し、大きな債務を背負うこともいとわなかった。主に老人や弱者を守るために作られたルールに従ったのだ。[1] アメリカ、イギリス、ヨーロッパでは、新型コロナに感染して亡くなった人の平均年齢はおおよそ八二歳で、これはほぼ平均寿命でもある。

若者たちの将来見通しは、老人への惜しみない献身によって損なわれた。世界大戦が終わったときと同じように、私たちは若者に対し、よりよき未来を用意しなければならない。私たちの社会では、老人を救うために可能な限りのことがおこなわれてきた。今回は若者も救わなければならない。

若者たちの将来見通し

一八歳から二九歳までの若者は、パンデミックによって雇用や賃金に大打撃を受けた。世界の六分の一の若者が二〇二〇年の第2四半期に職を失った[2]。最悪の影響をこうむったなかには、自営業の若者、ギグワーカーとして働く若者が含まれる。若者の失業率は、全労働人口中、他の年齢層より三倍高い[3]。健康保険や失業保険が得られる見込みもなく、若者はとくに脆弱な立場に置かれている[4]。職を維持した若者さえ、他の年齢層よりも大幅な賃金切り下げを経験した[5]。

イギリスでは、パンデミックの間、一六歳から二六歳までの若者の失業率は、他の年齢層の二倍以上となったようだし、若者が失業者全体の六〇%を占め、二〇二〇年末には失業率が二〇%に達した[6]。なんとか職を維持できた若者のうち、一〇人に六人は収入が落ちた[7]。

新型コロナのパンデミックの問題のひとつは、若者の共闘を生み出す新たな絆となるような攻撃対象が簡単には見つからないことだった。若者は、二〇二〇年夏の「ブラック・ライブズ・マター」運動支持の場合と違って、コロナウイルスにプラカードを掲げて抗議するわけにはいかなかった。実家で受け身を強いられることが多かった。新型コロナの悪夢が過ぎ去るのをじっと待っていたのだ。次に自分たちが直面するのは、かつてないほど大きな経済的副作用だと知っていた。二〇〇八年の金融危機のときと同じだ。新規採用が中断され、直近で雇われた者から最初に解雇されるというとき、パンデミックの悪影響を大きく受けた労働市場に職を求めてやってくるのは若者だった。

若者はパンデミックを経て、まったく不確実な世界に足を踏み入れている。前途有望だが、それは疑わしくもある[8]。不確実性は新型コロナ以前から変わらないが、パンデミックによってさらに高まり、雇用が崩壊して競争圧力が増した。多くの人にとって心の問題は、少なくとも経済的困難と同じくらい大きい。両者は相互に増幅しあう可能性がある。経済的不確実性が不安を高め、不安が高まれば人はうまく働けなくなる。職を失う人が失うのは、所得だけではない。アイデンティティを失い、日常を失い、社会的ネットワークのきわめて重要な部分を失う[9]。こうした影響をもろに受けるのが若者だ。若者は、これから信頼を勝ち得なければならないし、経験を積み、スキルを高め、しっかりした職場習慣を身につけなくてはならない。貯蓄を増やさなくてはならないし、働くことを通じ、さまざまな関係をつくりあげていかなければならないのに、それができなくなるのだ。

二〇代後半および三〇代前半の多くの人にとって、今回は仕事人生で二度目の大きな危機である。二〇〇八年の金融危機では、金融システムが崩壊し、世界の経済活動が麻痺した。その大打撃を受けてからわずか一〇年のうちに、新型コロナに見舞われたのだ。アメリカを震源とする金融危機後に起きたユーロ危機は、職探しに奔走したスペインの若者の半数以上にとって、そして、職を見つけられなかったイタリアの若者の四〇%にとっては、二〇〇八年の危機よりもはるかに大きな打撃となった[10]。パンデミックとなり、若年失業率は、南欧では金融危機のどん底で経験した水準に戻ったし、イギリスでは一五%に跳ね上がって、緊縮政策による不況のまっただなか、一九八〇年代初めに記録した「一〇人に一人」のレベルをはるかに凌駕した。伝説のバンドUB40は、当時、「一〇人に一人」というタイトルの楽曲をリリースしていた[11]。

世界全体で求人数は三分の二以上も減り、若者がとくに不利益をこうむった[12]。アメリカでは、二〇二〇年、三九〇万人の大卒者が就職市場に参入し、在学四年で積み上がった、平均三万二〇〇〇ドルの借金の返済を始めようとした[13]。だが、将来のキャリアを切り開く扉は閉ざされたままだった。アメリカやイギリスで学生に出されていた内定の三分の一以上が、パンデミックの間にキャンセルとなった。パンデミック以前は、卒業前に就職を決める学生が平均で六〇%だったのに、二〇二〇年は、卒業前に職を見つけられた学生は一八%にすぎなかった[14]。その結果、イギリスで調査した若者のほぼ半数は、人生の目標を下げていると答え、貧困層出身の学生の半分以上が将来の目標を達成するのは「不可能」と語った[15]。パンデミックによる不況や就職市場への影響がさほどひどくなかった中国においてさえ、大卒者への求人は、求人期間が拡大され、オンライン採用フェアが実施されたにもかかわらず、二〇二〇年には前年比で四分の一も下落した[16]。二〇二〇年に幸運にも就職できた学生でさえ、平均賃金はパンデミック前と比べてほぼ一〇%下落している[17]。

　マリエル・サンダーは、職が見つかって恵まれていると感じた学生のひとりだ。彼女は、パンデミックがピークを迎えた二〇二〇年五月、楽しいはずの卒業式もないまま、ニューヨークのコロンビア大学を卒業した[18]。彼女が見つけられた唯一の職は死体安置所の臨時雇用であり、遺体を病院のベッドから冷蔵トレーラーに運び込むのを手伝うことだった。

　四月のロンドン、経済学・経営学の学位を持つ二五歳のトミーは、諸事情によりある仕事を解雇された。六カ月後、別の仕事を見つけてほっとしたが、二度目のロックダウンでそれも失ってしまった。昔の仲間も、非常に優秀な彼の兄も、誰も仕事が見つからなかった。大学時代の同級生の女性は、学年でも優秀な成績を収めていたが、三〇〇以上の仕事に応募し、そのうち七つは最終選考に進んだものの、内定にはいたらなかった。

　パンデミックによって多くの若者が自信を失い、やる気をなくし、メンタルヘルスの問題を抱えはじめることになったのは、驚くべきことではない[19]。これまでの不況で明らかなように、一人ひとりへの影響は長く続く。危機のせいで若者が経済的にも精神的にも将来を見通せないという状況を断ち切るには、一致団結した行動が必要となる[20]。

パンデミック以前から、若者は過酷な状況に耐えていた。賃金は数十年にわたり低迷し、サービス部門における不安定労働が蔓延していた。いまや、こうした不安定労働に若者の一〇人に一人が就いている[21]。金融危機後の賃金圧縮によって若者の収入はさらに下落した。いまでは三〇歳未満の労働者の中位賃金は一五年前を下回り、最低賃金を若干上回る程度で低迷している[22]。また、イギリスで失業給付を申請する三〇歳未満の女性は、パンデミックの間に倍増した[23]。

さまざまな年齢層の間で、すでに巨額の資産格差があったが、賃金低下はこれに拍車をかけた。今後もかけ続けるだろう。アメリカでは、第二次世界大戦後の二〇年間に生まれたベビーブーマー世代がいまや資産全体の半分以上を保有している。一方、一九八一年から一九九六年に生まれたミレニアル世代の資産シェアは、二〇〇八年の金融危機以来、五％を超えたためしがない。いまのミレニアル世代と同じ年齢だったころ、ベビーブーマーは世の資産の四分の一、いまの若者の五倍も保有していた[24]。

学齢期の子どももパンデミックによって大きな影響を受けた。世界の小学生の六〇％以上が学校に行けなくなった。学校閉鎖によって、子どもたちはこれからずっと勉強できなくなるのではないか、と懸念されるようになった。学習とは積み重ねのプロセスだ。授業がなくなれば、すぐに元に戻ってしまい、六カ月の休校で一年分の退行をもたらす可能性がある[25]。イギリスではパンデミックによって、ほとんどの子どもが学力だけではなく、社会的技能も低下した。これは低学年に顕著で、もっとも大きな影響を受けた子どもは、ナイフとフォークの使い方のような基本的技能まで失った[26]。登校の再開・停止が繰り返されたことも、新型コロナについてつぎつぎと出される指導書が複雑になったことと相まって、とくに低学年の子どもを困らせた。

パンデミック中のドイツにおける学齢期の子どもに関する研究によれば、生徒から年間三分の一の授業機会が奪われれば、生涯所得のうち平均三％を失う[27]。だが、こうした平均値では、生徒間の大きなばらつきが見えなくなる。ばらつきによって現在の格差が増幅される。成績の悪い生徒は、登校しない分の時間を主にゲームに費やす。成績優秀の生徒は、多くの時間を勉強に充てる。こうした違いは、社会経済的格差や家庭間のその他の格差によって増幅される。

　他のどの年齢層でも、そして世界中どこでも、パンデミックは教育においてすでに存在していた貧富の格差を拡大した。貧しい家庭の子どもは、コンピュータも、邪魔されずに勉強するための場所やプライバシーも整えられなかったであろう。裕福な家庭の子どもは、オンライン授業では先生に、家庭学習ではスキルを持った親に教えてもらえただろう。おまけに、栄養満点の食事、体を動かすための庭や公園にも恵まれていただろう。イギリスでは、ロックダウンの間、全児童の四分の一、およそ二五〇万人が学習や教育の場をまったく失った。実際、私立学校の生徒の四分の三は時間割どおりの授業が受けられたが、公立学校の生徒で支障なく授業を受けられたのは、わずか三分の一にすぎなかった[28]。こうした問題は、人種間の資産格差によってさらに大きくなった。黒人系、アジア系、少数民族系（ＢＡＭＥ）の子どもがもっとも落ちこぼれた。貧富にともなう生徒間格差は、二〇一九〜二〇年度には四六％増大した。

　パンデミックによる貧困増大は、子どもの長期的な将来展望に対し、教育の機会喪失よりもはるかに大きな影響を与えるだろう。栄養は若年者の脳の発達にとってとくに重要だが、貧困は栄養面に影響するだけではない。子どもが育つ物質的・社会的な環境にも影響を与える。イングランドでは、収入が貧困線以下の家庭の子ども一三〇万人が在校中、無料で給食を利用できる。これがなくなれば、身体的・精神的な発達を長期間にわたり妨げる可能性がある[29]。パンデミックの悲惨な影響を受け、さらに九〇万人以上の子どもに給食が必要になった[30]。イングランドの家庭の三二％がパンデミックによって収入減となっているので、資格のなかった一五〇万人の子どもにも給食が必要になると考えられている[31]。二〇二〇年の夏、サッカー選手のマーカス・ラッシュフォードは、子どもたちが休業期間中、無料で食事ができるようにと、昼食クーポン配布計画のキャンペーンの先頭に立って、この問題の重要性を世に訴えた。彼の力強いキャンペーンによって、政府は二度にわたり譲歩を迫られ、食事クーポンの配布をおこなった。まずは第一回目のロックダウン中および夏休み期間中、次は二度目のロックダウン後である。二回目のクーポン配布では、政府は計画の期間および対象範囲の拡大を迫られ、クリスマス休暇から二〇二一年のイースターまでおこなわれた[32]。その後、二〇二一年一月、マーカス・ラッシュフォードは、子どもに配られる食事の中身がよくないと訴え、ふたたび政府の政策に変更を迫った。

　新型コロナが直接の原因で亡くなった子どもは非常に少ない。だが途上国では、パンデミックによって保健医療サービスが不足するとともに栄養状態が悪化し、悲惨なことに子どもの死亡率が四五％も上昇した[33]。パンデミックのもたらす新たなニーズに向けて、予算や、そもそも不足がちの医療資源が再編されたことによって、給食やマラリア予防の蚊帳《かや》、子どもの病気を防ぐためのワクチン接種の供給が減らされたからである。世界全体では、新型コロナによって子どもの貧困が一五％増加した。欠乏状態に苦しむ子どもが一億五〇〇〇万人増え、合計一二億人という驚くべき数字になった[34]。アメリカでさえ、子どものいる家庭の六軒に一軒が十分な食料を入手できないと答え、二万五〇〇〇ドル以下の収入しかない家庭では、三分の一以上が基礎的ニーズを満たせず、生き延びるため、多くがフードバンクの慈善事業に頼った[35]。アメリカでは、食料調達のままならない人がパンデミックによって倍増した。緊急失業救済計画のもとで給付されていた補助金が二〇二〇年七月に終了すると、問題はさらに深刻化した[36]。

　一九二の国で、一六億人以上の子どもがロックダウンによって学校に行けなくなった。この半分以上が途上国の子どもであり、四億六二〇〇万人以上がリモート学習もできなかった[37]。学校が閉鎖されることの長期的影響は、貧困国では富裕国以上に深刻だった。リモート学習を続けるには技術的基盤が整わず、子どもが勉強を再開できる可能性は貧困地域ほど小さくなるからである。貧困家庭の子どもでインターネットに接続可能な子どもは一％もいない。たとえばブラジルやナイジェリアでは、パンデミックの間、貧困地区の子どもで勉強を続けられたのは半分にも満たなかった[38]。

多くの貧困国では経済が崩壊し、長年にわたる学校・教育設備の大きな不平等がさらに悪化した。貧困国の教育システムでは、急拡大する学齢期人口のニーズを満たすことは以前にも増して難しくなった。アフリカの多くの国では、一クラスの生徒数が五〇人を超えており、手洗い、その他の設備がある学校は三分の一もない。したがってパンデミックの間は、ソーシャルディスタンスをとることも、安全な手順を踏んで子どもを学校に戻すこともできなかった[39]。

学校が閉鎖されたこと、家族の収入が減ったことによって、数多くの貧困国で児童労働がふたたび増加した。家計が苦しくなり、乏しい収入を補うため、何百万もの子どもが働かされたからだ。授業が再開されても、四〇カ国の二四〇〇万人以上の子どもは、学校に戻れる見込みがなかった[40]。世界中、二五〇万人以上に及ぶ少女たちは、今後五年間で無理やり結婚させられるリスクがある。年端もいかない子どもが結婚したり、妊娠したりする数は、二五年にわたり減ってきたのに、新型コロナはこの進歩を台無しにしてしまう[41]。後退が不可逆的となり、進歩が失われたままだと、「みなに教育を」という「持続可能な開発目標」（ＳＤＧｓ）の達成に向け、苦しみながらも続けてきた数十年の歩みが無になってしまうのだ[42]。個人や社会に与える影響は広範囲に及び、ある試算によれば、教育期間が半年失われると世界中の学生が一〇兆円の所得を失うことになる[43]。新型コロナのパンデミックが若者の将来に暗い影を落とし続けてきたのは確かである。彼らの損失は社会の損失でもある。若年世代が貧しくなれば、私たちはみな貧しくなる。

債務の時限爆弾と年金危機

新型コロナのパンデミックによって、各国政府は一二兆ドルの追加債務を負うことになった。膨張する債務の山に金利が積み重なり、この先どこかの時点で、これを返済しなくてはならない。若者は教育や雇用で未曾有の課題に直面していて、将来設計も所得の機会も見通しは暗い。追加で財政負担が課されても、彼らにはそれを背負えるだけの能力はない。

国家債務という金融時限爆弾の針は進み、高齢者向けの財政負担が社会にますます大きな負担を与えるさなか、時間切れとなる。ヨーロッパ、北米、東アジアでは急速に高齢化し、三〇年ほどの間に、中位年齢はおよそ二五歳から四〇歳以上に急上昇した。こうした状況にともない、若者の税負担が重くなった。彼らは親世代の年金とケアへの支出を強いられた。年金システムは、すでにパンデミック以前から持続不可能だった。出生率が低下し、平均寿命が延びたことで、従属人口に比べ、生産年齢人口が減ったからだ。パンデミックによって失業率が高まり、年金計画を支える人の数が減少し、政府の税収・歳入は下落した。一方、納税者に依存する人の数は、失業者が増えるにつれ上昇した。

年金危機は利子の消滅とともに悪化した。低リスク投資へのリターンが記録的な低さとなるなか、支出は増大し、収支のミスマッチは爆発的に広がった。個々人は退職に備えてますます金を貯め込み、使わなくなるだろう。結果的に、低成長ないしゼロ成長、平均所得の伸び悩みを特徴とする期間がだらだら続くことになる。ハーバード大学の経済学者ローレンス・サマーズは、これを「長期停滞」と呼んだ[44]。こうした状況が若者にもたらす影響は多岐にわたる。将来展望が失われるだけではない。彼らは、収入のますます大きな部分を税金で取られ、膨らむ政府債務の支払いと年長世代の困窮防止を引き受けなければならないのだ。

年長者の退職年金の必要額と年金基金から支払い可能な金額とのミスマッチは、多くの企業の倒産で拡大し、その結果、年金基金の価値が下がっている。イギリスでは、二〇一六年四月、ブリティッシュ・ホーム・ストアズ（ＢＨＳ）が年金基金に五億七一〇〇万ポンドの赤字を残したまま倒産した。同様に、パンデミックの間、デベナムズ、アルカディアといった小売りグループ企業が倒産し、何千人もの長期雇用者が乏しい国民年金に頼らざるをえなくなった。

高所得国では、差し迫る年金危機に政府が向き合う過程で、国民年金の有資格年齢が引き上げられてきた。イギリスでは、パンデミックの間に男女とも六六歳に引き上げられた。女性については、二〇一〇年以後、毎年一カ月ずつ引き上げられてきたが、計画では、今後数年間、さらに上げることになっている[45]。現在働いている人は、七〇代になっても働き続けることになるだろう。年金を満額受け取るには、国民保険に、いまは三五年でいいのに、四〇年以上も保険料を納めなければならなくなる。

アメリカでは、年金システムがはるかに厳しいので、個々人の備えが必要だが、上位一％の最富裕層以外の人々は、全体として、まともな暮らしを続けるには貯蓄が足りない。アメリカの生産年齢人口の六〇％以上は、老後に備えた貯蓄がなく、退職間近の人たちが残りの人生を過ごすための平均資産は、わずか四万ドルにすぎない。仕事を辞めてから二五年間生きるとすれば、平均的な退職者は、年間二〇〇〇ドル以下で暮らさなくてはならないことを意味する。これだとアメリカでは、最低生活水準をかなり下回ることになる。

今回のパンデミックによって、多くの人々はリタイアの計画を先延ばしせざるをえなくなった。投資収益が低下する一方、被扶養者を支える必要性は高まり、家計収入への圧力はますます増大した。アメリカでは、二〇二五年までに退職を予定していた人々の約四分の三が計画の再考を余儀なくされた。イギリスでは、高齢労働者の三分の一が金融資産のかなりの落ち込みに苦しみ、計画を見直していた[46]。

ここ一〇年、五〇歳以上の雇用者数が増大してきたが、パンデミックによって、その流れはせき止められた。イギリスでは、五四歳以上の労働者の四分の一以上が一時帰休となった。経済が崩壊し、ロックダウンによって各家庭に訪問営業ができなくなるにつれて、年長の自営業者のうちパンデミック以前の仕事を維持できたのは、わずか五分の一となった[47]。二〇〇八年の金融危機のときと同じく、こうした人々の多くは早期退職に追い込まれた。それによって収入が落ち込んだまま、不安は募り、精神的・身体的な不調にも陥りやすくなった。

パンデミックが引き起こした経済の混乱は、年長の労働者に影響を与え続けた。高齢者が職を失うと再雇用の可能性は小さく、働けても賃金は低くなる。急に首を切られたり、賃金を切り下げられたりすれば、将来に向けた経済力は低下し、生活を維持することも、老後の夢を実現することもままならなくなる。失業し、早期の引退生活に追い込まれ、資金繰りが厳しくなれば、よく知られているように、健康に悪影響を与え、寿命もかなり縮むこととなる[48]。

パンデミックのもたらす苦境から年長の労働者を救うには、個人年金から得られる金額と合わせれば最低生活賃金を超えるように、国民年金の給付額を増やすべきである。高齢者の自尊心と共同体意識を育むようなメンタリングやボランティアの計画や活動もまた奨励されるべきで、こうしたことに資金供給するのも一案だ。年長者を支え、年長者が社会に与える負担を減らせば、政府は若者を支えることにもなる。年長者を支援する計画には政治的な支持が広がっているが、この勢いをすぐさま実践的な対策につなげて、パンデミックの悲惨な結果を埋め合わせなければならない。若者が年長者のために払ってきた犠牲に対する感謝の気持ちを、若者の利益向上につながる具体的行動で示すことも必要なのだ。

若者の救済

若者には短期的ニーズとして教育、雇用、所得があるし、長期的には、彼らがより安全でリスクの少ない世界で暮らせるようにしなければならない。これを実現するには、あらゆる年代の人々が協調する必要がある。経験不足の若者、学業中断による成績不良の若者がいるかもしれないが、雇用主は、こうした若者それぞれに対する雇用の機会、有給の研修機会を増やすべきである。政府は準備を整え、個別指導や補習授業はもちろんのこと、若年者雇用計画や、若年者雇用を増やした会社に対する税制優遇措置に追加予算を投じるべきである。若者の生活支援をおこなう青少年組織には、緊急の公的支援が必要だ。

イギリスでは、青少年センターの三分の二以上が慢性的な資金不足によって、この一〇年で閉鎖に追い込まれ、存続するセンターの三分の一は、公的資金による緊急支援がなければパンデミックを乗り越えられないと見込まれている[49]。ギャングの仲間になるか、麻薬と絶望の悪循環に陥るかの選択を迫られることがあまりにも多い場所に住む若者は、仕事を見つけて、その場を逃れるにも、別の町に遠距離通勤をしたり、引っ越したりしなくてはならない。こうした若者への一時的補助にも政府支出が必要になる。

支援をもっとも必要とする学齢期の子どもに対しては、一年を通して学校給食や栄養補給を実施することが、ラップトップパソコンを一人一台支給するのと同じく、妥当な投資ということになる。そうした投資は、彼らが将来、より生産的に社会に関わるような市民になれば回収できるからである。政権交代があっても投資が持続し、長期的目標に向けた投資が可能となるように、政府はなんとしてでも短期主義を克服しなければならない。ほかの領域と同じように、それが子どもの福祉につながるからだ。

大学に関していうと、イギリスには学位偏重主義があり、イギリスほどではないにせよ、アメリカにもあるが、そこから脱皮し、もっと職業教育に目を向けなければならない。ここ数十年のうちに、大学教育が大衆化し、雇用主は志願者に対し、ますます大卒の学位を求めるようになった。そのため、学生や雇用主の職業訓練に対する評価や関心は、不健全なほど下がってしまった。最高位と評価される職業資格を持つ成人は、イギリスではわずか一〇％にすぎない。これに対し、アメリカでは一七％、ドイツでは二〇％、カナダでは成人の三分の一が、こうした職業資格を有している。[50] イギリスでは、職業資格の取得に向けて勉強している学生の五〇倍もの大学生がいる一方、何らかの職業訓練を受けてから学校教育を終える人は全体の四分の一にも満たない。これに対し、スイスでは一六歳から一八歳の五九％が職業上の資格を有し、ドイツでは一八歳人口の四一％が技能資格を得ている。[51] 結果的に、必要とされる技能と利用可能な技能のミスマッチが拡大している現状に対処するため、活力ある社会と雇用機会を生み出さなければならない。[52] たとえばイギリスでは、ブレグジットによって移民の採用が厳格化されるよりもずっと前から、設計、施工、建設やその他関連取引の熟練技能者は非常に不足していたし、技能訓練を必要とする救急救命や保健衛生業務についても同じく不足していた。

　若者に対して有意義な雇用機会を創出できれば、同時にそれは、年長者の将来展望を改善することにもなる。というのも、それによって税収が増え、年金の持続可能性が高まるだけではなく、年長者の依存するさまざまなサービスへの支出も増やせるからだ。継続可能な年金システムを生み出すとともに、若者・年長者双方の債務負担を減らすためには、間違った緊縮計画によって苦しめられないようにしなければならない。そうした緊縮策では、年長者と若者がとくに頼りとするサービスや雇用を縮小させることになるからだ。

　若者と年長者が直面している問題を、ほかの社会集団が直面している問題から切り離すことはできない。光り輝く未来の利益は、すべての世代が分かち合うものだ。だが、若者たちは二二世紀まで優に生き延びる可能性がある。だとすると、私たちが今日下そうとしている不可逆的な決定によってもっとも多く失うのも、もっとも多く獲得するのも、若者ということになる。現状では年長者と若者が一身で犠牲を背負わされているが、もしもいま、雇用喪失、不平等、環境その他の緊急事態に取り組むために各国が行動すれば、より持続可能な世界につながるさまざまな改革が促されるだろう。

第3章　世界規模の貧困克服

新型コロナは、私たちの一生涯にもなるような期間に成し遂げられた発展に立ちはだかる最大の壁となった。七〇年の進歩が逆転してしまったのだ。低所得国と中所得国は、一九五〇年代以来、初めてのマイナス成長に苦しめられた。新型コロナで直接健康が害されてというより、飢餓や貧困が原因で亡くなる人のほうがはるかに多かった。今回のパンデミックでは、極度の貧困に陥った人が一億五〇〇〇万人も増加し、深刻な飢餓にあえいだ人が二〇一九年の一億三〇〇〇万人から二〇二〇年の二億六〇〇〇万人へと倍増した[1]。多くの貧困国では、教育や保健医療のシステムが崩壊した。大規模な救済計画が実施されなければ、各国で合意した「持続可能な開発目標」（ＳＤＧｓ）の達成は不可能だ[2]。相互に関連する一七の目標は二〇一五年に策定され、二〇三〇年までの達成が目指されている。具体的目標として、極度の貧困・飢餓の解消をはじめ、すべての人々に対する保健医療や教育、雇用、ジェンダー平等の向上という大きな目標の達成のほか、気候変動への取り組み、環境破壊の阻止などが掲げられている。

パンデミックは、ただ雇用を破壊しただけではない。移民労働者の母国への送金は、多くの貧困家庭にとって生活に不可欠の資金源だったが、世界規模のパンデミックは、移民労働者が送金するための資金源も同時に損ねてしまったのだ。今回の危機ではまた、インフォーマルな仕事、露店で生活費の不足を補う手段、あるいは収入の足しにする物乞いの機会さえ、ステイホームの命令、インフォーマルな小売市場の崩壊によって、なくなってしまった。貧困国では、政府が提供するセーフティネットはお粗末で、かたちだけにすぎない。裕福な国々は政府債務を引き上げ、歳出を増やすことによって、危機がもたらす最悪の影響を軽減できるが、貧困国ではそうはいかない。

貧困の増大と不適切な対応

移民労働者やインフォーマルな契約にもとづく労働者は、どこの国でもとくに弱い立場にある。彼らには、一部の都市や政府が提供する、ごくわずかな支援さえ受給資格がないからだ。世界全体で労働者の約三分の二、およそ二〇億人は、正式の契約にもとづかないインフォーマルな仕事に従事している。こうした仕事は、自給農業から露天商、零細企業経営までさまざまだ。パンデミックは、こうしたインフォーマル労働者の八〇％以上、一六億人の生活を脅かしたが、その九〇％以上は途上国民である。[3] 途上国では、人口比で富裕国よりもはるかに多くの人々がインフォーマル労働に従事している。たとえばインドでは、都市労働者の半数がインフォーマル労働に携わっていて、ロックダウンの間、仕事にも金にもありつけなかったと推計されている。[4] 職のないインド人労働者のうち、政府から何らかの支援を受けられた人は四人に一人もいない。したがって、パンデミックの間、総収入は半減したが、貧困層はそれよりもはるかに大きな損失をこうむった。[5]

途上国には適切な福祉政策をおこなうだけの財源はなく、ブラジルやペルーのように、以前は緊急支援をおこなっていた国でさえ、支出を維持できなかった。地域経済が一〇％以上収縮した結果、二〇二〇年には、ラテンアメリカだけで四五〇〇万人以上がふたたび貧困に陥った[6]。中国では、最貧困層は孤立した農村地域で社会の周縁に居住することが多いが、彼らはほかの人たち以上に苦しんできた。中国の全人口中、下位四〇％は、収入が途切れれば三カ月もたない。だからこそ働かなくてはならないし、政府のわずかな支出に頼らなければならない[7]。中国の社会保障支出は国内総生産（ＧＤＰ）のたった三％であり、ほかの途上国と遜色ないが、先進国平均の一二％には遠く及ばない。ここからもはっきりわかるように、比較的裕福な途上国でさえ国民を支える能力には限界がある。

　貧困の罠からなんとか抜け出そうとしてきた多くの人は、二〇二〇年、ふたたび罠にはまった。私がフィリピンで出会ったジェフは、その好例だ。彼はスキューバダイビングの会社で働き、酸素ボンベ運びから始めて社内での地位を上げ、ダイビングのインストラクターに登りつめた。彼は故郷に仕送りし、子どもの教育費をまかなえるようになったことを誇りにしていた。二〇二〇年三月、パンデミックによって観光業が急にどん底に陥ると、スキューバ会社は閉鎖され、彼は故郷の村に舞い戻った。いまでは、父親が以前やっていたのと同じく、漁師になって生計を立てようとしている。近くのホテルで働いていた妻も職を失ったので、もはや二人は子どもの教育費をまかなうことができない。私のほかに何人かの支援を受けながら、彼らはまあなんとかやっているが、ジェフは、疲弊し餓死しそうな村の住人たちのことを心底心配している。

　すべての途上国において、観光、輸出、税収、海外移住者の送金から得られる歳入がパンデミックによって激減した。パニックに陥った投資家も、自らの蓄えをよりリスクの小さい市場に移したため、資本逃避が起こった。以前は良好な経済状況にあった国々が不安定化するのに、大して時間はかからなかった。貧しければに貧しいほど、自国民を支えられなかった。歳入が大幅下落する一方、保健医療と社会福祉への支出は急増した。インド、マレーシア、南アフリカ、タイといった、国債を発行できる一部の中所得国は、歳入と歳出の大きな差額を埋めて、国民を支えた。ただ、こうした国々で財政赤字が拡大すると、厳しい代償がともなう。通貨の下落を招き、輸入や対外債務の支払いが高くつくだけではない。将来、より多くの予算を債務の利払いに充てなければならなくなる可能性、さらには今後、教育やインフラストラクチャー、そのほか必要性のきわめて高い投資への予算縮小の可能性が高まるだろう。新型コロナがもたらした保健医療と経済の緊急事態に対処するための出費がかさむなか、社会の長期的健康に向けた支出が大きな譲歩を迫られることになった。

途上国の厳格なロックダウンは、富裕国と同等、あるいはそれ以上であることが多かった。ところが、貧困国の政府は、市民や企業を支援する能力が著しく劣っていた。パンデミックがもたらす健康リスクをロックダウンによって抑え込む必要性、それによる大きな経済的悪影響のどちらを選ぶか。世界中すべての国が過酷な選択に直面した。このジレンマは、貧困国でははるかに深刻であり、経済的な代償と苦悩は、これまでのいかなる経験をも超えることとなった。

南アフリカは、初期段階でもっとも厳しいロックダウンをおこなった国のひとつである。その結果、二八〇〇万人の雇用が失われたが、そのうちおよそ四〇%は完全解雇であり、数十年に及ぶ雇用創出の流れが反転した[8]。最下位四分の一の貧困層は、最上位四分の一の富裕層の一〇倍、職を失った可能性が高い。貧困の女性で、学歴のない農村労働者がもっとも大きな失業危機にさらされた[9]。労働年齢人口のうち、農村部で職にありつけたのは三二%にすぎず、市街地ですらわずか四〇%、都市部でも四九%であり、南アフリカにおける全労働人口六〇〇〇万人のうち半数以上が失業状態にあった[10]。政府が支給したひと月三五〇ランド（二〇ドル）の新型コロナ給付金では最低限の食費さえ十分にカバーしきれないが、これですら、受け取れたのは全失業者のうち四四〇万人にすぎなかった[11]。

アンネはケープタウンで住宅清掃員として働いている。二〇年以上にわたり、何軒かの家で働いてきたにもかかわらず、ロックダウンで働けなくなったとき、彼女には賃金が支払われなかった。その結果、コンピュータ専門学校の二年に在籍していた娘は退学を余儀なくされ、アンネの稼ぎに頼っていた孫たちは、授業に出るために必要な文房具を買えないなら登校できない、と告げられた。

国際的な連帯の失敗

国際通貨基金（ＩＭＦ）は保守的姿勢をとることで有名だが、途上国を支援しパンデミックの影響を抑え込むために二兆五〇〇〇億ドルの追加拠出を約束した。だが二〇二〇年になっても、途上国が受け取ったのは、わずか一〇〇〇億ドルにすぎず、富裕国が自国経済を支えるために用意した一二兆ドルの一％にも満たなかった。もっとも必要とする国に向かった支援は、このうちの半分もなかった。これらの国々は援助を求めるためのロビー能力が足りないし、支援国・機関の適用する基準は貧困や必要性の程度を反映するものではなかったからだ。高中所得国については、たとえばバハマは市民一人あたり四六四ドル、セイシェルは三八九ドル受け取ったが、それらよりはるかに貧しく人口も多いザンビア、カザフスタン、カメルーン、タンザニアは、こうした貧困国ほどパンデミックの影響がいっそう深刻であるにもかかわらず、一人あたり二〇セント以下しか受け取れなかった[12]。

かつてないほど支援の必要性が高まったまさにそのとき、富裕国の国民所得に占める割合でみると、二〇二〇年、援助予算が縮小し事態がさらに悪化してしまった。支援国の経済が収縮すれば、援助も収縮する。たとえばイギリスの援助は、二〇二〇年、前年に比べ三〇億ポンド下落した[13]。各国政府が経済を維持できなくなり、国際社会が資金援助に失敗すれば、多くの途上国は崩壊の脅威にさらされる。これは途上国民にとって災難となるだけではない。より広い地域でグローバルな影響をもたらすのは必至である。難民が増大するし、テロや新たな感染症の温床となる破綻国家の数も増えるからだ。

　新型コロナのパンデミックに対応するため、貧困国がとくに外国からの支援を必要とするのはなぜだろうか。それは、富裕国ならマネーを増刷し、赤字・債務を増やしてパンデミックのような危機に対応できても、同じことを貧困国がおこなえば、経済が持続不可能となるからだ。貧困国民には国債に投資できるほどの国内貯蓄はない。したがって政府は、外国の貸し手に頼らざるをえず、借金を外貨で返済しなければならなくなる。自国通貨が下落すれば、債務返済コストは増大する。富裕国は、平均してＧＤＰの二〇％を企業や労働者の支援に回せた。その一方、富裕国よりはるかに小さな国民生産からパンデミックの悪影響を回避するために拠出できたのは、中所得国ではわずか六％、貧困国だと二％にすぎなかった。

　外国の債券保有者が持分を自国に戻したり、富裕市民が現金を海外に流出させたりすることによって、以前から貧弱だった財源はさらに枯渇した。こうした資本逃避に示されているように、流入以上の多額のマネーが途上国から流出し、政府の財源が干上がったのだ。その結果、パンデミックの間に、多くの新興国通貨が大幅に下落し、南アフリカ・ランドやブラジル・レアルはアメリカ・ドルに対し、通貨価値を五分の一以上も下落させた[14]。自国の通貨価値以上に対外債務が膨らむにつれて、各国の債務返済能力が低下している。先行きが暗くなると、信用格付機関による各国の評価は引き下げられた。債務費用が膨らむ危険な下方スパイラルが生まれ、各国はその苦境からますます逃れられなくなっている。

最悪の状況にある国々では、国内貯蓄は限られ、パンデミック前からの対外債務は巨額だ。二〇一〇年以来、サブサハラ諸国では、ほかのどの地域よりも対外債務が急増し、対GDP比で四〇%だったものが二〇一九年には六〇%を超えた。この年、IMFは一八の国を高リスク国に指定した[15]。デフォルトのリスクがもっとも高い国としては、エジプト、ザンビア、アンゴラ、エチオピア、ガーナが挙げられたが、南アフリカやナイジェリア、インド、ブラジルもハイリスク圏にあり、トルコ、インドネシア、メキシコがそれに続いている[16]。自国市民の緊急ニーズに対応できるよう、これらの国々に息継ぎの余裕を与えるには、かつて重債務貧困国イニシアティブで実施されたように、債務返済義務を軽減する必要がある[17]。このイニシアティブは、さまざまなグループがキャンペーンを展開し、圧力をかけ続けたことによって、一九九六年、世界銀行とIMFが始めたものである。これにより、三九の重債務国に対して債務軽減策が提供されたが、そこにはサブサハラ・アフリカの三三の国々が含まれていた。

かつては、世銀やIMF、地域開発銀行といった多国間組織が途上国に対する主要債権者であったが、いまやアフリカ諸国が主に借金を抱えているのは、外国政府であり、商業銀行である。こうした二国間債務の債権国、商業ベースの債権者がどのような行動をとるかがきわめて重要である。それ次第で貧困国が、短期的には経済や保健医療の緊急事態に対応すること、長期的には発展に向けた展望を回復させることに対して、どれだけ自由に財源を使えるか、決まるからだ[18]。

現在では、中国が七三の最貧国に対する貸付のほぼ三分の二を担っており、総額は七四四〇億ドルを超える[19]。アフリカ諸国は、中国諸機関に対して一四六〇億ドル、その他の外国民間銀行や債券保有者に対して一一五〇億ドルを優に超える借金を背負っている[20]。たとえば、ザンビアには一一〇億ドルの対外債務があるが、そのうち、二〇二〇年段階で四億二六〇〇万ドルは中国に対するものである[21]。中国の銀行がモラトリアムに応じなければ、ほかの債権者は、どんな債務軽減策をとったとしても、中国への返済に使われるだけではないか、重債務国内の緊急ニーズへの対応には回らないのではないか、と危惧することになる。したがって、債務危機および開発危機に対処するには中国との協力が不可欠だが、危機はパンデミックによってさらに深まり、際立つようになった。開発に深く関わる支援国としての時代に入ったことを示すには、中国は、重債務国による対自国債務の帳消し、少なくともより良い条件での借換に応じる必要がある。中国はいまや一大経済大国になった。返済資金は自国の開発のために必要などという理屈は通らない。

新型コロナへの早期対応措置の一環として、世界銀行が二〇二一年末までに、一一一カ国に対し一六〇〇億ドルの緊急融資をおこなうと約束したことは、第一歩としてはよい。ＩＭＦが一時的な財政支援として一〇〇〇億ドルを配分するとしたことも同様だ。だが、各国による協調行動といえるのは、Ｇ20による「債務返済一時中断イニシアティブ（Debt Service Suspension Initiative）」くらいであった。これは、七三の最貧国に対し、二〇二一年六月まで債務返済の先延ばしを認めるものだ。ただし、苦境にある途上国は、商業ベースの債権者に対し、なお三〇〇億ドル返済しなければならなかった。経済が崩壊しつつあるとき、さらなる財源を探し出すなど、多くの国には無理で、目の前の困難を増幅させるだけだった。公的貸付、商業ベースの貸付に対し各国が返済を続けたのは、そうしなければ、せっかく勝ち取った信用格付けが危うくなるからだが、短期的には国民に厳しい代償を負わせることになった。

パンデミック前の一〇年間、アフリカの二一の国が債券発行を通じ、国際信用市場にアクセス可能であった。そのほとんどが初めての債券発行だった。そのうち八カ国が三〇年債によりなんとか資金を調達できたことは、国際市場において地位を高めつつある証拠だった。しかしながら、民間信用格付会社は、Ｇ20の提示した公的債務返済延期を受け入れた国々の格付けを引き下げると脅しをかけた。[22] 格付けが引き下げられると、各国は多大な悪影響をこうむる。資本市場へのアクセスが制限され、将来の借入コストが増大するからだ。

ＩＭＦは一〇〇カ国以上に対する緊急貸付をおこない、Ｇ20は最貧七三カ国について二国間公的債務の返済延期に合意した。これらはもちろん有効な措置だが、まったく十分ではないし、格付会社の行動によって台無しにされた[23]。格付け引き下げのリスクは、Ｇ20のイニシアティブ開始後、七三の有資格国のうち、たった四三カ国しか債務の返済延期を申し出なかったことにあらわれていた。イニシアティブがカバーするのは、五三億ドルの利払い分にすぎず、返済義務の半分にも満たない。このことは、パンデミックが途上国にもたらした問題に対し、もっと大規模で包括的な解決策が必要であることを示している[24]。

格付会社の行動は、自身の過失ではない原因で困難に陥った国々にペナルティを与えたという意味で不当なものだ。新型コロナのパンデミックは、「不可抗力」たる外因性の事件なのだ。格付会社が新興市場国の信用格付けを引き下げたのは、近視眼的な行動である。格付けの引き下げにより、新興国はますます困難に陥り、金融へのアクセス手段が削られてしまった。融資が得られても金利は上昇し、債務返済コストが増大するので、国内における緊急ニーズへの投資に回せる資金は減ってしまう。これによって、各国が保健医療や経済の緊急事態に対処するというまっとうなニーズを満たすための借入が、さらに難しくなる。回復が妨げられることにより、各国の将来の成長見通しが暗くなり、債務返済の可能性も大きく下がる。

主権国家の対外債務を支配する法に従えば、各国は自国民に支出するより先に外国の債権者に返済する責任がある。その結果、最貧国でさえ対外債務の支払いを求められる。いわゆる「ハゲタカ」ファンドは、ほかの債権者がそうしない場合でも、各国を法廷で追い詰める。したがって、国際合意によって債務の帳消しや部分返済を認めることが貧困国の負担軽減には必須なのだ。これには、Ｇ20のイニシアティブ以上のものが必要になる。ひとつの選択肢としては、訴訟手段に訴えがちな債権者から低所得国を守ることが挙げられるかもしれない。これには、イラク占領後、アメリカ主導で国連安全保障理事会がおこなった類例がある。イラクに貸し付けていた外国銀行による同国資産の差し押さえを阻止したのだ[25]。今回は正当な理由がある。いまいちど、アメリカによる強力なリーダーシップが必要だ。これにはまた、貧しく弱い立場の人々の利益を守るための国際協力も必要となる。

災難から好機へ

未払いの政府債務は、途上国合計で一七兆ドルを超え、世界全体の約四分の一を占めている[26]。債務のトンネル脱出に向けて光を灯すには、ただ利払いを延期するよりも、債務残高を減額する必要がある。利払いを延期しても、利子は膨らみ、債務が増え続けるだけだからだ。債務削減はすべての債権者についておこなわれなければならない。民間銀行や中国のような国も解決に向けて協力する必要がある。時期を明確にするため、G20は債務支払いのリスケジュールに合意し、二〇二〇年ないし二〇二一年前半から二〇二一年後半の間でおこなわれることになった。しかしながら、債権国側でとるべき行動はまだある。たとえば、こうした支払い延期が高金利につながらないようにすることだ。二〇二一年と二〇二二年には、満期を迎える債券について、新興国は年間三〇〇〇億ドル以上返済しなければならない。二〇二〇年あるいはそれ以前の年に比べ、年間一〇〇〇億ドル以上多くなる。こうした多額の返済も、パンデミック前なら、容易ではないにせよ、実現できたかもしれない。だが新型コロナによって、少なくとも一部の債権者については債務のリスケジュールに応じなければならないことは明らかだ。八つの貧困国については、政府債務の返済が国家予算全体の三分の一以上になっており、この比率は富裕国がかつて債務帳消しに応じたときよりも高くなっている。債務返済の壁に突きあたり、各国民が犠牲になるのを防ぐには、重債務国が直面する債務危機を早急に解決しなければならない[27]。

ザンビアは、二〇二〇年に債務不履行にいたった六番目の国だ。債務不履行のリスク、そして貧困国が国際機関の犠牲になった一九七〇年代および一九八〇年代の金融状況の再来リスクがますます高まっている。ＩＭＦは、富裕国に対してはさらなる財政支出と政府債務の増大を勧めている。その一方、重債務貧困国については、これ以上、債務を増やすことなどできないので「財政強化」に転換すべきことが勧告される。追加貸付の条件として緊縮が求められることはよく知られているが、救済措置にも同じ程度の緊縮が求められているのだ[28]。救済に向けてＩＭＦと世界銀行が提示する条件は、二〇二三年までに増税と歳出削減を実現することである[29]。

こうした解決策にともなうリスクは、貧困国が史上最大の経済収縮によってさらに苦しめられ、悲惨な結果がもたらされる可能性のあることだ。経済の脆弱なこうした国々に緊縮政策を強いれば、大惨事となるだろう。一九七〇年代および一九八〇年代に実施された悪夢の構造調整計画の教訓とは、教育や保健医療、インフラ、国家の制度能力への投資を削減する緊縮政策は、一国の経済成長見通しを回復させるどころか、経済的な土台を掘り崩し、将来の成長や発展を低迷させるということである。ＩＭＦ専務理事クリスタリナ・ゲオルギエヴァが何度か出している声明から明らかなように、こうした教訓は組織に浸透していて、いまではまったく異なるアプローチが考えられている。しかしこれには、国際機関の大口出資者でもある債権国が債務の帳消しに応じる必要がある。

途上国開発の救済

私たちが生きてきたなかで、開発に関する最大の災難を好機へと転ずるために必要なのは、債務軽減に向けた包括的政策である。それによって、借入コストは低下し、苦境に陥っている国々が自国民のニーズに対応できるようになるとともに、貸した金は返せという民間の貸し手の正当な主張も尊重されることになる[30]。必要なのは債務の帳消しであり、返済の単なる延期ではない。それだけだと、利払いが積み上がる。優先されるべきは、自国の責によらない原因で厳しい状況に陥っている最貧国の救済だ。救済は何よりも、債務支払いに回されていた金を保健医療、教育、必須の基礎的サービスに投資し、支援の必要な市民を支えるために使うことを条件にしなければならない。これを実現するには、アメリカ、ヨーロッパ連合（EU）、中国、IMF、世界銀行が一堂に会さなくてはならない。二〇二一年のG20やG7の会合は、新たなイニシアティブを始める好機となり、二〇〇五年、スコットランドでおこなわれたG7のグレンイーグル・サミットを思い起こさせるような大胆な構想が復活した。当時は、「貧困を過去のものとする（Make Poverty History）」ためのキャンペーンが繰り広げられていた。自己利益を考えるだけでも、富裕国にとっては、途上国に投資や貿易の好機をつかんでもらうとともに、地政学的な不安定によるリスク、パンデミックや気候変動の高まる脅威を抑えてもらわなくてはならないのだ。

　途上国では、二酸化炭素の排出が急速に増えている。何十億という人々が初めて電気を利用し、最初の車、最初の冷蔵庫を手にしようとしている。地球規模では、すでに悲惨なほど二酸化炭素の排出が増大しているが、彼らがこれを増やさないようにする対策に、遅すぎるということはない。富裕国が自国でパンデミックに対応するため調達した一二兆ドルのうち、ほんのわずか、一〇%以下でいい。それを途上国のグリーン・

ニューディールに回せたら、途上国を酷い状況から救済できるし、市民がクリーンな電気や輸送手段を利用する便宜を図り二酸化炭素排出を抑制できるようになる。いまよりも持続可能で包容力のある世界では、成長と環境・気候問題がうまく調和する。貧困削減は、そうした世界を生み出すための一歩になりえるし、そうしなければならない。

　途上国はパンデミックに打ちのめされ、緊急支援を必要としている。パンデミックが原因で貧困国にのしかかった対外債務の増大は、国際機関や債権国政府が帳消しにして、これら貧困国を持続可能な財政状況に導き、国際市場における信用を回復させなくてはならない。ＩＭＦへの出資国が合意し、一兆ドルのＳＤＲ（ＩＭＦ特別引出権）を発行することがひとつの解決策となるかもしれない。これは比較的コストをかけずに新規マネーを創出し、途上国に割り当てられる手段である。ＳＤＲはＩＭＦがおこなう効果的マネー供給であり、その価値は主要国通貨のバスケットにもとづいている。ＳＤＲを割り当てられると、その国は、割当額分をこれら主要通貨のひとつに交換できる。ＩＭＦが最後にＳＤＲを発行したのは、二〇〇八年の金融危機対応時であったが、理事会が賛成票を投じれば、ふたたび実施可能だ。実際には、アメリカとヨーロッパ諸国の同意が必要になる。ＩＭＦ理事会に代表を送る一九〇カ国のうち、これらの国々は、他の加盟国よりも多くの投票権を持っているからだ。

　国際連合の推計によれば、パンデミックが途上国の保健医療や教育に与える影響に対処するには、少なくとも二兆五〇〇〇億ドル以上の援助が必要である。これは、富裕国が新型コロナの悪影響に対応するために用意した一二兆ドルのおよそ五分の一である。だがいままでのところ、富裕国が途上国に配分したのは、自らのために用意した金額の一％に満たない。さらに悪いことに、富裕国の援助予算は、自国の経済状況悪化とともに縮小してしまった。これまで以上に援助が必要なのに、パンデミックのとき、援助が前年よりも少なくなってしまったのだ。イギリスは援助への貢献という点で重要な主体のひとつだが、二〇二〇年、援助予算を三分の一削減するという近視眼的決定をしてしまった。二〇二一年にG7サミットや気候変動サミットを控えているにもかかわらず、援助減額の悪しき先例をつくり、サミットで発揮すべき指導力を損ねてしまったのだ。ボリス・ジョンソンはブレグジットが「グローバル・ブリテンの到来」をもたらすと吠えてきたが、それどころかイギリスのますますの孤島化を招くだけだという見解がある。別のところで論じたように、援助減額の動きは、こうした見解を勢いづけることになった[31]。

　貧困国の支援には、道徳上の理由も国益という理由もある。たとえ他国が苦境から解放されるにしても、その国を支援する倫理的根拠など納得できないという国々があるかもしれない。だが、そうした国々にとっても、すべての国がよりよき世界を追い求めるには、多くの国が直面している飢餓を軽減し、人道上の惨事を乗り越えることが最優先事項とされるべきだ。こうした支援なしでは、新型コロナは根絶できないし、世界的規模での成長は回復できない。ますます多くなる難民、気候変動、破綻国家による安全保障上の脅威が突きつける課題に対処できないのだ。これらの課題に対処するには、援助の増額、債務の軽減が必要だし、パンデミックの抑止に向け、ワクチンを世界全体で公平に配分しなければならない。

　ＩＭＦは、過去の危機においては批判にさらされたが、二〇二〇年には危機対応の速さと規模が評価された。お決まりの厳しい条件や長々とした交渉プロセスもなく、八〇カ国以上に対する貸付が記録的速さで承認された。各国は、パンデミックに対応するために使いなさい、「でも、レシートはなくすなよ」と言われただけだった。しかしながら、ＩＭＦの迅速な融資制度は、各国ごとのクォータ（割当）の制約を受ける。クォータは各国のニーズを満たすには小さすぎる[32]。二〇〇八年の金融危機において、ＩＭＦがギリシャ、アイスランド、ハンガリー、ポルトガルといったヨーロッパの国々におこなった支援では、クォータ制のルールはことごとく破られ、現在の支援がちっぽけに見えるほどの金額を拠出した。にもかかわらず、現在、ハンガリーは、ＩＭＦ理事会においてもっとも保守的な発言をする国のひとつになり、途上国に対しＩＭＦがより積極的に支援するのを妨げている。

途上国が持続可能な財政基盤を持つには、国際機関による適切な資金供給とガバナンス改革が必要である。そうすることによって、国際機関は、発展に向けた努力を育むどころか妨げる緊縮機関だなどと、二度と言われないようにしなければならない。繰り返すが、国際機関のガバナンス改革はぜひとも必要である。世界銀行の総裁は、オープンな競争で選ばれるのではなく、アメリカ大統領による指名である。これは組織を弱体化させる欠陥であり、世銀の力を損ねている。必要な資金を供給できず、その資金すら、貧困国のもっとも必要とする人々に届かない。世銀のリーダーシップの欠如は明らかだ。オックスファムの専門家によれば、七一カ国でおこなわれた世銀プロジェクトの九割は、利用するには金が要るという融資条件を取り除けなかったので、保健医療施設の利用は制限された。施設の三分の二に関しては、保健医療従事者の増員計画をまったく立てられなかった[33]。

各国が繁栄するための責任の大半は、各国自身にあると言ってよいのだろう。ただ、それを支える国際環境、海外支援の整備も必須であり、すべての開発成功譚の裏にはこれがある。リスクに対しもっとも脆弱なのは、貧しい国々、貧しい人々である。したがって、不安定なグローバル・リスク、とりわけパンデミックや気候変動を克服するには、そうした国々・人々がこれから繁栄していかなければならない。途上国が繁栄するには、活力と包容力を備えたグローバル化が必要である。そのためには、途上国でも高所得国でも、持続可能な雇用機会がなくてはならない。パンデミックの前から、働きがいのある仕事を世界中で十分に生み出すことが重要課題だった。パンデミック後、こうしたニーズの緊急性はさらに高まった。開発を危機から救済するには、仕事の世界を守らなくてはならない。

第4章　すべての人々への仕事の保障

新型コロナによって、過去に例のないほど雇用が破壊された。世界中の労働者の半分以上、実に一六億人が生活の糧を失った。六人に一人が雇用の一時中断に追い込まれ、世界の労働力の一四％にあたる四億人以上が完全に失業した[1]。

私が世界中で会った人々と話してみると、雇用破壊の広さ、深さが十分に伝わってきた。誰彼なく失業し、すべての地域の人々が失業の影響を受けてきた。フィリピンで出会ったジェフと妻の状況は悲惨だった。私の甥のブレイズは未成年の二人の子どもとユトレヒトに住み、各種イベントを仕切っていた。妻のリンディは衣料品店を営んでいたが、二人とも職を失った。パリでさまざまな会議の運営に携わっていたトーマスも同じ目に遭った。ロンドンでＤＪをやっていたジョー、サンフランシスコで結婚式場のフォトグラファーだったサラ、ベルリンの整骨医ヨーゼフ、カトマンズ在住、熟練のヒマラヤ登山シェルパのゴパル、ケープタウンの働きすぎのウーバー・ドライバーだったモモ、ワシントンＤＣでレストランのマネジャーだったジャン＝ポール、フランス・アルプス地方でスキー・散策ガイドとして働いていたレオ、二〇人も扶養者がいる拡大家族を養い、私をキリマンジャロの頂上まで連れていってくれたこともあるエマニュエル、みんな失業した。普通の年なら、エマニュエルは四〇回、キリマンジャロに登っていたはずだが、二〇二〇年はまったく違った。みんな、お先真っ暗だ。

こうした人たちに共通しているのは、全員が自営業だったことである。仕事に関し何ら保障はなく、失業したり、病気になったりすれば、自らのわずかな蓄えや政府の給付に頼らざるをえない。政府の給付金など、貧しい国にいる私の友人たちにはまったくなかった。富裕国でさえ、セーフティネットはちっぽけなものだった。アメリカでは、五七〇〇万人以上の自営業者がどこにも医療費を請求できなかった。イギリスでは、パンデミックの間、一〇〇万人以上の自営業者が何ら給付金を得られず、その三分の一は、日々の基本的な生活費をまかなうにも苦労していた[2]。

経済が回復すれば、仕事も戻ってくるだろう。しかし、多くの人はけっして元には戻れないだろう。新型コロナのパンデミックは、最悪の経済崩壊、雇用喪失を記録しただけではなく、経済の変容を加速し、それによって労働や社会のあり方を変化させ続けているからだ。企業は、労働力をアウトソースしたり、臨時雇用や「時間契約なし」のフリーランスに頼ったりすることが多くなっている。このこと自体、目新しくはない。多くの国では、四分の一もの労働者がパンデミック以前から、すでにこうした不安定な状況にあった。だが、新型コロナはこの流れを加速したのだ[3]。

パンデミックによって、インサイダーとアウトサイダーの分断が明確となり、労働市場に新たな断層が現れるにつれて、その分断は拡大した。これまでの不況では、製造業や建設業がもっとも大きな打撃を受けた。今回は、接客業やレジャー・観光業への衝撃が最大となった。一方で、オンラインサービスや配達に携わる人は、公務員や保健医療従事者と同じく、雇用環境がより安定していた。世界金融危機の衝撃度は、今回のパンデミックに比べればはるかに小さかったが、その後の一〇年で、緊縮財政と不平等の拡大、そしてトランプ大統領とブレグジットにつながるポピュリズムの台頭をもたらした。パンデミックのダメージがあまりにも深刻で長期的なものにならないようにするには、いくつもの教訓から学ばなくてはならない。そして、パンデミックによって傷つけられた人々が立ち直るのを支援するために、ラディカルな改革を導入しなくてはならない。とりわけ、社会的安定や人々の精神的安定に対してはもちろん、日々の生活に対するダメージが長期間にわたって続かないようにするには、仕事の世界に向き合う新たなアプローチが必要だ。さらには、パンデミックによって、仕事の世界における変容がどのように加速してきたかを理解しなくてはならない。

これまでとは違った世界

パンデミックの間、高所得者グループは自らの富をさらに増やす一方、貧しい人々は状況を悪化させた。株式市場は高騰したが、飢餓とホームレスも増大した。ウォールストリートのバンカー、シリコンバレーのテック企業、株式市場の投資家たちは記録的利益を享受した。中小製造企業や労働者、消費者はパンデミックによって打ちのめされ、荒涼とした将来が彼らを待ち構えている。パンデミックがもたらしたのは、両者の分断の拡大である。

アメリカで所得五分位の最下層にある人たちの雇用は、三五％下落した。こうした雇用喪失のうち、四二％は完全失業と考えられる。[4] また、イギリス経済は、過去三〇〇年で最悪の落ち込みにあえいでおり、平均的な労働者の家計収入は二〇〇八年の金融危機の二倍も下落した。[5]

低所得者は失職への備えが少ないので、収入の落ち込みは、高所得者よりもはるかに厳しい結果をもたらした。アメリカでは、パンデミックの間、下位半分にいる労働者の収入は五分の一下落した。それに対し、上位半数の下落はわずか四%で済んだ。[6] イギリスでは、ロックダウンの期間、所得下位層は上位層の七倍も、閉鎖せざるをえない部門で働いてきた可能性が高い。所得分配において最下層一〇%を占める労働者の三分の一を雇っていた企業が、閉鎖をほぼ余儀なくされた。それに対し、最上位一〇%の高所得者のうち、所得を減らしたのはたった五%だった。[7]

　パンデミックで大都市の多くの住宅街から人がいなくなったとき、別宅に逃げ出す金持ちの能力が明らかになった。ウィンドーが閉じられ、華やかな通りでも人影まばらな光景が日常となった。アッパーイーストサイド、ウェストビレッジ、ソーホー、ブルックリンハイツといったニューヨークの高級住宅街の住民四〇%以上、およそ四二万人が街を抜け出した。その一方、中位所得である九万ドルないしそれ以下の住人には、街を抜け出す金も機会もほとんどなかった。[8] パリでは、二〇二〇年一〇月下旬、二回目のロックダウン前に、イル=ド=フランス、すなわちパリ地域圏の住人が別荘に移動した。そのときには、各地合計四二〇マイル（七〇〇キロ）に及ぶ記録的な大渋滞が発生した。[9]

　ロックダウンまっただなかのイギリスでは、首相の有力アドバイザーだったドミニク・カミングスがロンドンからイングランド北部の別荘に逃れたし、首相の父親スタンリー・ジョンソンはギリシャの大邸宅へと脱出した。ここからもわかるとおり、彼らは特権的地位にあった。二人とも「必要不可欠な目的」のための旅行だと弁明したが、旅行の条件を満たしていないと考える人は、旅行を禁じるルールに従っていた。彼らはそのルールを堂々と免除されていたのだ。これを不正と受け止める感覚が広がり、それは二〇二〇年一〇月、第二波発生の際、さらに高まった。当時、北部の貧しい都市に対して真っ先にもっとも厳しいロックダウンが実施されたが、数多くの低賃金エッセンシャルワーカーは、住んでいるところ、働くところがハイリスク地域であろうがなかろうが、働きに出なければならなかったからだ。

リモートワークと所得

新型コロナによって、リモートワークの機会の格差が明らかになるとともに、その格差は拡大した。高所得者は、在宅で働ける可能性が低所得者よりも五倍高い。多くの低所得者は案の定、職を失った[10]。アメリカでは、在宅勤務ができた低所得者は一〇人に一人もいないが、比較的高収入の人たちの半分以上、最高水準の高所得者にいたっては八〇%以上が在宅勤務可能である[11]。イギリスでは、最高賃金労働者の大多数が在宅勤務可能だが、下位四〇%の労働者は一〇%にも満たない[12]。結果的に、高賃金就労者の稼得可能な所得は、パンデミックによってほとんど影響を受けなかった。その一方、工場での組み立て、建築、清掃、接客、保健医療、警備、販売、その他、現場にいることが求められるところで体を張って働かなくてはならない人々の所得は急激に引き下げられた。一般的にいって、高所得の仕事は家でおこなえるのに、通常低賃金で働く人々には職場に出向く以外の選択肢がないのだ。

リモートワークという働き方は、不平等に対して重大な影響をもたらし、以前から存在する数多くのバイアスに拍車がかかる。在宅勤務できるのは、高校中退者の場合、五%にすぎないが、大卒者は三分の二が可能である[13]。在宅勤務革命がやってくると四〇年以上も語られてきたが、パンデミック前、ヨーロッパで在宅勤務をしていた人は二〇人に一人くらいしかいなかった[14]。パンデミックはこうした状況を一変し、ヨーロッパ人の四分の一から半分がリモートワークをするようになった。ヨーロッパ全体では、賃金で五分位最高額をもらう人たちは四分の三が在宅勤務可能だが、五分位最低賃金層は三％にすぎない[15]。その結果、国内だけではなく、国家間でも不平等が拡大した。ルクセンブルクは平均所得がヨーロッパ最高の国であり、人口の半数以上が在宅で仕事をしていた。その一方、ヨーロッパの最貧国のひとつであるルーマニアで在宅勤務できたのは、人口の四分の一にすぎない[16]。推計によれば、パンデミックが最高潮となったとき、アメリカのGDPの三分の二は在宅勤務者が生み出していた。リモートワークをする人は実に全労働力の四二％に達し、職場に出向いて働く人の二倍となったが、アメリカの労働者の三分の一はまったく働いていなかった[17]。

　製造業で進んだ近年の自動化では、主にブルーカラーのおこなっていた手作業が低賃金国に流出した。だがパンデミックで明らかになったのは、管理的・専門的な事務作業がアウトソースされる可能性である。専門的サービスはリモートでできると喧伝されてきたが、現在地での活動をやめて、ただ近場に移すのではなく、海外に移動させるとはどういうことだろうか。それは、高コストの大都市オフィスにいる高賃金の法律家やバンカーを雇う場合と、たとえ別の国であっても、もっと安い場所でほかの誰かを雇う場合とで利益がどうなるか、ますます天秤にかけられるようになるということである。職務の一部でも、ごくわずかなコストで、代わりの人がおこなえるのであれば、そうなる[18]。専門的仲介業者が提供するサービスによって、イギリスの法律、アメリカの会計基準、フランスの建設基準といったように、顧客の求める言語ならびに規制要件を満たせるようになるのだ。こうした専門家との個別のバーチャル会議を本社オフィスから開催できるようになる。本社所在地はこれからますます別の町や遠く離れた国になっていくだろう[19]。

　以上のような結果、リモートワークをしている人は、いつでも利用可能な世界規模での才能予備軍とますます競合するようになる。タスクラビット、アップワーク、ファイバー、アマゾン・メカニカルタークといったプラットフォームがつぎつぎ登場し、それぞれの職務に関するグローバル競争が実現している。ほかのギグワーカーと同じく、クラウドワークのプラットフォームに参加する労働者は、請け負う作業ごとに金を受け取る。雇用や契約について何の権利もない[20]。こうしたプラットフォームは、最低賃金がない最たる例だ。諸々の作業の「発注者（requesters）」が各作業ごとのわずかな金を払うだけである。イギリスに本社のあるオンラインの研究・調査会社プロリフィックは、時給の最低額を設定しているが、イギリスの二五歳以上向け最低賃金より四〇％も下回っている[21]。

オンラインワークのオークションともいうべき実態に関する調査は稀だが、二〇一七年の希有な例によれば、中位賃金は時給二ドルで、アメリカの最低時給額七・二五ドル以上を得ているのは四％にすぎない[22]。

将来の需要が予測不可能となることによって、企業は、労働者やサプライヤーとの長期契約を躊躇してきた。その結果、ますます多くの会社が労働者を一時契約で雇うようになっている。これは、短期でフリーランスの仕事でも、とにかく職に就こうと死に物狂いの労働者を搾取するということである。ギグエコノミーは、こうして経済の周辺から中心に躍り出たのだ。高失業率も時給への下落圧力を強める要因となっており、その結果、どういうカテゴリーの求職者であっても、初任給は、今後数年間、パンデミック前の水準を下回る可能性が高い[23]。

新型コロナのパンデミックはどの国でも雇用に大打撃を与えたが、収入に対する直接的な影響は政府の政策によってもたらされた。アメリカでは二二〇〇万人以上の人々が職を失ったが、六カ月後、ふたたび職にありつけた人は、その半分ほどしかいなかった。政府は雇用継続への補助金を用意せず、その代わり、失業給付を一時的に増額するため三兆ドルを割り当て、ほとんどの納税者に一二〇〇ドル配った。しかし、刺激策・支援策の更新に向けた合意はなく、アメリカの失業者や低所得者は、お粗末な社会保障システムに舞い戻るしかなかった。だがそこでは、多くの人がただでさえ貧弱な給付を受ける資格すらなかったのだ。二〇二一年一月、バイデン大統領は、パンデミックに対する一・九兆ドルの緊急予算を発表した。そこには、一人あたり一四〇〇ドルを直接、追加支給すること、二〇二一年九月まで失業保険給付を週あたり三〇〇ドルから四〇〇ドルに増額することが盛り込まれていた。それに対し、ヨーロッパ諸国は、パンデミック発生当初から、雇用の維持もしくは基礎的な所得の持続に向けて、労働者の賃金の少なくとも一部を支出する戦略を展開した。イギリスの一時帰休補償計画、ドイツの「操業短縮手当」、フランスの「部分的失業手当」、イタリアの「所得補償金庫」制度、スペインの最低所得保障がこれにあたる。フランスとドイツは、こうした緊急給付を二〇二二年まで継続することを表明した。

アメリカの災害救済基金やイギリスの一時帰休補償制度、ヨーロッパでの同様な制度のいずれも、仕事を求める人の就職活動を妨げなかった[24]。アメリカでは、連邦政府の支援が終了する前から九三〇万人の労働者がふたたび職に就いた。ここに示されているのは、失業給付が働くことへの動機づけとしてマイナスにはならなかったということだ[25]。緊急対策は一時的であること、長期にわたる失業や所得喪失は破滅的な結果をもたらしかねないが、不況となれば職を選り好みする余裕はなくなること。仕事を求める人たちは、これらのことを理解していた[26]。

私の親戚のジェイソンは、二〇年間、バンクーバーでレストランのマネジャーをしていたが、店は新型コロナのロックダウンによって、二〇二〇年八月、完全閉店してしまった。五〇歳の彼はいま、とにもかくにも職にありつけたことを喜びながら、ほかのレストランで皿洗いをしている。きょう私にオンラインの注文品を届けてくれたマイケルも同様だ。過去一五年間、英国航空の乗務員として働いていたが、二〇二〇年五月に職を失い、六〇社以上の求人に応募したすえ、ようやく小荷物配達の職を手にした。

イギリスでは、政府の一時帰休補償・雇用支援制度を通じ、定められた期間の三分の一以上にわたり雇用されていた人は、給与が全額補償された。この制度は二〇二一年九月まで延長されることになった。だが、三〇〇万人以上の労働者を支援したこの計画は、発動と停止が繰り返されるものであり、また雇用の継続と雇用主からの支出を要件としている。これは、さらに職を求めても二〇〇万人以上の人たちが二〇二一年の春には職に就けていないだろうことを意味した。

若い労働者は、経験豊富な年長の労働者よりも一時帰休の対象になる可能性がはるかに高かった。そして、補償計画からの支援が終了するとき、職を失う可能性もはるかに高かった。若年失業率が四〇年間高止まりするなかでの職探しなど、気が滅入るばかりだった[27]。二九歳・大卒のジェマはその一例だ。彼女はマンチェスターでジャーナリストとして働いていたが解雇された。イギリス中で二〇〇以上の職に応募したが、採用にはいたらなかった。これが彼女の自信やメンタルヘルスにどれだけの影響を与えたか、想像できない。

高失業率は失業者を痛めつけているだけではない。経済全体で支出を著しく減らし、成長の下方スパイラルをさらに進めて、貧困も拡大させる。イギリスでは、新型コロナのパンデミックによって三〇〇万人が空腹にあえいでいると推計された[28]。一時帰休補償・雇用支援制度が終わると、フードバンクを頼る人の数が倍増し、数十万の家庭が初めてフードバンクを利用することになると見込まれていた[29]。ジョゼフ・ラウントリー財団によれば、一般的控除や税額控除を通じた既存の福祉支援制度は「最低限の生活の質を維持するレベルにない[30]」。フードバンクの利用履歴を分析した結果、黒人家族の状況が著しく悪化していたことがわかった[31]。アメリカとイギリスで解雇された労働者の数は、二〇〇八年から二〇〇九年の金融危機が最高潮に達したときの二倍以上となった。パンデミックによって飢餓が拡大し、これまでの不平等がより深刻化したのだ[32]。世界の高所得国のなかで、アメリカとイギリスは、最低限の失業給付しかおこなわない国であり、多くの人にとって将来展望はますます厳しくなっている[33]。イギリスにおける週あたりの支給額は、二五歳未満は五九ポンド、二五歳以上は七四ポンドで、平均週給のわずか一〇%にすぎない[34]。

新型コロナはまた、人々の実際の働きと賃金との間にとてつもない開きがあることを明らかにした。私たちはみな、これまでエッセンシャルワーカーに頼ってきた。彼らは英雄と呼ばれてきた。だが、仕事の多くは最低賃金であり、いざ新型コロナとなれば、もっともリスクの高い職業なのだ。それは、警察や消防だけではない。病院・在宅介護従事者、看護師、店舗販売員、配達ドライバー、ゴミ収集業者も挙げなければならない。こうした仕事がいかに大切か、そしてどれだけリスクをともなうものであるかについて理解が深まれば、それぞれの人にどう報いればいいのか、再考できるだろう。私たちは彼らを、もっと軍人に近い存在として考えられるかもしれない。軍人にはステータスがあるし、私たちの代わりに背負うリスクに対し、より多くの給与を得ている。二〇二〇年一一月、イギリスの財務大臣が公共部門の給与支払い一時停止を発表したが、これなどはまさに、消防士、警察官、教員、介護労働者、そのほかパンデミックの最前線に立つエッセンシャルワーカーに対する間違ったメッセージだ。私たちが平穏に暮らせるように働いている人々が、いまは粗末に扱われている。このことは、個人主義的市場経済を追求するあまり、それぞれの人、それぞれの仕事に対する報酬がどれだけその価値観にもとづいて決められてきたかを物語っている。こういった面でラディカルな改革がおこなわれれば、報酬の公平性を著しく欠いている状況が改善されるだけではなく、不平等の削減にもつながるだろう。きわめて重要な職業の魅力を高めることによって、私たちの社会は、包容力と復元力が高まり、将来のショックに耐えられるようになる。

階層構造と創造性

職場は、人とのつながり、交友関係のきっかけとなる重要な場所だ。職場で顔をつきあわせる関係が従業員、とくに若者を強く結びつける力となるだろう。リモートワークには、チームスピリットの構築だけではなく、創造性や透明性を損なうリスクがある。企業文化を保持し、ネットワークと創造性を育むには、リモートワークで働くスタッフが多くなればなるほど、集まることにもっと時間と金をかけ、仲間との公式・非公式の相互交流を生み出さなくてはならない。

　未来のオフィスは、ますます、ただ働く場所ではなく、それ以上のものを提供するハブとみなされるようになるだろう。人との交流がイノベーションや能力開発、多様性あふれるチームの構築において決定的に重要な役割を果たすことがさらに注目されるようになるだろう。コンサルティング、法務、ジャーナリズム、投資銀行業、学術研究、そのほか多くの専門職は、一種の見習い制度を採用している。若い新入りが経験豊かなスタッフとともに働き、スキルを磨く。こうして新しい人たち、新しいアイデアが常に融合し、それぞれの専門的職業が刷新されることになる。仲間と交流したり、競い合ったりするのは、オンラインだと対面よりも難しい。コミュニケーションに不備が生じたり、文脈を逸脱した認識が広がったりするリスクが大きいからである。学ぶ機会の多くは、非公式で自然発生的だ。会議の本題から外れたところ、廊下でのちょっとした会話、飲みながら、食べながらといったところにある。体系化されたオンライン会議では、これらすべてが失われる。リモートワークは、いまある階層構造や交友関係を強化してしまう。偶然の気づきや人との出会いが若手スタッフや新人を溶け込みやすくするのに、形式張ったリモート会議は、こうした機会を妨げるばかりか、排除さえする。

　リモートワークが生産性向上につながるかどうかは、今後の検証を待たなければならない。しかし、会議室に集合したり解散したりする必要がなく、時間を節約できるという面を考慮に入れなくても、会議時間が平均しておよそ一五%短くなるので、より効率的な会議にはなりそうである[35]。みな集合・解散なしで複数の仕事ができるので、こうした面からも、とくに長く退屈な会議の時間中は、生産性が向上する。しかしながら、育児その他の必要性から中断する場合があるし、プライバシーが損なわれることもあり、その場合、生産性は低下するかもしれない。

こうした状況を体系的に分析した数少ない研究に、中国のコールセンターに関するものがある。そこでは、在宅勤務のほうがより多くのコールに対応し、より長時間働き、ノイズに邪魔されることが少なかった[36]。この研究結果はアメリカの事例とも整合的で、在宅勤務時間の長い労働者のほうが、同じ仕事でも賃金が若干よかった。生産性の向上は、会議や中断、通勤疲れの少なさによることを示唆している[37]。

パンデミックによって在宅勤務が増えたことで、アメリカでは一勤務日あたり六〇〇〇万時間も通勤時間が低下した。一カ月合計で一〇億時間以上節約されたことになる[38]。節約された時間の三分の一は仕事に充てられ、残りは家事や育児、軽い運動などほかのことに費やされた。性別や人種で差はほとんどなかったが、学歴や回答者に育児責任があるかどうかでかなりの差が出た[39]。

だが在宅勤務による短期的な生産性向上は、長期的向上を犠牲にしているのかもしれない。生産性の長期的向上は、仲間と絶えず絡み合い、ブレークスルーやイノベーションにつながるアイデアをぶつけ合うことから生まれる。私のインタビューしたうち、リモートで新たな大規模イニシアティブに着手した人はいなかった。このことは創造性の衰退を指摘したいくつかの研究の結論を裏づけている。即興の会話、外部からの刺激、新たな経験が革新的アイデアを育むのに、それらの機会がリモートワークによって著しく減ってしまったのだ[40]。研究所や大学でともに働く研究者や科学者が、協同で革新的な論文や特許を生み出すことが多いのは偶然ではない[41]。もしも科学者たちが個々バラバラに研究を進め、リモートでだけつながっていたら、ワクチンが記録的スピードで開発されなかったのはもちろんのこと、ワクチン開発そのものがまったく進まなかった可能性が高い。

自動化の加速

ウイルスそのものが差別するわけではないが、新型コロナのパンデミックは深刻な不平等を浮き彫りにした。ここには、自動化によって労働と所得に急激な変化が起きていることが示されている。私がオックスフォード大学マーティン・スクールで主宰する「仕事の未来」チームがおこなった研究によれば、アメリカでは、時給二〇ドル以下の仕事に就いている労働者の八三％は機械に取って代わられるリスクが高い。その一方、時給四〇ドル以上の賃金を得ている労働者が不安定となる率はたった四％にすぎない。高所得の仕事は自動化しにくいだけではなく、パンデミック耐性も高い。というのも、こうした仕事で稼いでいる人々はリモートワークできる可能性が五倍も高いからだ[42]。総じて、私たちの推計にもとづけば、アメリカの仕事の約半分は自動化される可能性がある[43]。

自動化の加速は、グローバル化やサプライチェーンに劇的な影響を与えている。世界中でグローバル化は、その歴史を通じ、生産プロセスの一部を遠隔地にアウトソースし、低賃金を利用してきた。繰り返しの多い製造業の生産プロセスでは、自動化される部分がどんどん増えてきた。まずは自動車産業に始まり、いまでは縫製業や製靴業だけでなく、エレクトロニクス生産でも顕著になっている。デジタル化された決済・生産システムによって、銀行の間接部門や会計、法務、その他の経営管理サービスはすでに大きく変化している。

産業はさまざまな圧力を受けてきた。ドナルド・トランプ前大統領がアメリカ第一主義の貿易政策を掲げ米中間の緊張が高まっていたのは、とくに大きな圧力だったが、パンデミックがそこに加わった。ほかの要因もすでに市場に変化を与えていた。オンライン消費の加速もその一例だ。ヨーロッパやアメリカ、中国の顧客の間では、大市場近くに生産拠点を構え、迅速に配送できるサプライヤーを選ぶ傾向がますます強まっている。この機会をとらえるため、アメリカの企業は、自動化システムに対し、今後一〇年で五兆ドルを超える投資をおこなう計画である[44]。自動化された工場は、製品をより迅速に、より安く消費者に届けられる。小売業や製造業で働く労働者にはますます脅威となる。

　これまで政府は、教育への投資を増大することによって自動化に対応してきた。一九〇〇年代初め、トラクターや脱穀機が農作業を変えたとき、アメリカ政府は、地方から都会での雇用への移行を促進した。アメリカにおける農業分野の雇用は、今日では全体の一％以下だが、一九一〇年には三分の一を占めていた。政策の大部分は、人々の再教育と公立学校での就学機会の拡大に向けられた。第二次世界大戦後、この傾向は加速し、一九五六年までに、ＧＩ法〔一九四四年復員兵援護法〕によって追加教育を受けた退役軍人は七八〇万にのぼった[45]。

　一九七〇年代以来、アメリカでの教育の拡大は主に民間主導となり、教育は、キャリア途中の再訓練機会というより、就労前に一回限り経験するものとなった。今日では、職業を変更するための支援として政府が支出するのは、国内総生産（ＧＤＰ）のわずか〇・一％にすぎず、三〇年前、再教育に充てられた半分以下となった[46]。さらに悪いことに、政府は企業にインセンティブを与え、自動化に向けた機械やソフトウェアの導入に対して減税措置を講じている。労働者を雇えば、企業は一給料日ごとに一〇〇ドルの賃金、三〇ドルの社会保障費、その他の税金を納めなくてはならない。ところが機械に一〇〇ドル投じれば、一回限りの費用として三％の税金を納めるだけで済むのだ[47]。労働者は、パンデミックと自動化で仕事を失っている。このためには、再教育の必要性、自動化ではなく雇用に報いる法人税制の必要性がかつてないほど高まっている。このためには、機械への投資をおこなう企業に対する減価償却幅を削減し、新人教育に投資する企業への税額控除を実施する必要がある。政府による給付金付き再教育バウチャーを失業者に提供する必要もある。この制度によって、失業者が一定期間、新たな職を見つけられそうな他の土地に通ったり、住んだりできる資金もまかなえるようにすべきだ。いま職がなくなっている場所は、新たな就職機会のある場所に通える範囲にないことが多いからである。

技術変化について現在と過去の大きな違いは、移行のスピードである。一九〇〇年代初めには、機械導入率が緩やかだったので、旧来の仕事がなくなるよりも新たな仕事が生み出されるのが速く、人々は転職し、再教育を受けることができた。蒸気機関や電力の導入には、こうした技術が発明された国においてさえ、何十年も要したし、世界への普及はきわめて緩慢だった。実際、アフリカやアジア、ラテンアメリカの数十億人の人々は、いまなお、これら世紀遅れの技術の恩恵にあずかれないままである。だがモバイル通話機器は、世界人口よりも数多く出回り、五〇億人以上がインターネットにつながっている。さらにパンデミックによって、デジタル経済の技術革新はますます加速している[48]。

コールセンターでは、オペレーターがどれだけ効率的にさばいても一時間に六件がせいぜいなのに、一万件もの問い合わせに対応可能なチャットボット（自動会話プログラム）が導入されている。産業界の事情通は、コストをめぐる底辺への競争を予想し、従業員の九〇％は削減されるだろうとしている[49]。イギリスでは、一三〇万人以上、すなわち全労働者の約四％がコールセンターで働いている[50]。パンデミック以前は、在宅勤務していたのはこれらの人々のうち一〇％にすぎず、電話対応で賃金を受け取るオペレーターは、法律的にはオフィスにいることが求められていた。在宅での電話対応可能なシステムへの変更は急におこなわれることになったわけだが、南アフリカやインドでロックダウンが発生すると、センターが閉鎖され、システム変更の緊急度が加速した。

　コールセンターで学習アルゴリズムが導入されていることからわかるように、非常に複雑な問い合わせや変わったアクセントへの対応以外は、自動化された応答のほうが顧客満足度ですでに高い評価を得ている。これには、ｉＰｈｏｎｅのシリやアマゾンのアレクサ、グーグルホーム、その他のスマートデバイスですでに利用可能となっている、チャットボックスや音声認識技術が含まれる[51]。音声認識を人工知能と結びつけられれば、コールセンターの仕事の九〇％以上が一〇年以内に自動化される可能性がある。雇用にもたらされる副作用は、非常に厳しいものとなるだろう。インドでは、バンガロールがコールセンターとデータセンターのアウトソース先として最前線に君臨してきた。現在では数百万人ものインド人を雇用し、国民経済に一〇〇〇億ドル以上の貢献をしている。フィリピンでは、一二〇万人以上がこうした業界で働いており、いまや二五〇億ドルもの価値を生み出している[52]。

　人を機械に置き換えることに利点を見いだしているのは、民間部門だけではない。自動化は公共部門でも始まっている。職員がリサイクルセンターで働けなくなったとき、自治体はゴミの分別にＡＩ支援ロボットを使っている。こうしたロボットの製造元のひとつは、パンデミックで需要は五倍増になったと語っている[53]。

　国家・州・地方いずれのレベルでも政府歳入はすでに不足していたが、パンデミックがそれをさらに浸食した。税収はここ数十年落ち込んでいたので、人員を減らし、自動化システムによって蓄えを得ようというインセンティブが高まっていた。パンデミックによって、いまや一人ひとりがオンラインサービスを必要としているので、自動化システムによる電子政府サービスの構築がさらに緊急性を帯びることとなった。パンデミックに対応するため、ＩＢＭは質問応答コンピュータシステムのワトソンを使って公務員の仕事をやらせようとしたし、ますます広範囲の仕事を真似られるようにと、ＡＩ補助システムが開発されつつある。自動運転車が私たちのオンライン発注品を配達するよりもずっと早く、こうしたサービスのプラットフォーム企業が最先端のロボティクスシステムを開発して注文に対応できるようになり、それによって、実店舗のショップやスーパーマーケットが駆逐されてしまうだろう。実際、イギリスのオカドとアメリカのクローガーはいち早く、ほとんど完全に自動化された倉庫から食料品を配送している。

世界経済フォーラムでは、二〇二五年までの五年間で、八五〇〇万人の仕事が機械によって置き換えられ、経営管理や会計、工場労働、修理といった職が最悪の影響を受けると予想されている[54]。このプロセスはパンデミックによって加速してきたが、世界経済フォーラムは、九五〇〇万人の新たな職が人工知能と自動化によって生み出されると主張している。「ＡＩを恐れてはいけない。ＡＩは長期的には雇用増をもたらす」とのお墨付きを与えているが、失業した人への慰めにはならないだろう。こうして新たな職が生み出されたとしても、それらは職が失われたのと同じ場所で生まれる可能性は低いし、新たなスキルを必要とするものである[55]。

芸術の救済

今後、自動化とロボット作業の時代が到来すると、仕事は知識や創造力を要するものがますます多くなるだろう。私たちは新たなルネサンスを生きている。そこではイノベーションとアイデアが溢れているが、いま以上の技術の広がりにともなうリスクも溢れかえっている。人工知能や自動化がこのまま進むと、器用さや共感力、創造力を必要としない繰り返し作業からは、人間はますます淘汰されるだろう。これは、人間にしか成し遂げられない仕事の発展に対し、社会がいま以上に注意を向けなくてはならないことを意味している。芸術、エンタテインメント、創作、ケアのほか、教育や研究といった仕事だ。パンデミックが明らかにしたように、児童や生徒にとって最適の学びのためには教室という環境が必要であり、彼らの発達には教育の質がきわめて重要である。

　大不況期、フランクリン・ローズヴェルト大統領は芸術家に資金を提供し、自国のために絵を描き、ものを書けるようにした。後年、有名になり、かつて政府から支給された以上の金額を税金のかたちで返した芸術家には、マーク・ロスコ、ウィレム・デ・クーニング、ジャクソン・ポロックといった人々〔抽象表現主義の画家〕がいる。結果として、美術館には収入が生まれた。彼らだけではなく、ほかの芸術家の作品を鑑賞するため、美術館に出向く何十万という人も収入を生み出した。そうした収入は、芸術家への投資を何千倍にもして返済してきた。収入だけではなく、彼らの作品は創造的インスピレーションを生み出し、投資がなければありえなかったほど、多くの恩恵を社会全体に行きわたらせたのだ。

　ローズヴェルトの先見性と今日の対応は、これ以上ないほど対照的だ。世界中で会場は閉鎖され、移動が制限されたので、芸術やエンタテインメントは崩壊の憂き目を見た。芸術家、俳優、音楽家、そのほか独立自営の芸術活動家は、パンデミックがもたらす経済的苦難の矢面に立たされた。創作・文化産業の落ち込みは、経済全体を担うその他産業の約二倍になった[56]。フランスでは、二〇二〇年、ＧＤＰが約一〇％下落した一方、文化部門は四分の一も落ち込んだ。ドイツでは、経済全体が約六％の下落、文化部門は五分の一も落ち込んだ[57]。パンデミックは芸術に壊滅的影響を与える可能性がある。それを回避するため、ドイツでは、国家その他による数多くの支援政策のトップ項目に「文化再生」が掲げられ、政府がそのプログラムに一〇億ユーロ（九億ポンド）を充てた。フランスでは、五〇億ユーロ（四五億ポンド）が用意されたほか、失業者を含め、創作産業のすべての労働者に対して保証最低賃金を設定した[58]。

対照的にイギリスでは、仕事のなくなった俳優、音楽家、芸術家や、閉鎖に追い込まれたギャラリー、劇場、音楽会場で働いていた人々（その多くは正規雇用）は違う現実を見た。彼らは失業しただけでなく、その多くが政府の緊急給付も得られなかったのだ。財務大臣は、ほとんど希望の灯をともそうとしなかった。それどころか、創作産業で働く人々がどこかほかの「生存見込みのある」部門で職を見つけるよう促した。社会に対する彼らの貢献を理解することなく、苦境を緩和することもなく、傷ついた人々を侮辱したのだ。マーガレット・サッチャーの側近だったノーマン・テビットは、一九七七年、失業者は「自力で」仕事を探すべきだと語った。これを思い起こさせるように、イギリスの財務大臣は、二〇二〇年一〇月、音楽家や芸術分野で働く人は、仕事の見つからないほかの人と同じように、再教育を受け、別の仕事を見つけるべきと述べた[59]。すでに二〇一九年から、政府は大型宣伝キャンペーンを支援し、創作産業やその他の部門に関心を持つ若者に「考え直せ、学び直せ、再起動しろ」と働きかけていた。サイバースキルやもっと実用的な専門技術を学ぶよう促していたのだ。実例として若手バレエダンサーを取り上げ、そのイメージ画像を活用しながらキャンペーンを張っていた。結果的には、イメージ画像を撮ったフォトグラファーが写真の悪用を訴えたこともあって抗議が沸き起こり、最終的に宣伝活動は幕引きされた[60]。

　二〇二〇年、私にとってもっとも感動的な経験のひとつは、著名なバイオリニストのタスミン・リトルが自宅の庭でおこなった素晴らしい最終コンサートに参加したことだ。彼女の貴重なバイオリンであるガダニーニを売却する前に、上限三〇人の親しい友人や家族が集まって開かれたコンサートだった。私たちはもう二度と彼女の卓越した生演奏を聴けない。壮麗な音源が残され、将来にわたり若い音楽家たちを鼓舞し続けるのが救いではある。有名な音楽家でさえ、政府からの支援は、いかなるものであれ受けられなかった。幸運にもタスミンは、ラジオ番組の司会や上級者向け音楽教室で新たなキャリアを踏み出すことが可能だが、フリーランスの多くの芸術活動家は、もしまったく仕事が見つからなければ、配送車の運転やスーパーマーケットでの商品陳列などの仕事に就かざるをえない。

一線を退くのは、世界的に有名な芸術家だけではない。芸術への投資は短期で回収できる。パンデミックに見舞われた前の年、イギリスの芸術・文化産業は、前年比で三億九〇〇〇万ポンドの成長を実現し、まずは直接、イギリス経済に一〇八億ポンド貢献し、二八億ポンドの税収となった。それはまた、関連するサービスや接客業の分野でさらに二三〇億ポンドをもたらし、三六万三〇〇〇人の雇用を生み出していた[61]。イギリス経済にもたらす付加価値について、平均すると、二〇一九年、他産業の従事者が四万六〇〇〇ポンドだったのに対し、芸術分野で働く一人の人間は六万二〇〇〇ポンドを生み出した[62]。パンデミックの間に、イギリスの芸術的才能の四分の一までもが失われ、創造力あふれる産業の持つ潜在能力は著しく衰え、イギリスの将来の成長、ダイナミズム、世界への貢献が危うくなってしまったのだ。並外れて生産力があるこの部門の衰退を放置すべきではない。

イギリス政府は、パンデミックの影響を最小化するために自営業その他向けにさまざまな計画を策定した。だが、俳優組合エクイティ、音楽家組合、イギリス作家ギルドのいずれの組合員も、その約四〇%は、策定されたどのような計画からの支援も受給資格が得られなかった[63]。政府の不適切な支援策が創造性豊かな才能の大量失職を引き起こした。大道芸人、メイクアップ・アーティスト、楽器奏者、その他さまざまな人々が社会保障制度内のごくわずかな一般的給付金で生き延びざるをえなかった。その額は、家賃をカバーできることすらほとんどなく、多くの人がフードバンクを頼って生きていかなければならなかった[64]。

芸術やエンタテインメント産業に関わるすべての人がこうむった深い傷には、緊急処置が必要だ。閉鎖された美術館や劇場、音楽会場を再開しなければならない。追い出された人々がこうした産業に復帰できるようにしなければならない。多くの人が生活苦から他の産業に完全転職してしまったが、その人々の代わりに若者が入ってこられるようにしなければならない。そのためには、追加資金が必要だ。

芸術を殺す社会は、自らの記憶と魂を殺しているのだ。音楽、映画、エンタテインメントはロックダウン下の人々を癒やし、孤独感を紛らせてくれた。私たちは機械がますます多くの仕事をする未来に突き進んでいる。したがってこれからは、創造性や共感といった人間独自の属性がさらに重要となり、人間としての私たちを特徴づけるようになるだろう。芸術は、実利的必要性を超えたところに私たちを導く。身体的世界と切り離しながら心と感情を呼び覚ます。そうすることによって、芸術は私たちを救済する。その芸術部門を救い出すには、政府による芸術家・芸術団体への資金提供、ライブイベントへの支援、著作権料や録画・録音媒体利用料金の支払いが必要となる。もっとも重要なのは、私たちが社会における芸術的創造性をリスペクトし、しっかり支えることだ。

仕事の救済

一五〇年以上前、出来高払いの仕事がいまだ日常的に家内で請け負われていた。産業革命以後、これほど多くの時間を使って、家庭内で経済活動がおこなわれることは〔新型コロナのパンデミック前は〕なかった。このことは、仕事の将来に対して深い意味を持っていそうだ。

リモートワークは、仕事に関するこれまでの階層構造やネットワークを強化するかもしれない。たとえば女性は、育児やケアの責任を背負いながら、家庭内労働を強いられる可能性が高くなる。貧しい労働者は、狭小住宅に住み、集中力を要する仕事に必要な個別の仕事場、プライバシー空間がない。リモートワークは、こうした一部の労働者を不利な状況に追い込むかもしれない。こうならないようにするには、意識的な対応策が必要である。

パンデミックは、ある意味で、私たちを毎週の硬直的な働き方から解放してくれたかもしれない。だが仕事の新たな柔軟性には、いままではっきりしていた境界線が曖昧になるという対価がともなっている。労働者は、出社主義の暴力、上司より早く出社し遅く帰る事態からは逃れた。しかしこんどは、仕事が常時、家に居座り続けるわけだから、自宅の仕事場が新たな暴力をもたらさないように警戒しなければならない。自分たちがいつも仕事中の状態にあり見張られている、という感覚に陥らないようにしなければならない。雇う側も雇われる側も、しっかりとした境界を設定する必要があるのだ。

多くの人が柔軟な勤務時間を望む。だが労働者にとっては、ただ勤務時間が漠然となるだけで、一日の勤務終了時、それが何時であれ、きちんと仕事を終了できないリスクがともなう。いまやリモートワーカーは、仕事が家庭生活に食い込まないようにする必要がある。この問題に対応するには、たとえば学校の送り迎えや食事時間に合わせ休憩が取れるように、またパートナーや子ども、そのほか扶養家族の予定に合わせられるように、仕事のスケジュールが変更できなくてはならない。

ワーク・ライフ・バランスの改善に向けて選択可能で、おそらく実現しそうなのは、働き方に関する何らかの混合モデル、すなわちハイブリッドモデルであろう。だがハイブリッドモデルには、労働力を二つの階層に分断する危険性がある。仕事場に出向く社員は、同僚とも顔見知りでネットワークも強くなり、また訓練を受ける機会も増す。他方、リモート中心の社員は、昇進が停滞することにもなりかねない。こうした状況は、通勤する可能性が低くなることの多い女性には不利に働く。職場でいまだネットワークを築けていない人にとっても同様だ。働き方の再検討という場合、従業員の出社頻度とか席の配置といった実務的問題にとどまらないのは明らかだ。階層構造についてはもちろん、ハイブリッドな働き方が差別を生まないようにするにはどうするか、差別をどう克服するのかについても、考えなくてはならない。

従業員に対し、いつ、何日間、何時間出社することが求められているのか、明らかにしなくてはならないだろう。在宅勤務に携わる従業員の権利と責任についても、事前の説明が必要になる。家具や備品、通信機器の設置・メンテナンスは誰の責任でおこなうのか。プライバシー、データ保護、セキュリティ、データ・社内情報に関する保険については誰が責任を負うのか[65]。光熱費や在宅勤務用の作業スペース確保にともなう費用について、会社側がどれだけ負担するのかも、解決すべき課題である。

貧しい労働者や若い労働者の住居は、とくに過密な都市環境では、窮屈である可能性が高い。二〇歳から三九歳の平均的ロンドン市民が個人用に使えるスペースは、たった九・三平方メートルしかない（ノルウェーの刑務所の平均は一〇平方メートルだ[66]）。ロンドン市民の一〇人に四人は、ロックダウンの間に、仕事をするのも寝るのも同じ部屋だった[67]。こうした人たちにとっては、仕事で外に出る以外、自分のベッドルームや同居人から離れた空間に身を置く機会はなかった。住んでいる地域によっては、窮屈で騒々しい自分の家よりオフィスのほうがずっといいと考える人が多いかもしれない。仕事に関するこれからのハイブリッドモデルは、個々人のニーズに対し、柔軟かつ敏感でなければならない。ハブ&サテライトモデルがひとつの選択肢になるかもしれない。このモデルでは、人々をみな都会の本社に集めるのではなくて、社員が自宅近くのシェア空間で仕事ができるよう、会社が手配する。ほかの人と交流しながら仕事に打ち込めると同時に、より短時間で通える場所を確保するのだ。これによって、メインストリートやその他の近隣地区に新たな息吹がもたらされるかもしれない。そこはいま、閉店が相次ぎ、商業用のスペースが過剰で苦境に陥っているからだ[68]。

前述のとおり、職場はおしゃべりをし、仕事に直接関係なく情報をやり取りする機会を与える場所である。そうした機会を通じ、悩み事から解放されることもある。小さな思いつきから深い洞察まで、従業員個人だけではなく仕事上も役立つかもしれない問いかけがおこなわれることもある。こうしたことから恩恵をこうむるのは、従業員だけではない。管理職も同じである。部下の気持ちをくみ取り、懸念事項が溢れかえる前に、適切に対処できるようになるからだ。オフィスは親交を深めるにも大切な場となり、共感したり助け合ったりする関係が仲間内で育まれることになる。リモートのつながりだと、なかなかこうはいかない。参加意識の向上をもたらす非公式な機会を数多く生み出すことが決定的に重要だろう。それによって、ハイブリッドな企業文化を健全なかたちで築き上げることができるし、組織ダイナミズムや学習効果を高め、創造的で協力的な職場環境を育むこともできるようになるのだ。仕事場の親交を深めることが重要なのは、ダイナミックな職場環境を確立するためだけではない。在宅勤務にともない、日々高まっていく孤立感・孤独感を克服するためでもある。

将来必要とされるスキルはますます、技術よりも行動に関わるものとなる[69]。多くの仕事は、実際上、訓練しながらの見習い制度のようなもので回っている。若い新入社員は経験豊富な社員と組んで仕事をする。これは、社員個人にとって重要なだけではない。情報を交換し、取り組むべき課題を常に組織内に生み出すのにも不可欠だ。私たちは情報サービス経済の渦中にいる。そこで必要とされるのは、耳を傾ける、学習する、助け合う、説得するといった人間行動に関わるスキルだ[70]。仕事が生み出すものは、オンライン上でますます自動化されるサービスに変容しつつある。私たちは必要なものをアマゾンやデリバルーといったサービス・デリバリー会社から受け取っている。

デジタル・スキルは当然の前提とされていて、〔人間固有の〕ソフト・スキルのほうが重要となる。デジタル・スキルの半減期は縮小し続けているので、再訓練によって、常にこのスキル・ギャップを埋めなければならない。ここで必要となるのが好奇心や適応性であり、常に学ぶ姿勢である。一年間に必要と目される訓練時間は、過去一〇年で三日から三六日に跳ね上がっているからだ[71]。こうなるとこんどは、新たな組織文化が必要となる。それによって新たな働き方を育み、仕事上の職階・勤続年数にかかわらず、すべての社員が備えるべきスキルに関する細かな評価方法を編み出さなくてはならない。実際、Ｚｏｏｍ疲れが蔓延《はびこ》りはじめると、リモートワークでは、会話でなされた報告を補うために、簡潔明瞭な言葉で書かれた文書への需要が高まっていく。最初、リモート環境で輝いていたのは、滑舌良く簡潔に話す社員だった。だがいまでは、書き言葉で効果的に伝えられる人が輝いていそうである。大きく改善が進み、リモートワークにともなうさまざまな問題が克服されるのを実感するのは、時間の問題にすぎない。その証拠に、特許のうち在宅勤務関連技術に関わるものの比率がパンデミック中に倍増している[72]。リモートワークの効率性を高める製品を販売する企業への評価はうなぎ登りである。たとえば、事務作業を改善するソフトウェア会社のスラックは、二〇二〇年一二月、セールスフォースによって二七七億ドルで買収された。こうした高評価によって、この分野のイノベーションが加速してきたのだ。

　事務作業技術におけるイノベーションや変化に応じ、社員に与えられる権利も変える必要がある。今回のパンデミックで明らかになったように、正規の仕事がなくなり、人々が非正規・単発・不安定の雇用になだれ込むにつれて、ますます多くの労働者がいっそう弱い立場に置かれた。これにより、こうした労働者が搾取されないよう、雇用主や政府の負うべき責任は、どんどん大きくなっている[73]。前述したような将来のシステムを支える手立てのひとつとして、在宅労働市場に身を置く正規社員には、受け入れ可能な労働者保護規約および雇用条件が用意される。これと同じ条件は、たとえ仕事がグローバルなクラウドワーク・プラットフォームを通じておこなわれる場合であっても、単発・非正規の労働者にも提供されなくてはならない。最低賃金が受け取れなくてはならないし、雇用に関わるさまざまな権利を享受できなければならない。労働時間、健康、労働安全、その他の雇用に関わる最低限の基準が認められるべきなのだ。企業や政府はこうした労働者の訓練・再教育に投資し、めまぐるしく変化する労働市場において彼らのスキルが改善・向上するようにしなければならない。非正規部門が大きくなるほど、セーフティネットが強化されるべきだと政府が認識できるかどうか。実際にはこれが鍵となる。労働者には、失業・福祉・年金給付のみならず、公衆衛生・教育・訓練の機会が必要なのだ。そして最後に、不安定な雇用環境にある労働者が増えるほど、政府はますます緊縮政策を回避しなければならなくなる。経済が低迷すると、非正規労働者が真っ先に職を失い、その後は、公共部門の提供するサービスにもっとも頼らざるをえなくなるからである。

デジタルの苦界からの救済

パンデミックによって、働き方の変化が加速し、多くの労働者が職場や通勤の苦労から解放された。それと同時に、新たなリスクも生み出されている。イノベーションや関係性は、その場に一緒にいることから生まれることがあるし、職場には、さまざまなバックグラウンドを持つ人々に関する誤解を防ぐ役割もある。パンデミックは、こうした状況を台無しにしてしまいかねないのだ。在宅勤務は、孤独感を深めるだけではなく、いままでとは違った経験をする機会も遠ざけるので、精神的なタコつぼ化が進んでしまう危険もある。デジタル化の生み出す孤立によって、現実世界でさらに強固なタコつぼ化が進むリスクを克服するために、インターネット創設者のひとりであるティム・バーナーズ＝リー卿*〔1〕は、仕事のなかでのネットワーク構築を促すよう提案してきた。たとえば、三人ないしそれ以上でのランダムな会議の開催である。その時間中は、以前は接点がなかったかもしれない仲間とも言葉を交わすことになる。これなどは、ウェブ上で組織するのは比較的簡単だし、仕事の範疇を超え、より幅広い社会的・政治的な参画にまで広げることも十分可能だ。このように、デジタル会議は、分断を強めるのではなく、それを克服するのに役立つ可能性がある[74]。

リモートワークに潜む負の影響を抑え込むには、いま何に注目すればよいだろうか。実現すべきは、働き方を再考することによって、経済を生産性低下から救済するとともに、張り巡らされた力関係を切り崩し、これまでの階層構造を清算すること、それによって、深く染みついたジェンダー差別と人種差別を乗り越えられるようにすることだ。

だが、リモートワークがもたらしそうな変化には、働き方にとどまらない多岐にわたる意味がある。私たちの心のなかでは、政府が求めた期間よりもはるかに長く、ロックダウンが続きそうだ。危機のあと、人を信用する習慣を学びなおさなくてはならないし、人への信頼を回復させなくてはならない。これには、積極的な意思がいる。これまでは、かかっていた重しが外されたら、すぐにバネが跳ね上がり、元の状態に戻れると想定されていた。しかし、ジャーナリストのラファエル・ベアが分析したように、私たちは意識的に「デジタルの苦界から抜け出そう」としなければならないだろう[75]。

回復が持続するには、消費者の信頼が戻らなくてはならない。不安が続けば、持続的成長の回復には大きなハードルとなる。同じことは企業にもいえる。民間投資が新型コロナ以前のレベルに戻るには一定の時間がかかる理由も同じだからだ。大不況後、経済学者のジョン・メイナード・ケインズは、政府支出を増やす一方、労働者に課される税金を引き上げないという政策を提示した。市民を鼓舞し、個人の消費支出再開に向けた不安を取り除こうとしたからだ。

信頼と信用に、ただ頼っていてもだめだ。信頼と信用を確かなものにするには、リスクは下がったんだ、今後、危機の連鎖につながることはないんだと、市民が確信できなければならない。そのためには、政府が国内で能力を発揮するとともに、脅威を分かち合うべく他国と協力することが必要になる。

私たちは、ロックダウンによって行動変容を強いられた。それにともない、どこで、どのように働くかということだけではなく、私たちの考え方も長期的な影響を受けそうだ。家にいるほうが効率的かつ安価に生活できると学習してしまったので、私たちの多くがジムや映画館、店に戻るには、積極的な後押しが必要になるだろう。

私たちを快適で安全な自宅から誘い出すには、ジム、映画館、店舗通いが何か特別なものを提供できなければならない。頻度は少なくなっても、家庭ではなかなか再現できない楽しい経験が増すような方向に行き着きそうだ。

従業員を促し、在宅ではないリモートワークを効率的におこなえるようにするには、遠くのオフィスに仕事場があるだけでは不十分だろう。リモートでは再現しにくい方法での同僚や顧客との会議、チーム構築、創造的なディスカッションが必要になる。暫定的解決策として、レストラン、カフェ、パブといったところに近場の会合場所や仕事場を設け、そこで一日のうち数時間を過ごすといったことなどが広まるだろう。これによって、長い通勤時間がなく、オフィスで一日中、仕事をすることもないという環境に変えるきっかけが生まれるかもしれない。

仕事を救済するには、どこで、どのように働くかだけではなく、報酬体系のあり方への私たちの考え方を根本的に変えなければならないだろう。階層構造を見直し、より平等な環境で働こうとする私たちの意思が問われることになるのだ。すべての人に仕事を保障するには、訓練や労働安全衛生を最優先し、差別をなくす必要がある。私たちの多くは仕事に多大な時間を充てる。仕事は私たちの人生とアイデンティティを決する。意味を見いだせない仕事、十分な報酬をともなわない仕事、単に不安定であるばかりか危険な仕事があまりにも多い。だが仕事に就くことは、生産年齢人口にあるほとんどの人にとって、選択ではなく必須の事柄だ。仕事を奪われたら、絶望につながる。新型コロナのパンデミックは、私たちが生きているなかで、仕事に対しもっとも衝撃的な変化をもたらした。賃金格差の拡大、差別、不安定雇用への脅威が広がると、それは勢いを増し、誰の目にも明らかになった。失業率上昇と相まって、私たちの思考は変革を迫られているのだ。仕事を救い出すには、すべての人に対し、まっとうな仕事を保障する必要がある。そのためには、現在の社会契約を見直さなければならない。たとえば、労働時間の短縮、ボランティアに依存する職務の有償化、エッセンシャルワーカーや創造的産業で働く人たちの賃金増額、差別解消に向けた制度の厳格化、再教育予算や就業につながる通勤・転居補助の増額などが議論の対象となる。

第二次世界大戦後は、アメリカでもイギリスでも、すべての人に仕事を保障することが再建構想の中心に据えられていた。パンデミックによって雇用に破壊的影響が与えられたいまは、まさに当時の野心的な構想を私たちのラディカルな改革と行動のなかでよみがえらせるときなのだ。

第Ⅱ部　放置から関与に向けた介入

第5章　共存共栄の経済

新型コロナのパンデミックによって、経済の救済がますます急務となった。これほど多くの国々、多くの人々が一斉に、急速かつ激烈なかたちで経済的な苦境に陥ったことは、かつてなかった。待ち受けているのは、低成長と債務累積の続く失われた一〇年となるだろう。緊急対応がなければ、失業の加速、不平等、新たな危機が避けられない。

経済学に精通するイギリス人ジャーナリストのマーティン・ウルフは、「経済的新型コロナの長期化」の恐れに注意を促してきた。パンデミックが去ったあとも、傷跡のような長期停滞が延々続くというのだ[1]。二〇〇八年の金融危機後におこなわれた緊縮政策の過ちを繰り返すことなく、これを乗り越えなくてはならない。金融危機の間は税収が落ち込み、失業・福祉関連支出が増大したので、その後一〇年間、ギリシャ、イタリア、スペイン、アイルランド、フランス、ポルトガル、イギリスは、赤字を急いで引き下げようとした。ヨーロッパ中央銀行や国際通貨基金（ＩＭＦ）からの新規融資獲得に向けた合意に含まれていた政策を実施するため、前記各国はすべて、社会的サービス、住宅・福祉関連給付向けの公的支出について継続的な削減に踏み切った。イギリスでは、教育・保健医療向けに「使途限定」が約束されていた予算も、二〇一九年までの一〇年間、実質減額された。こうした緊縮政策によって金融危機からの回復は遅れ、不平等が拡大したうえ、新型コロナのパンデミックに対応するための保健医療システムの能力まで損なわれることになった。パンデミック後の現在、大切なのは、過去の教訓に学び、財政支出の削減を急ぎすぎてはならないということである。

周知のとおり、世界は変わりつつある。ＩＭＦは政治家たちに対し、経済を救済し「公共投資を拡大する」ため、さらなる行動を求めている。低金利によって低コストで実施可能な国々では、「投資に向けた借入の増大が望ましい」。ＩＭＦはすべての高所得国、ほとんどの中所得国がこうした状況にあるとみている[2]。ＩＭＦモデルにもとづく推計によれば、政府投資を国内総生産（ＧＤＰ）の一％分増やせば、個人および企業による民間投資は一〇％増大し、各国経済を平均二・七％引き上げられる[3]。ＩＭＦはとくに保健医療、住宅、デジタル化、環境への投資を推奨しており、高所得国・中所得国の政府投資が一％増えるごとに二七〇〇万人以上の雇用が創出され、いまよりも強靭で包容力のあるグローバル経済の基礎を生み出せると推計している[4]。

新型コロナは、アメリカだけで一六兆ドル以上の費用負担をもたらした。これは、ほぼアメリカ全体の年間経済産出額に匹敵し、四人家族で計算すると、一家計あたり、おおよそ二〇万ドルの損失に相当する額になる[5]。そのほか多くの国では、保健医療関連費用はもっと少なかったが、経済的費用がその分、高かった。とくに、企業や労働者を支えるための新規債務がかなわなかった国ではそうなった。

人々を窮乏から救済するには、所得補償計画を拡大・延長する必要がある。アメリカでは、二〇二〇年四月、政府が一回限りの政策として、年収七万五〇〇〇ドル以下の成人一人あたり一二〇〇ドルを支給した。その結果、パンデミックにもかかわらず、二〇二〇年上半期には家計所得平均が実質的に上昇した。

最低所得補償計画は、必要か否かを問わず、普遍的収入源として全員が受給可能なユニバーサル・ベーシックインカム制度（ＵＢＩ）と混同してはならない。ＵＢＩの問題は、政府予算が限られるなか幅広く分配するため、薄くなりすぎ、すべての市民の受取額が同じになってしまうことだ。その結果、さほど支援の要らないビリオネアやその他の高額所得者が必要のない給付を受ける一方、必要性の高い人たちが、それまで特定福祉給付制度で得ていたよりも少ない金額しか受け取れない可能性が出てくる。こうしたことから、ＵＢＩは、実際には不平等と貧困を拡大しかねない。公平性を高めると謳いながら、その再分配能力は必ずしも高くはない。現実の経済は公平ではなく、福祉政策をおこなう場合、このことを頭に入れておかなくてはならないのである。

二〇二〇年、アメリカ大統領選の民主党候補のひとり、実業家のアンドリュー・ヤンは、すべての成人に対し、年間一万二〇〇〇ドル給付する政策を提案した。これは、収入としては貧困ライン以下の額だが、それでも二億一〇〇〇万人への給付なので、公的支出としては二兆八〇〇〇億ドルを要する。アメリカ政府が年金、保健医療、その他の社会サービス向けに支出している合計に匹敵する額となる[6]。イギリスでは、生活賃金レベルでユニバーサルインカムを設定すると、すべての社会的サービス、教育、保健医療支出の合計額以上の負担となる。ここから導かれる答えは、支援は必要とする人に絞り、必要のない人には給付しないということだ。私たちは、納税者の負担で富裕層に対し追加所得を与えるような補助をすべきではない。そうではなく、政府の福祉支出は、まっとうな生活をするために資金を必要とする人に絞っておこなわれるべきである。

パンデミックによって、最低賃金制度は働くインセンティブを下げるという保守派の神話が、現実にはあてはまらないことが明らかとなった。ここ数十年のうちにカナダやヨーロッパではセーフティネットが設けられたが、求職活動は減らなかったし、需要が支えられたことによって、実際には雇用が拡大した。さらに、デンマークの例で示されたように、不平等が低く抑えられ、強固な社会的セーフティネットがあることによって生産性が向上した。人々は、仕事にあぶれたら路頭に迷うのではないかと危惧することなく、新たな仕事に挑戦したり、新規事業を生み出したりできるからである[7]。

私たちの経済を動脈硬化から救い出すには、生産性の向上が必須であり、そのためには、教育・訓練への投資を拡大しなければならない。これによって、直接の投資対象のみならず、企業や社会全体が恩恵を得られる。教育や職業訓練への投資拡大は、積極的な雇用環境の創出と同じく、企業収益の向上につながり、従業員にも良い効果を与えるが、それにとどまらず、社会にとって幅広い利益をもたらす。

パンデミックによって、労働者に対する企業の相対的な交渉力が強まった。失業者が増え、何千もの人々が自らの学歴や経歴に照らせば見劣りする職を求めるようになった。雇う側は、以前より低賃金であっても働く気満々で、なんとしても職を得たいと願う人が増えるだろうと認識している。製造業とサービス業で自動化される職種が広がっており、これが賃金低下圧力に拍車をかけるだろう。労働者を貧困から守るには、最低賃金法の強化が必要だ。

自動化や経済の低迷にともない、アメリカ、ヨーロッパ、東アジアでは雇用機会が縮小するが、その影響は、出生率低下にともなう生産年齢人口の減少によって一部は緩和されるだろう。二〇二〇年、アメリカの人口増加率は、新型コロナで若者の出会いの場が少なくなり、結婚や新家族のスタートが延期されたことによって、過去一世紀のなかで最低だった[8]。移民もパンデミックによって減少し、イギリスでは、ブレグジット後の規制がこれに輪をかけた。技能に応じて変わるビザポイント制度のもとでは、イギリスで働いていたヨーロッパ連合（ＥＵ）市民全体の三分の二、すなわち二一〇万人中、約一三〇万人が就労基準を満たせない。これによって、対人ケアや看護スタッフの深刻な不足状態が悪化する恐れがある[9]。

労働人口が減少し、移民が少なくなっているにもかかわらず、失業率は大不況以来の水準に達している。失業者の増大に対応し、経済に弾みをつけるために、各国政府が直接、雇用機会を生み出さなくてはならない。大不況後、フランクリン・ローズヴェルトが雇用創出に向けニューディール政策を実施したように、グリーン・ニューディールをおこなうべきなのだ。ローズヴェルトの政策では、政府が八〇〇万人以上のアメリカ人失業者を雇い、五〇万マイルの道路、およそ一〇万の橋の建設にあたらせた[10]。二一世紀の危機に対応するには、私たちの将来に向けて、政府が気候変動との戦いに投資し、失業者を動員しなければならない。

各国は、成長と脱炭素の目標を同時に達成するため、より多くの投資をおこなうべきである[11]。政府が通常の投資をおこなうと、一〇〇万ドル追加されるごとに二人ないし八人の雇用が直接生み出される。だが、同じ金額をクリーンエネルギーやその他の炭素排出削減向けに投資すれば、はるかに多い、五人ないし一四人の雇用が生み出されるのだ[12]。イギリスでは、グリーン・ニューディールで数十万人の雇用創出が見込まれているが、その多くは、地方での雇用、そして住宅の断熱や太陽光発電パネルの装着に必要な専門技能を持つ人々の雇用になるだろう。

いまは実質金利がマイナスなので、貸し手は、金を払いながら私たちに借りてもらっていることになる。より平等で繁栄した社会を生み出すため、成長に必要な資金を借りるのは、経済的にも、環境や社会的観点からも合理的なのだ。ただし政府の確固たる行動がなければ、経済の回復は二股に分かれたものになるだろう。リモートワーク可能で高所得の労働者が恩恵に与れる一方、ますます多くなる低賃金労働者や失業者はさらなる損失に苦しむこととなる。

不平等を克服し、社会的ニーズに対応するには、世界から企業や富裕層を引きつけようと各国がおこなっている税率引き下げ競争をやめなくてはならないだろう。税の抜け道を塞ぐ合意が成立すれば、経済の下方スパイラルは食い止められるはずだ。アメリカでは、およそ一兆六〇〇〇億ドルが税額控除によって取りこぼされている。有力な企業や個人は、この制度を通じ、自らの納税額を引き下げている[13]。アメリカのデラウエア州、ケイマン諸島、モナコ、ダブリン、ルクセンブルク、リヒテンシュタインといったタックスヘイブンや低税率ないし非課税地域では、企業や個人に税法上の登記場所を与えており、納税義務を免れるため、幽霊企業や個人が蔓延《はびこ》っている。こうした地域を閉鎖できれば、世界全体で、失われた法人税のうち年間六〇〇〇億ドル、所得税でも二〇〇〇億ドルの追徴が可能となるだろう[14]。このうち年間二〇〇〇億ドル以上は、途上国の個人や企業が海外のタックスヘイブンに移転して租税回避されたものだ。そこが閉鎖されれば、税収として途上国政府のもとに返すことができる。この額は、途上国政府が二〇二〇年に受け取った援助額の約二倍である[15]。

巨大テック企業は、タックスヘイブンを使って税負担を軽くしようと、とくに躍起となってきたが、納税義務を果たさなくてはならない。タックスヘイブンに登記する幽霊企業ではなく、収入・利益の発生する国で納税義務を果たす、ほかの企業にならうべきなのだ。フェイスブック〔現メタ〕やグーグルといったプラットフォーム企業は、広告やユーザーのデータ解析によってほとんどの収入を得ている。これらやその他の企業、富裕層は、パンデミックの期間を通じて巨額の利益を獲得した。回復に向けた資金供給を支え、パンデミックによって生活や収入が崩壊した人々を助けるためには、これら企業や富裕層のたなぼた利益に対し、今回限りの課税をすべきである。アメリカでは、これがバーニー・サンダース上院議員による大統領選キャンペーンの基本政策となり、「ビリオネア課税法案（Make Billionaires Pay Act）」が議会に提出された。この法案は、パンデミック期間中にアメリカのビリオネアが得た利益に六〇％の税金をかけることを狙ったもので、これが実現すれば、四〇〇〇億ドル以上の税収増が見込めた。[16] イギリスでは、王立芸術協会（ＲＳＡ）が「パンデミック長者」と名づけたものに対する軽めの売上税を提唱した。[17]

相続税に関しては言うまでもなく、そのほかにも税制改革が必要だ。ビリオネアのドナルド・トランプは、過去二年でたった七五〇ドルしか税金を払っておらず、一五年間のうち一〇年はまったく払っていなかった。パンデミックのまっただなか、明らかにされたこの事実によって、税制の著しい不公平があぶり出され、大改革を求める声が増大した。多くの人が苦境にあえぎ、収入を失っているのに、恵まれたごく少数の人々の収入は、パンデミックによって法外なほど増大した。まったく対照的だ。こうした状況によって、税制改革に向けた各国内および国際的な動きに新たな力が加わった。今後数年間のうちに、アメリカやＥＵで、また国際機関を通じ、具体的な行動につながっていくだろう。

租税回避を許さない情勢が高まり、パリに本部を置く経済協力開発機構（ＯＥＣＤ）は「税源浸食と利益移転」を抑制するための合意に向け、一三五カ国と協議に入った。現状では、アメリカのバイデン大統領の任期中に批准される可能性もある。課税ルールの違いや矛盾を突いて、利益や所得を、経済活動実態がほとんどない、あるいはまったくない低税率ないし非課税の地域に移転する税務戦略があるが、ＯＥＣＤのきわめて重要な構想は、こうした戦略の阻止を狙っているのだ。すでに多くのヨーロッパ諸国は、パンデミック後、助けを求める企業の支援に条件を付けている。すなわち、現在、正しく税金を納めていること、将来、タックスヘイブンを使わないことが契約上、確約されない限り、支援を受けられないのである。

経済の救済

税の抜け穴を塞ぐべきとの声がますます高まっている。このことは、パンデミックによって、公共政策で語られるべき言葉がいかに変わりつつあるか、経済的な選択肢がどれだけ広がりつつあるかを示している[18]。この状況は、資本主義か共産主義か、政府か自由市場かという一次元的二者択一からの健全な脱却につながっている。かつて選択肢は、一方の極には「社会などというものは存在しない」とする自由市場重視のサッチャリズム、もう一方の極には社会全体の利益だけが支配する共産主義があった。

「思慮のない私的利益の追及は……悪い経済学だ」。「窮乏からの自由」こそ、公共政策を導く重要な目標となるべきだ。一九三七年、ローズヴェルト大統領はこう語った[19]。実際、今日でも、ローズヴェルトの主張は、スカンディナビア各国はもちろん、いまだ間違いなく資本主義と定義づけられるであろう多くの国にあてはまる。

ウェンディ・カーリンとサム・ボウルズの両教授が述べたとおり、選択肢を二者択一にしてしまうと、公共政策を形づくる政治的レトリックが限定されてしまう。所有をめぐって国家対市場というかたちでおこなわれる議論では、人々の生活の重要な側面は金銭的に評価できないことが見落とされる。環境、市民としての責任、信頼といったことはすべて、私たち自身、そして幸福で健全な社会の存続にとって不可欠であるにもかかわらず、こうした非金銭的要素は、経済計算上、往々にして測定されず、除外されてしまうのである。

人々が経済学の論理を超えて無私の意思決定をどこまでできるか。パンデミックによって、その範囲が広がった。ニュージーランド、韓国、台湾、シンガポール、そしてフィンランド、ノルウェー、デンマークといった、社会において市民の関与が高いところでは、非常にうまく事を運んできた。人間行動を導くうえで、公正と連帯が市場諸力以上に強力だということを示している。より包容力があり持続可能な社会を育む方向に政治的論議が進化している証しだ。

イングランド銀行のチーフエコノミストであるアンディ・ホールデーンが指摘したとおり、目につかないことも多いが、ボランティアは見えざる敵と戦う戦力である[20]。コミュニティや近隣の住民グループ、慈善団体、個人のボランティアは、政府や民間部門が放置したままの穴を埋める活動をおこなっている。イギリスでは、一〇〇歳の元陸軍大尉トム・ムーアが、自宅の庭を歩いて往復することによって三億二〇〇〇万ポンド以上の金を集め、国民健康保健制度（ＮＨＳ）に寄付した。もともとの目標額は一〇〇〇ポンドだったのにだ。公的関心を呼び起こしたムーアのおこないは、サッカー選手のマーカス・ラシュフォードが子どもの貧しい食事を終わらせるため嘆願キャンペーンをおこない、すぐさま一〇〇万以上の署名を集めたのと同じだ。二人の行動には、公正について考え、社会のニーズに応えたいと願う点で、一般市民がどれだけ政府より優れているかが示されている。

ホールデーンが「社会セクターに備わる制度的免疫システム」と名づけたものを、その昔、アレクシ・ド・トクヴィルが理解していたのと同じく、ウィリアム・ベヴァリッジも認識していた。彼は、民主主義を構築するには社会や共同体の行動が重要であること、個々人が助け合わない見知らぬ者ばかりの社会には危険がともなうことを強調した[21]。故サー・トム・ムーア大尉、マーカス・ラシュフォードに加え、ボランティアや慈善団体が、パンデミックのような危機のとき、取り残された人々、放置された人々を助けるため自発的にとった対応は、私たちの社会でどれだけソーシャルキャピタルが根づいているかを示している。シカゴ大学の経済学者ラグラム・ラジャンは、そのソーシャルキャピタルの重要性が見落とされていることを強調する。金融資本、物理的資本、人的資本は、これとは対照的に、人々によく知られ議論もされるが、ソーシャルキャピタルはこれらを補うものなのだ[22]。イギリスでは、七五万人のボランティアが国民健康保健制度（ＮＨＳ）を支えたし、アメリカやその他の国では何百万ものボランティアが新型コロナの追跡調査に関わった。だが、こうした数字は、国民計算には反映されないし、経済統計にも出てこないだろう[23]。

ボランティア精神があちらでもこちらでも発揮されると、社会の励みとなったし、保健医療や福祉制度の大きな不備を埋め合わせてきた。だが、納税者に支えられた、より効果的な給付制度の代わりにはならない。実際、慈善活動はこれまでよりもはるかに強く求められているが、パンデミック期間中、必要とする人たちの支援を拡大しようにも、慈善団体自身の収入が減ってしまい、かなわなかった。街頭募金やスポーツ会場、その他の地域・職域でのチャリティ行事、目抜き通りにある店舗での販売活動ができなくなり、普通なら頼りになるはずの収入源が断たれてしまったのだ。推計によれば、イギリスでは、一七万の慈善団体が合計六四億ポンドの損失をこうむり、その一割に破産の危険があるとされている[24]。

パンデミックによって、命か生活か、短期的対応か長期的対応かという複雑なトレードオフが露わになった。これに関する多くの議論では、価値観が問われている。市民や政治家は、自分と他人の命と自由についてどのような価値評価をするか、暗黙のうちに判断を迫られている。

私たちは、資本主義か共産主義かという不毛な議論から抜け出さなければならない。民間の企業活動と国家のコントロールは、すべての国で結びついている。ロシアは共産主義を放棄したが、資本主義的な専制国家となったにすぎない。ロシアが民間部門に与えている自由など、いまだ共産主義と目される中国に遠く及ばない。中国では、民間部門が経済活動の優に半分以上を占め、新規雇用の九割を生み出している。ヨーロッパの多くの国では、経済活動でも雇用創出でも、国営企業が中国よりも大きなシェアを占めている。重要なのは、資本主義のさまざまなモデルがどのような成果を上げているかであり、とりわけ、それぞれが共存共栄をもたらしているかどうか、個人や企業に対し成長の基盤と自由を与えているかが問われなくてはならない。

パンデミックによって、資本主義のさまざまなモデルの実力が評価されることとなった。アメリカやイギリスといったより自由な市場経済国は、ドイツ、スカンディナビア諸国、オーストリア、オランダ、韓国といった組織的市場経済国と比べ、はるかに成績が悪かった。一八四三年以来、英『エコノミスト』誌は自由民主主義を擁護してきたが、いまでは、パンデミックに際し、より大きな国家介入をおこなっている国ほどうまく対応したと認めている。しかしながら、こうも主張する。介入の強くない政府が長期的には勝利を収める。なぜなら、強力な国家は柔軟性に劣り、機敏性も欠くので、自国経済を来るべき変化に対応させることができないからである、と[25]。私は、この主張に賛成できない。私たちが将来直面する大きな脅威、たとえばパンデミックや気候変動、不平等の拡大を克服するには、有能で財政基盤の整った政府が必要だからだ。

保健医療、クリーンエネルギー、科学、イノベーションの分野に投資するとともに成果を回収し、そうした分野における改良の恩恵を分かち合って、強欲なエリートにかすめ取られないようにするには、実効性のある政府が必要となる。やるべきことは、より大きく強力な政府をつくることではない。市民と専門家、そして国際的にベストな実践例から学ぶことのできる、賢明で責任を果たせる政府をつくらなければならないのである。

周知のように、強い国家が成功を保証するわけではない。今日のロシアや歴史上の夥しい事例が示すとおりである。さまざまな制度の質とアカウンタビリティこそが、結果を決める。多くの民主主義国家、とりわけ女性に率いられた国では、パンデミックの期間中、驚くほどうまく対応した。かたや、アメリカ、ブラジル、メキシコ、フランス、イギリスはひどいものだった。最悪の結果をもたらした政治家に共通していたのは、傲慢な君主的リーダーということだ。行政官から距離をおき、専門家より自分のほうが優れていると思い込んでいた。対応は首尾一貫しないし、ルールを免れているかのような振る舞いは信頼を損ねた。うまく対応した政治家は、世界保健機関（ＷＨＯ）の国際的ガイドラインに従い、直面する課題や困難について国民に真摯に訴え、けっしてルールを逸脱しなかった。こうしたシンプルな原則に従うことによって、モンゴルやベトナム、ヨーロッパではギリシャ、ラトビア、エストニアといった、資金には比較的恵まれない国でさえ、パンデミックの対応では優れた実績を残した。一方、スイスやルクセンブルクをはじめ最富裕国でも、人口あたりの感染率をみると、最悪の部類に入る国があった。

パンデミックによって、自由主義経済国ほど能力が高いという考え方は神話にすぎないことが明らかになった。さらには、成果を上げるにあたり、民主主義がどうして必要条件にも十分条件にもならないのかも、はっきりした。民主国家であれ、専制国家であれ、パンデミックにうまく対応した国に共通するのは、重要な領域、とくに保健医療システムにおける能力が高いということだ。自由主義経済国の対応はもたもたしていたし、有効性を欠いた。緊縮政策と予算削減の時期が何年も続き、基本的な対策を実施するために必要な力が残っていなかったから、というのが理由のひとつだ。検査や追跡といった緊急性の高い仕事を民間企業に委託したことによって、業界のもろさとともに、あまりにも急いで企業を選定するプロセスの不適切さが明らかになった。こうしたことが政府の信頼をさらに貶めた。イギリスでは、全英医療協会が述べているように、「保健医療予算の大幅削減によって、新型コロナへの対応能力が弱体化していた[26]」。二〇一〇年から二〇一九年にかけての緊縮の一〇年で、ＧＤＰに占める公的支出の比率は二〇％下落した。これにともない、病院の余力は「危険なほど低下」し、換気装置のような必須の設備、医療従事者向けの専用ガウンやマスクといった防護用備品が足りなくなった。すぐに連絡でき実働可能な疾病コンサルタントの数も、二〇二〇年には緊縮前の三分の一になっていた[27]。

パンデミックは、ジャスト・イン・タイムの配送とリーン経営管理システムがレジリエンスと相容れないことを世に知らしめた。サプライチェーンのコストカットや新自由主義的資本主義モデルに内包される減税政策は、持続不可能であることが明らかになった。そして何の制限もない消費も温室効果ガスや汚染といった負の波及効果をもたらしてきた。他者にリスクを転嫁するということが自由市場システムの決定的な限界となっている。民間の活動によってもたらされる負の影響がこうして増大するなか、規制主体は、状況を精査し、民間企業の活動が公益に資するように責任を果たさなくてはならない。だが、企業に有害な活動をやめさせても、持続不可能な活動はやまないだろう。消費者である私たちも、これまでのやり方を変える必要がある。私たち一人ひとりが責任を持って、プラスチックの使用、カーボンフットプリント[*1]を削減するとともに、本当の意味でベストな活動をおこなう企業が生み出す製品やサービスを選択しなければならない。私たちが行動様式を変えることなく、負担を嫌がって独りよがりの消費観から脱皮しないまま、企業や政府の変化を期待しても無理である。

イギリス首相ボリス・ジョンソンは、二〇二〇年一〇月、保守党の会議で演説をおこない、戦時のような連帯精神と新たな世界につながるビジョンを訴えた。だが、政府はパンデミックによって、やむをえず国家の役割を拡大させているが、長期的にも国家の役割を拡大すべきという「われわれの本能には対抗する」つもりだ、と付け加えた。イギリスはふたたび競争力をつけなければならない。減税と規制緩和によって「政府ではなく、自由な企業活動」が回復を担えるようにしなければならないと主張したのだ[28]。旧態依然たる新自由主義的原則と緊縮政策に舞い戻れば、新型コロナとブレグジットで頂点を極めた悲惨な状況に拍車がかかるだろう。そうした処方箋では、イギリスがますます不平等な国になるだけではなく、将来直面するショックへの対応能力が著しく削がれることになるのは目に見えている。

アメリカの資本主義システムが優れているなどという幻想は、パンデミックへの対応の失敗によって打ち砕かれた。アメリカのやり方が気に入らなかったときでさえ、人々は、アメリカには比類なきパワーと富があるのだから、望みどおりのことができるはずだと考えていた。こんな信仰は、もはや消え失せた。パンデミックに対し世界はさまざまな対応をみせたが、これはそのまま未曾有の実験になり、何が機能し、何が機能しないのか、明らかにされた。資本主義救済の必要性が多くの国々で明確となった。目指すべきは、資本主義を別のイデオロギーに変えようなどということではない。重要なのは、ラベルではなく、中身だ。私たちが考えるべきは、資本主義のどのようなかたちを望むのか、どのような社会と未来を目指すのかということだ。

七五年前、資本主義の黄金時代幕開けのとき、先見性のあるラディカルな改革が導入された。それらは今日、資本主義の新時代に向け、ひとつのインスピレーションを与えている。新時代は、現代のさまざまな目標の達成、気候変動やグローバル危機の阻止、不平等と貧困の克服に向けて、資本主義をうまく操ることになる。ビジネスや金融が少数者のためではなく、社会全体に奉仕するものと位置づけられる資本主義である。少なくとも高所得国では、市民が政府に対し、普遍的な公共サービスと雇用機会を期待できなくてはならない。目指されるべきは、無制限の利益追求ではなく、人々に奉仕するよう、資本主義を飼い慣らすことである。不平等の拡大、気候変動やパンデミックがもたらすリスクの増大から私たちの社会を救い出そうとすれば、資本主義にはこうしたラディカルな改革が必要になる。ビジネスを改革し、雇用創出と共存共栄経済のエンジンにすることが、その要となる。

第6章　よりよきビジネス

新型コロナのパンデミックでは、自由競争がコーポラティズムに道を譲った。多くの国では、政府高官が企業の生殺与奪を左右した。「戦略的利益」を謳い、政府は食料供給と保健医療サービスについては、当事者の意に反してさえ事業を続けさせたが、その他ほとんどの業種は閉じるよう指示した。その結果、政府は、企業がいつ、どのように営業を再開できるかの手順を決めることとなった。二〇二〇年二月に競争政策が違法となったかのように、三月までには、各企業は協力して換気設備やワクチンの製造に取り組むよう求められた。グーグルやアップルの場合、共同で追跡アプリを作るよう要請された。パンデミックに直接関係のない業界を含め、ドナルド・トランプ大統領が一律に介入しようとすると、ノーベル経済学賞受賞者ネッド・フェルプスは、大統領がムッソリーニのコーポラティズム政策を真似ようとしていると警鐘を鳴らした。人形使いのように企業を糸で操ろうとしていたからである[1]。

アメリカ政府が企業に提供した五〇〇〇億ドル規模ではないにしても、世界中の政府が命綱となる資金を提供し、連鎖的企業倒産を防ごうとした。会社の存続が政治指導者の意向次第となるにつれて、いまや企業のリーダーは、ますます政治家の厚意にすがろうとしている。ロビー活動をおこない、権力に近づくことが生き残りの手段となり、結果的に、現職政治家とつながる大企業が資金を得る一方、中小企業は得られない事態となった。アメリカやイギリスでは、便宜を優先して入札プロセスが省かれ、誰ともはっきりしない行政官が通常の手続きなしに、収益性の高い契約を裁定した。つまり、大企業にとっては、競争相手の少ない商売ということになる。消費者にとっても芳しくない状況がもたらされる。割高なものを選択の余地が少ないままつかまされることになり、イノベーションも鈍化するからだ。

緊急時のニーズに応えるという名目で通常の調達ルールが省略されると、利害対立が起こりうる。政府がこれにうまく対処できなかった失敗例は、手続きプロセスを無視したイギリスである。会計検査院が明らかにしたように、パンデミック関連の事業契約のうち一七〇億ポンド以上は、競争入札なしに裁定された。「VIP専用レーン」が用意され、政府閣僚の友人や親族はこれに乗っかり、通常考えうる額の一〇倍も政府との契約を獲得したのだ。[2] パンデミック関連の政府調達で公的に精査されたものは、一〇〇〇件以上にのぼる契約のうち、七分の一にも満たない。[3] これによって、フェリーのない会社に緊急のフェリー輸送を発注するような事態となってしまった。たとえば、アプリ開発の準備が整っていない会社が追跡契約を受注した。防護用備品（PPE）については、害虫駆除会社から基準に満たない危険なものを購入したり、調達実績のない宝石商に発注した。休眠企業が手指消毒で四四〇〇万ドルの契約を受注した例もある。国民健康保健制度（NHS）は、不透明な内容および条件で民間との契約に踏み切ったのだ。[4] 政府と経済界のもつれ合った関係によって、政府がコネのある経済界に乗っ取られ、国民のニーズを犠牲にしながら、ごく一部の私的利益の擁護に走る。こうした事態が実際どれだけ起こるのか、パンデミックによって明らかになった。

アメリカでは、金次第で動く政治が究極の域に達している。政治家はパンデミックによって、過去に例を見ないほど、企業の運命を左右する生殺与奪の決定権を手にすることとなった。二〇二〇年の大統領選挙で各候補は、六〇カ国の経済規模の合計を凌駕する一四〇億ドルという目もくらむような金を使い、その結果、金庫番に対し巨額の借金を背負うことになった。[5] アメリカでは毎年、三四億ドル以上がロビー活動に使われている。[6] 経済界の誘惑になびかず、政府を国益に奉仕させるには、政治家と企業の持ちつ持たれつの関係を断つことが必須となる。そのためには、アメリカで企業がおこなっている選挙資金の提供を終わらせなければならない。それだけではなく、これを規制するイギリスその他の国の例にあるとおり、厳格な基準を定め、被選挙権の剝奪や訴追といった罰則をともなうかたちで、契約の裁定に政治が関わることを禁じなければならない。

大企業ほど政治とのつながりが強く、緊急支援の大半を受け取った。これらの大企業は手持ち資金も多く、サプライヤーや顧客も多種多様なので、ロックダウンで混乱が生じても、中小企業より持ちこたえることができた。

　パンデミックによって、世界全体で何百万もの中小企業が破綻し、完全な倒産に追い込まれた。[7] イギリスでは、約一七〇〇万人を雇用する推計六〇〇万の中小企業が資金面で苦境に陥り、パンデミックの影響でほぼ三分の二の企業は生き残れない状況にあった。[8] パンデミックによって中小企業の衰退が加速すると、大規模企業の市場シェアが拡大して競争は低下し、企業集中の環境が醸成された。これとは異なり、世界全体では、一時解雇されたものの気力あふれる多くの労働者が新たな選択肢を求め、自営業登録をおこなって、起業熱の高まりを見せているところもある。アメリカでは二〇二〇年、開業ライセンス申請が二〇〇七年以来、最速の勢いで急増した[9]。ただ、ここから主に読み取れるのは、大企業に対峙する新たな挑戦ではない。自立してはみたものの、不安定な労働者で溢れるギグエコノミーへの移行が加速しているということなのだ。

若くて余分な脂肪がついていない状態は、新型コロナに関する健康リスクという点では有利であるが、それがもたらす経済リスクとなると、話は逆になる。蓄えも政府資金にありつくだけのコネもなく、創業したばかりの中小企業がもっとも脅威にさらされやすい。実際パンデミックによって、テクノロジー、医薬品、オンライン販売、ウェルネス、住宅改築、医療といった分野の一部大企業は、その力を大幅に拡大した。

パンデミックで最大の利益を得た企業はアマゾンであり、ロックダウンによって、一秒あたり一万ドルの増収となった[10]。アマゾンの収益は、二〇二〇年には五〇％以上増加し、パンデミック後、最初の半年で株式時価総額が五〇〇〇億ドル上昇した。アメリカe‐コマース市場シェアの四〇％を占めるまでになり、シェア六％で二位のウォルマートを大きく引き離している[11]。Ｚｏｏｍやe‐コマースによってクラウドサービスへの需要がますます高まると、アマゾン・ウェブサービスは、アマゾンに対し、一事業としては最大の収益をもたらしている。そのオペレーティングマージンは二六％にもなり、いまや企業収益の三分の二以上を占めている[12]。一方、アップルの株式時価総額は二兆ドルを超え、サブサハラの全アフリカ諸国を合わせた経済規模や、ロンドン証券取引所上位一〇〇社（ＦＴＳＥ一〇〇）の総額を凌駕している[13]。

デジタル企業ブーム

パンデミックはデジタル時代の到来を強く後押しし、以前は二〇二五年までにはと期待されていたデジタルサービスの利用が増大した[14]。一〇年前倒しの進歩を遂げた企業が多かったのだ。医者による遠隔診療のような、以前はなかなか変化がみられなかったサービスも数週間で実現した。技術進歩によって、すでに変化が急加速しており、デジタル世界とは無縁と考えていたかもしれない一部の人も、いまや考え方を改めている。

非接触の在宅消費に需要が変化し、平穏だったころの消費行動やビジネスには、一刻も早い再編が求められるようになった。消費者行動だけではなく、製品、工場、サービスセンター、オフィス、決済システムもかたちを変えつつある。パンデミックは多くの事業を崩壊させたが、デジタル経済、自動化、ロボットに関連する事業は賑わっている。ロボット製造企業大手のＣＥＯによれば、ロボットへの需要は「ロケット並みに急上昇」してきた。パンデミックによって、企業は新たなアプローチを試すようになった。人への依存を減らし、仕事内容の転換と新技術の採用を加速しているのだ[15]。

リモートでおこなわれるフィットネス、音楽、ウェルネスはじめオンライン教室の新たな勝機が拡大すると、デジタル企業は迅速に対応できた。これらの多くは、資産規模の大きくはないプラットフォーム企業である。自動化システムの導入によって、多くの人員を雇わずに済むし、さほどのスペースも要さない。たとえば、室内バイクマシン会社のペロトンがそうである。一〇〇万人以上が室内自転車その他のトレーニングクラスに会員登録しており、ペロトンは、ロックダウンの間に株式時価総額が二〇〇％以上増大し、二五〇億ドル以上に達した[16]。

パンデミックによる影響のひとつとして、無形資本を重視し資産を小規模にとどめる経営モデルへのシフトを加速したことがある[17]。これがまた、オンライン関連企業の成長を加速し、市場支配力を高める結果をもたらした。サプライヤーに対するオンラインサービス会社の立場が強くなったことで、市場をうまくコントロールし、サプライヤーへの締め付けを強めて、賃金と利益を抑え込んだ。これによって、労働者には不利となったが、商品価格とインフレを抑え込み、向こう何年にもわたり常に低水準にとどめておくことが期待できるようになったのである。[18]

ただデフレ圧力には、数多くの負の副作用がある。預金・年金生活者は、投資へのリターンによって老後の糧を得るためにはプラスの利子率が頼りなので、とりわけきつくなる。金利が低すぎると、ゾンビ企業が存続することによって生産性も抑えつけられる。利益を出せないにもかかわらず、非常に低コストで借金を重ね、生き延びられるからだ。低金利はまた、人間よりもロボットのような資本設備への投資を企業に促すので、失業を増やす。

さらにデジタル企業の成長は、規制体系や統計手法にも大きな課題を投げかける。物理的な機械や建物、製品については、長く確立された方法に従えばよい。だがデータやコンテンツ、知的財産権その他の無形資本の価値を測るのには、不確実性がつきまとう。またデータがますます幅広く集められるようになると、プライバシーをどうするか、データ所有の範囲をどこまで認めるかという問題も大きくなる。

私たちのデータをかき集める企業は、それを広告会社に売って利益を得る。フェイスブック〔現メタ〕は、二〇二〇年における約一〇〇〇億ドルの収益のうち九九％が広告収入だった。グーグルの持株親会社アルファベットは、約二〇〇〇億ドルの収益のうち八三％以上を同様のやり方で稼ぎ出した。[19]だがデータを譲り渡したユーザーは、ほとんどの場合、それを意識せず、対価を受け取ることはまったくない。自分のデータ保有をどうおこなうのか、私たちのデータは、いつ、どこで集められているのか。インフォームド・コンセント、とりわけ未成年者に対するものを含め、多くの問題が沸き起こる。ヨーロッパ連合（ＥＵ）では、一般データ保護規則（ＧＤＰＲ）によって、市民の権利やプライバシーを保護するためのデータ規制が長足の進歩を遂げた。ＥＵ各国政府からの支援を受けるためには、各企業は税金を納めなくてはならない。欧州委員会がこう主張するなかで訴えたのは、次のようなことだ。すなわち、官僚機構の動きが鈍いことで有名なイギリスがデジタル企業の急速な進化に合わせ、企業に説明責任を果たさせるべく、ほかのどの国よりも効果的な制度を整えたということである。[20] デジタル企業の成長力と変化のペースを前提とすれば、それに遅れないよう規制体系を整えることがこれまで以上に急務となっている。

一〇年かかる変化が圧縮されたかたちで生じ、ほとんど一夜にして起こったようなこともある。パンデミックが始まったころ、市民は最初のうち、手もとに現金をため込んだ。世紀の変わり目に発生したコンピュータの二〇〇〇年問題、二〇〇八年の金融危機のときと同じだ。しかしながら、デジタル決済システムがスムーズに動き出し、オンラインショッピングが台頭すると、新型コロナウイルスが紙幣や硬貨に付着している不安があるなか、あえてＡＴＭに出向き、それに触って操作することへの懸念が高まった。しばらくすると、現金決済が忌避されるようになった。[21] パンデミックになって、スペインでは九〇％、イギリスでは六〇％、ＡＴＭからの現金引き出しが下落した。[22] アメリカでは、パンデミックの最初の一カ月でモバイルバンキングの利用が八五％増えた。アメリカ市民の五人に一人がデジタル決済を利用するようになり、初めて現金決済を上回った。[23] スウェーデンは、二〇二三年までに世界最初の純粋キャッシュレス社会になることを目標にしてきたが、パンデミックはこの動きを加速した。中国では、すでにパンデミック前からデジタル決済が普通におこなわれていたが、いまや現金決済はほぼ完全に淘汰され、人口の八〇％以上がデジタル決済を利用している。これによって、テンセントグループのウィーチャット、ジャック・マー率いるアリペイやアリババ、アントグループの株価は記録的な伸びを示した。これら企業だけでモバイル機器を活用した取引の九〇％以上を占め、少数の民間企業がデジタル販売を支配することについての懸念が高まっている。

パンデミックによって、銀行業が実体的なものからバーチャルなものへと変化する速度が高まった。それにともない、世界中あちこちで何万もの銀行支店が閉鎖された。スマートフォンやコンピュータを使いこなせない、少数派になりつつある高齢者、デジタル決済を避け現金の匿名性を選ぶ隠したがりの人々。いまや現金決済は、こうした人々に限定されつつある。デジタル決済に用心深い人は、リバタリアン思想に突き動かされ、政府を信頼していないのかもしれない。抑圧的国家による行動の追跡を恐れているのかもしれないし、違法行為や脱税に関わる人物が当局の管理から逃れるのを望んでいるのかもしれない。中国やケニアでは、デジタル決済システムの普及に数年かかったが、世界の他の地域では、パンデミックによってデジタル決済の採用が加速した。二〇二〇年には、以前であれば二〇二五年以降と目されていたレベルまで普及したのだ[24]。

パンデミックの期間で、世界の金融取引における伝統的銀行のシェアが一〇%以上落ち込むなか、ペイパルや中国のアントグループのようなフィンテック企業が全決済の一一%を占めるまでになった[25]。ビザとマスターカードは、両社合わせて、中国外でおこなわれるカード決済の九四%を占める。客がオンラインの非接触系販売で買い物をするようになると、両社の二〇二〇年における取引は四〇%上昇した[26]。デジタル決済のこうした急拡大は、パンデミックのもたらした永続的レガシーであり、金融の風景をすっかり変えることになる。

勝者と敗者

二〇〇八年の金融危機からの一一年間で、私たちの仕事に費やす時間が増えた。オフィスでの仕事のほか、深夜にパソコン画面を眺める時間が増え、余暇に充てられる時間が減った。多くの人にとっては、こうした問題にパンデミックが拍車をかけた。在宅勤務によって境界線が曖昧になり、人々は事実上、プライバシーもなく、逃げ出すこともできないまま、四六時中、仕事をしている。友人との交流が犠牲になり、外出して社会的な活動をおこなう喜びも感じられなくなっている。

　周囲の状況から、人々はレストラン、映画、ジムに行くことも、休暇で出かけることもできなくなったり、出かけても落ち着かなかったりするので、家での消費支出が増加した。家中心の生活となり、新型コロナによる体力およびメンタル面の健康リスクに備えなければならなくなった。オンライン購入に火がつき、暮らしの快適さや余暇の充実に資する分野、ガーデニングやペット関連分野での販売が伸びた。需要が供給を上回り、客は大幅遅配を余儀なくされた。以前は、捨てられたあと、里親の見つからなかったペットの保護すら、需要過多になったのだ。ホームベーカリーの流行で小麦粉が不足する一方、自宅での理美容が増え、普通なら理髪店や美容院で使われるヘアダイその他の備品が足りなくなった。戸外で余暇を楽しむ人が増え、スポーツ用品、住宅補修やガーデニング道具、蜂の巣箱まで、価格が急上昇したり、遅配が相次いだりした。王立園芸協会によれば、二〇二〇年にガーデニングを始めたイギリス人は三五〇万人以上にのぼり、種や植物の不足を招いた[27]。植物のオンライン販売はおよそ五〇〇%増で、エキナセア〔紫馬連菊（むらさききうまれんぎく）〕のような薬効植物の需要は三〇〇〇%増と報告されている[28]。冬が近づくにつれ、人々の関心は、ガーデニングから最高のアウトドア防寒方法へと移った。これによって、ファイヤーピット〔焚き火台〕や屋外ヒーターへの需要が未曾有の水準となり、中国本社のあるメーカーは生産を倍増するとともに、価格をさほど気にしない顧客の需要に応えるべく空輸までおこなった[29]。

　書籍、ポッドキャスト、ホームムービー、音楽ストリーミング、ビデオゲームはみな、売上が増大した。そのコンテンツも変わりつつある。スポティファイで配信された一七兆曲の楽曲の分析によると、人々は、陰鬱なロックダウンを打ち破るため、ノスタルジアの方向に傾きつつある。つまり、不安レベルが高まるにつれ、幸せだったころの楽曲を聴いて、いまこの瞬間を逃れようとしている可能性が高そうなのだ。それは、少なくとも三年前の楽曲のダウンロードが急増していることからうかがえる。オンライン書店についても似たような情報があり、歴史小説やファンタジー、恋愛小説、詩歌への関心が高まる一方、数年間成長を続けてきたノンフィクションが唯一、売上減を報告されたカテゴリーとなった。読者は、パンデミックの恐ろしい現実から逃れようとしていたのだ。

　勝者と敗者を分析すると、違いが浮き彫りになる。接客、旅行、エンタテインメント、都市部小売業といったサービス産業の収益は、悲劇的な落ち込みである。その一方、テック企業やヘルスケア企業の収益は急増し、パンデミック以後、利益を伸ばした世界上位一〇〇社のうち、四分の三を占めている[30]。

　すべての大企業が利益を得たわけではない。観光業界、たとえば航空、ホテル、トラベルリテールの巨大企業は、衝撃的な損失をこうむった。デジタルプラットフォーム企業であっても、顧客の物理的な存在を要するエアビーアンドビー、ウーバー、ウィーワークも同様である。株式上場を狙うほどのテック企業とはいえ、ウィーワークが提供するのは、物理的なオフィス空間だ。評価額は、パンデミック直前には八〇億ドルだったが、新型コロナによって三〇億ドル以下まで落ち込み、以前の半分にも満たない額となった[31]。

　パンデミックは、バーチャル性の高いビジネスにとっては好都合だったが、物理的施設・原材料・人員を要する企業にとってはそうではなかった。ウェルネス関連の新たなプラットフォーム企業は、一人のインストラクターを何千人もの受講者のもとに送り届けられる。インストラクターは在宅で指導すればいいからだ。自宅に料理を届ける配食サービスは、レストランや食料品店で雇うよりも、はるかに少ない人員でやっていけるし、間接経費もずっと安くなる。

成長を続けたのは、追加顧客に対する追加費用を発生させずに収益を生み出す会社だった。この実現に一役買ったのが自動化されたソフトウェアシステムであり、これを使えば何ら苦労なく規模拡大ができる。一方、物理的資産に頼るようだと、追加顧客に対応するには追加費用がかかる。エアビーアンドビーのように物理的存在を必要とするプラットフォーム企業は収益減を経験したが、費用は安いので、パンデミックによってマーケットの支配力は強化された。というのも、競合する同業弱小会社が駆逐されるし、追加収入を稼ぐために、これらプラットフォームの提供する空間を必要とする個人が増えるからである[32]。

日用品の巨大ブランドも、オンラインでショッピングをする消費者が何十年にもわたってなじみのある製品に回帰するにつれて、恩恵をこうむるようになった。デトールの殺菌消毒液、ハインツのベイクドビーンズ、ダブの石鹼、そのほか同じようによく知られた生活用品に対する需要は記録的に高まり、ユニリーバ、ネスレ、プロクター・アンド・ギャンブルその他の巨大ブランドも、長年低迷した業績を反転させた[33]。

保険会社のリスクを引き受けて支えとなる再保険会社が他社に降りかかった災難から利益を上げていても、驚くべきことではない。パンデミックよりもずいぶん前から、気候変動を原因とするハリケーン、洪水、干ばつ、火事が頻発し、保険を求める個人や企業が増加していた。需要の増大にともない、再保険会社は自社の保険料金を二桁増とし、時間の経過とともに、これが保険会社の原保険の料金に転嫁された。その後、パンデミックになると、デジタル取引が増大し、新たな顧客と新たなシステムが入ってきたことによって、詐欺が増えた。同時に、セクシャルハラスメントや職場の差別、その他の反倫理的行為にもますます注目が集まるようになった。こうしたことによって、風評に関わるリスクや法的義務が高まっている。詐欺横行への認識が強まり、役員会や最高経営責任者が綿密に調査するようになったことで、役員や会社が法的義務を果たすための費用が三倍に増えた[34]。

航空会社や空港、それに関連する企業や請負業者のビジネスは、規制がおこなわれ、健康への懸念が高まったことで、一夜にして九〇％が失われた。パンデミックによって、英国航空保有のボーイング七四七全機が引退に追い込まれ、エアバス、ボーイングという二大企業の危機が深刻化した。両社の象徴というべきエアバス三八〇、ボーイング・ドリームライナーの製造計画は中止された。数多くの航空会社が清算に追い込まれる一方、アメリカン航空、ユナイテッド航空などは、ロイヤリティ・クレジットカード事業から収益を得ることによって、飛行機を飛ばし続けている。パンデミック以前、利益の半分を占めていたカード事業で、二〇二〇年は利益のほとんどを稼ぎ出すまでになった[35]。パンデミックの間、出張需要が干上がるなか、プライベートジェット事業は、その憂き目を逃れた。出張での一般旅行客との接触を避けるため、富裕層や大企業が飛行機をチャーターしたからだ[36]。

　多くの航空会社にとって、出張需要は業界でもっとも儲かる分野である。乗客数としては一〇％以下なのに、民間航空大企業の利益の半分から四分の三を稼ぎ出す[37]。この稼ぎは、今後下がったままとなるだろう。リモート会議の開催によって費用と時間が節約できるし、カーボンフットプリントや環境破壊への懸念が高まっているので、ビジネスフライトは、この先、減らされ続けるからである。ある大銀行の会長にインタビューした際、彼は、パンデミック後、ビジネスフライト向け融資を九〇％削減すると明らかにした。出張は、顧客との最初の面会と契約終了時に限られるからである[38]。

　航空産業はすでに相当傷んでいたが、ほかの業界と同様、この部門でも、新型コロナ危機以前から明白だった流れに、パンデミックが拍車をかけた。多額の現金バッファーを保有し、債務にともなうリスクという観点からは高格付けを得ていた企業、巨額の営業利益を稼ぐ企業は、パンデミック期間中、業績の向上もしくは悪化抑制の傾向にあった[39]。パンデミックをうまく切り抜けた企業は、それ以前からすでに他社を凌駕していた。ここからわかるのは、業績好調の企業がどの業種に存在するかということ、またパンデミックのもたらすリスクにさらされにくく、よりレジリエンスに勝る企業が市場で生き残るということだ[40]。

パンデミックは、テック部門とバイオメディカル部門を浮揚させたが、ほかの部門には衰退をもたらした。在宅で仕事をしたり、娯楽を楽しんだりすることによって、関連企業がどのようになくなっていくかに関する過去の予測は、誇張されすぎであることが判明した。映画館は、ビデオ、DVD、ネットフリックスによってなくならなかったし、CD、アイチューン、スポティファイによって、音楽ライブはなくならなかった。たしかにパフォーマーの収入減は適切に補償されず、デジタルストリーミングサービスによって先細りはした。映画館、クラブ、ライブパフォーマンス業は、パンデミックで休業に追い込まれ、こうした業界の多くは破綻したが、生き延びたものにとって未来は明るい。

ペロトンやズイフトは、スピンクラス*〔1〕需要を落としたが、美術的な装飾、ウェルネス機能、人々が集まれる共有スペースを備えたジムは、繁盛するだろう。同様に、新世代のレストランやカフェが登場し、リモートワークだったり、自宅近辺での生活だったりが続くなか、人恋しさを求める私たちの気持ちに応えようとするだろう。

恐怖の第一次世界大戦、第二次世界大戦が終わると、世の中には、ナイトライフと快楽主義が流行した。これと同じように、抑えつけられていたパーティーや会合、旅行の欲求が解放され、パンデミックは、日常化を夢中で求める人々に道をあけることになろう。そうなれば、パンデミックを生き延びた接客・旅行関連企業に恩恵を与えることになるだろう。

ブームと破綻

二〇二〇年におけるもっとも驚くべき現象のひとつは、株式市場が記録的な収益を稼ぎ出す一方、幅広い業界で企業倒産が相次いで経済が崩壊したという、この断絶である。二〇二〇年一一月、新型コロナウイルスの新規感染者数が最高を記録し、大統領選挙の行方も定まらないというのに、アメリカの株価は月間上昇率で史上最高を記録した。

逆張りで名高い専門家でさえ、大パンデミックが株式市場バブルを生み、新規上場記録につながるとは予想していなかった[41]。瀕死の経済と株式市場の記録的高値の間には断絶がある。だが、ただ単に市場が悪名高き非合理的熱狂に陥っているわけではなかった。ドットコムバブルのときは、たしかに株式市場は不安定だった。インターネット関連企業への投機によって、テック関連株取引が盛んなナスダック市場の指数は、一九九五年から二〇〇〇年三月の間に四〇〇％上昇したが、その後、崩落し、五分の四の価値を失った。今回のブームには、もっと確かな土台があるのかもしれない。一部の企業に対する、束の間の高評価には、たとえばテスラの創業者イーロン・マスクが語っているように、論理を無視したものがあるにしてもだ。ＦＡＮＧと総称されるフェイスブック、アマゾン、アップル、ネットフリックス、グーグルの各社には、人々が家に閉じこもる状況を活かす能力があるし、デジタル経済も加速している。これが各社の成長を支えている。いまや、デジタル企業がどれだけ株式市場の大勢を左右しているかは、明らかだ。事実、前記五社の時価総額は二八兆ドルにのぼり、Ｓ＆Ｐ五〇〇を構成するその他五〇〇銘柄が保有する物理的資産合計の五倍にもなる[*2]。パンデミックの間に、無形資産、とくにアルゴリズムとブランドで構成され、数えることも目にすることもできない資産が有形資産の一二倍を記録した[42]。こうなる要因のひとつは、石油・天然ガス生産企業やクルーズ観光会社、航空会社が二〇％以上の下落をみせるなど、一部企業の株価が下落したことである。デジタル企業の株価上昇は、この下落を補ってあまりある規模であり、いまやＦＡＡＮＧ五社だけで株式市場の四分の一を占めている。二〇二〇年の一年間、ほかの企業がおしなべて低調だったなか、ＦＡＡＮＧの時価総額は二倍以上となった。

　さまざまな資産の価格が見直されると、Ｍ＆Ａの急増につながるだろう。民間株式会社は積み上げてきた一兆五〇〇〇億ドルもの現金から収益を生む方法を模索している。配当が下落し、金利もほぼゼロないしマイナスという状況下、投資家（そして銀行、法律事務所）にとって、Ｍ＆Ａが金を稼ぐために残された数少ない方法となっている。当初は、ロックダウンによって経済活動が滞り、二〇一九年の半分の規模にまで落ち込んだが、パンデミックで明らかとなったように、さまざまな企業の価値は、経済全体で、グローバルな規模で変化している。いまでは、Ｍ＆Ａ取引の動きがかつてないほど高まり、二〇二〇年、銀行は一二五〇億ドルもの手数料収入を得た[43]。

　新型コロナによる経済危機には、これまでの不況とは異なる二つの側面がある。第一に、政府の救済策によって、企業倒産が実際に減少し、アメリカ、ドイツ、フランス、イギリス、その他すべての先進国において、倒産は過去の危機の水準にはいたらなかった[44]。これは時間稼ぎにすぎず、二〇二一年に政府の支援が終了すれば、企業倒産の波が遅れてやってくるだろうし、それは不況の拡大、失業の増加につながるだろう。第二に、すべての先進国で起業熱が高まったことである。二〇二〇年の後半には、四半期ごとにみて、過去のどの時期よりもスタートアップ企業が増えた[45]。このかなりの部分は、失業後、政府の低利融資を活用し、生活をリスタートする道を切り開こうとした人々によるものだった。

政府と企業

新型コロナは、資本主義のルールの書き換えを招いた。今日まで影響を与えるオーストリア人経済学者のヨーゼフ・シュンペーターは、大戦間期に著作をまとめ、新興企業が時代遅れになった企業に取って代わり、常に攪拌されることによって生じる創造的破壊のプロセスが資本主義体制の決定的特質だと主張した。パンデミックの間、高所得国の政府は、大企業の倒産を防ぐべく、淘汰どころか救済策や融資支援策を用意し、それに四兆ドルを優に超える費用をかけた。[46] 競争政策も緩和された。政府は危機対応の際、入札プロセスを迂回した。数多くの弱小の競合企業が消えていき、強力で大きな企業を利することになった。大企業が救済される一方、ほとんどの国で中小企業の倒産は放置された。

安全保障上の懸念を名目にビジネス環境の政治化が進んだことによって、コーポラティスト的企業観が復活し、政府と企業の利益が絡み合うこととなった。重要な事例は、二〇二〇年夏、ドナルド・トランプがファーウェイに仕掛けた闘いだ。ホワイトハウスは、ファーウェイにアメリカへの投資を引き上げさせることとし、他国市場からの撤退も強要した。従わなければ法的措置を辞さないというアメリカ政府の脅しに、ますます多くのサプライヤーや消費者が悩まされることになった。

イギリスでは、債務の増大とともに、四大銀行の力も増強された。これらは、巨大なバランスシートを有し、政府とのコネクションも強い。多くの閣僚経験者を顧問として雇っている。パンデミックの間、企業支援向け政府保証融資の八〇%以上は、バークレー、ナットウェスト、香港上海銀行（ＨＳＢＣ）、ロイズバンクが取り扱った。[47] これとは対照的に、同時期、アメリカの四大銀行は、企業向け政府融資の一二%しか取り扱っていない。[48] どちらの市場でも、大銀行はシェアを伸ばし、モンゾ、レボリュート、タイド、スターリングといった、より小規模のチャレンジャーは悪戦苦闘中である。[*3] これらの支援する中小企業は閉鎖が続き、若い顧客は職を失い、その結果、スタッフとマーケティング予算の削減を余儀なくされている。その一方、旧来の大銀行は金になる政府契約を受注している[49]。

パンデミックによって、大企業による経済支配がさらに強まった。大企業は、権力へのアクセスと資本市場へのアクセスの両面で中小企業に勝り、利益を得ている。二〇二〇年、企業債務は史上最速の増大をみせ、いまでは世界各国の経済規模合計を凌駕しているが、増加分のほとんどは、大企業への貸付だった[50]。アメリカでは、二〇二〇年、中小企業への貸付が低下する一方、銀行資金は大規模の借り手に集中した。債券発行・引受も一例だが、通常二億ドルが最低発行額となるので、ほとんどの企業には手が出ない[51]。

すでにパンデミック以前から、収益を上げられない企業が、低金利と安価な信用供与によって、債務を膨らませながらも生き延びていた。こうした状況下、ヨーゼフ・シュンペーターの言う「攪拌」、すなわち生産性の高い企業が低い企業に取って代わる動きは衰えてしまった。オックスフォードで私の研究グループが明らかにしたように、未曾有の低金利が生産性向上を損ねる原因となっていた[52]。富裕国では、パンデミックに対応するため、経済の動きを止め、倒産を防ぎ、低コストでの信用供与が幅広くおこなわれた結果、生産性の低下が進んだ。これらすべてによって経済のゾンビ化が進行し、生産性と将来の成長見通しにさらに重くのしかかったのだ。

パンデミックの機会に利益を得られなかったものの、なんとか生き残った企業はひどく弱体化していた。多くの競合企業が破綻したので、長期的な見通しは改善したのかもしれない。だが売上が減少し、事業を継続する費用をまかなえなくなるにつれて、短期的には現金の枯渇に悩まされた[53]。多くの生き残り企業は、株価下落を経験し、債務が増加している。企業が運転資本を再構築し、債務を引き下げ、新たな投資機会を得るには、数年にわたり株主への配当金支払いが低く抑えられなければならないだろう。辛抱強く株を保有していれば報われるだろうが、短期利益を求める株主は失望することになるだろう。配当が多くなれば、必要な投資ができなくなり、将来の成長見通しや収益性が損なわれる。すでに低い利回りにあえいでいる年金基金や投資家にとっては、今後数年間、低収益に甘んじなければならない。代替策としては、自らのポートフォリオのなかで、ハイテク企業を主とした少数の企業群の比率を高めることだが、そうなると、不安定性とリスクが増大するだろう。

　戦略的国益を根拠に、政府が介入して外国の企業やサプライヤーを排除すると、グローバル貿易が分断され、輸出促進・輸入抑制の新重商主義を招きかねない。歴史が示すとおり、これは市民にとって多大なコストを強いる。物価の上昇と選択肢の縮小につながり、国内企業の補助金捻出のため増税となるからだ。特権的立場を得るべく、企業が政治家とお近づきになろうとするので、汚職や賄賂の可能性も高まる。パンデミックの間に、アメリカでは、中国企業バイトダンスのソーシャルメディア・アプリケーションＴｉｋＴｏｋ売却をめぐり、トランプ大統領がバイトダンスに対し、マイクロソフトからの高値入札を断らせ、オラクルを選ばせた。オラクルのＣＥＯラリー・エリソンは、テック企業でトランプを絶対的に支持する数少ない大物のひとりだ。ここには、命令による支配の危険性がにじみ出ている[54]。

　一九七〇年代以来、保守派の証しとは、政府はビジネスに深入りせず、「それに関わってはならない」と正論を語ることだった。ところがパンデミックによって、大西洋両岸で、政府介入が保守主義の中心的価値として正当化されるようになった。資本主義のルールを書き換えているのは、保守派の政府だけではない。ビジネスリーダーも同じだ。ますます多くのＣＥＯがステークホルダー資本主義という言葉を好んで使い、政府に対し、社会においてより強い役割を果たすよう求めている。こうした傾向は、すでにパンデミック以前から現れていたが、何十年もたたないうちに、いまや明確なかたちをとるようになっている。新型コロナは経済の転換を加速し、政府は第二次世界大戦後のいかなるときよりも積極的に介入をおこなっている。

株主資本主義からステークホルダー資本主義へ

新型コロナは、自由放任の市場をよしとする過去五〇年の信仰を終わらせ、株主資本主義からステークホルダー資本主義への転換を勢いづけた。パンデミックの期間中、環境・社会・ガバナンス（ＥＳＧ）関連データが五倍となったが、金融データ会社リフィニティブのＣＥＯデイヴィッド・クレイグによれば、それはＥＳＧという価値への関心の高まりを示している[55]。

五〇年前、シカゴ大学教授ミルトン・フリードマンは、新自由主義の伝道師として、ビジネスの本分はビジネスであるとわきまえてこそ利益が増大するし、ビジネスに徹することが株主に対する唯一の責任であると主張した。フリードマンは、思想の振り子を政府の役割から民間事業の無限追求に押し戻したのだ。アメリカのロナルド・レーガン大統領、イギリスのマーガレット・サッチャー首相は、労働組合を攻撃し、反トラスト法を緩和した。消費者保護をないがしろにし、環境には目もくれず、減税を進めた。法と秩序、そして軍事以外のすべての領域において、民間部門に対する政府の役割を縮小した。フリードマンは、これらすべての政策を理論的に正当化した[56]。市場によるこうした支配の結果は明々白々であり、私たちの健康と地球を犠牲にしながら金儲けがおこなわれてきたのだ。

一九八〇年代以来、イギリスとアメリカでは、株主価値の最大化がますます注目されるようになり、短期利益が一心不乱に追求された。これにより、企業はより長期的な目標、すなわち新たな生産ラインを設置したり、従業員の忠誠心や技能を高めたりするための投資を減らすことになった。株主への配当金支払い、オーナーに即金が舞い込む企業合併への取り組みを優先したのだ。ドイツや日本のように、アメリカやイギリスほど企業の売買が容易でない国では、ビジネスはより長期的な目標のもと、幅広い社会的インパクトを考慮しながらおこなわれる傾向にある[57]。

ここ数十年で環境破壊が進み、賃金は伸び悩み、不平等が増大すると、政治家や市民は、ビジネスの大きな目標を組み換えるよう、経済界に対する圧力をますます強めた。今日では、多くの国の市民のうち、ビジネスの目的が単なる利益の追求だと信じている人は八％にすぎない。九二％の人が、企業はすべてのステークホルダーの利益を考慮すべきだとしている[58]。パンデミックのはるか以前から、国連グローバル・コンパクトやBチーム[*4]、ビジネスラウンドテーブルといった企業団体が結成され、理解ある企業がともに集まるプラットフォームとなってきた。そこに参集する企業は、株主だけではなく、従業員、顧客、サプライヤー、そして環境基準、倫理基準が企業活動の指針となるべきだと認識していた。

これらのマニフェストは賞賛すべきものだが、新型コロナによって明らかになったのは、マニフェストに調印した企業の多くが、社会や環境の変化に対する責任を果たしながら活動するとともに、労働者を守るとした約束を果たせなかったということだ。実際、なかにはタックスヘイブンから大きな恩恵を受ける企業もあり、不平等急拡大の原因となっている。役員報酬や株価が急騰する一方、給与水準が最低の従業員の賃金は伸び悩んだままだ。アメリカのビジネスラウンドテーブルは、幅広いステークホルダーに対する責任を謳った「企業の目的に関する声明」を出しているが、これに調印した企業の行動はおしなべて、パンデミックの間、未調印の企業と何ら差はなかった。そのためコメンテーターからは、純粋に企業目的を変えるというよりも、宣伝広告のためにおこなわれている行動なのではないかと疑問が投げかけられている[59]。

株主にはＣＥＯを解任する力があるが、従業員や顧客など、ほかのステークホルダーには何ら力はない。新型コロナが明らかにしたのは、企業が両者に負うべき法律上の義務と責任が株主に偏っているということである。自分たちはすべてのステークホルダーのために働いていると主張する企業が、実際には誰に対する責任も果たしていない危険性がある。こうした事態を防ぐため、法律で労働者の保護や環境の保全が謳われなければならない[60]。公益企業や慈善団体と同じように、会社役員の責任が法律で定められ、普遍的に適用されなければならない。個々の民間企業が税金の最小化と規制遵守義務の回避を求め、自分たちの活動地域を自由に選択できるようにしていてはだめなのだ[61]。

パンデミックを通じ、より幅広いステークホルダーに対する企業の責任を果たさせる新たな革新的社会契約が実現できるかどうか。これが、金融界と同様、ブリュッセルの欧州委員会で何度も議論されたテーマだ。「新たな社会契約」に関する『フィナンシャル・タイムズ』の一連の記事で論じられたように、「新型コロナによって、私たちの経済・社会モデルの脆弱性が露わとなった」。記事には、経済界においてさえ、現状への不満が広がっていることが示されている[62]。

ビジネスの救済

企業と消費者が価値を共有し、行動を共にするには、ラベリングやパッケージに関するものを含め、基準をより明確にしなければならない。パンデミックによって私たちは、労働条件に関し、以前よりも敏感になった。消費者が自分たちの消費するすべてについて、その中身、原産地、誕生から廃棄にいたる環境フットプリントを簡単に把握できるようにしなくてはならない。

　パンデミックのおかげで、政府は国家の緊急事態に対処するための行動をこっそりおこなうことができた。政府が医薬品その他の備品を大規模購入する際にも、通常の入札プロセスにゆだねられることはなかった。したがって、契約を政府閣僚の友人や家族、主要な政府顧問に回すことができたのだ。透明性を欠いているので、私たちが知りえるのは、問題の多い取引のごく一部だけだと考えなければならない。

　企業が生き残るために政府への依存を強めるほど、賄賂と国家乗っ取り（capture）のリスクが増している。パンデミックによって、グローバルな汚職撲滅運動が台無しにされた。アメリカとイギリスは、国内外で企業ガバナンスの向上という高尚な試みに取り組んできたが、そこからかけ離れてしまった。地政学的緊張と保護主義が高まるとともに、企業の利益と国益との境界がぼやけることを許容する空気が醸成されている。

　パンデミックによって、大急ぎで裏取引をおこなう口実が付け加わったのだ。地政学的緊張も、国境を越えた汚職を調査し訴追するのに欠かせない国際協力を妨げた。

　取り巻き連中の言い訳から政府調達を救済するには、たとえ危機に見舞われているときでも、超党派による精査を含めた透明性の確保が必要だ。イギリスの事例のように、利益相反がある場合、監査法人に監査責任を与えるべきではない。イギリスでは、監査・経営コンサルティングの四大法人（ＫＰＭＧ、ＥＹ、デロイト、ＰｗＣ）はパンデミックの受益者であり、従来なら公務員がおこなっていたはずの夥しい数の仕事を請け負っていたからだ。世界大戦中、アメリカとイギリスでは、緊急事態につけ込んで暴利をむさぼる行為は禁じられていた。パンデミックその他の国難の場合も同様に禁止されるべきである。

　行動を起こさなければ、パンデミックによって、企業や国家のガバナンス改善に向けて積み重ねられてきた国際協調に終止符が打たれることが十分ありえる。だが、クローニズムと汚職のブラックホールからビジネスを救済するのに遅すぎるということはない。これを実現し、よりよき世界をつくりだすには、ガバナンス改善に向けた努力をさらに強化しなければならない。利益追求が必ず人々と地球のニーズに沿ったかたちでおこなわれるように政府の枠組みを開発し、強化する必要がある。多国籍企業はガバナンス基準を国際的に広げ、強化する先頭に立つべきである。さらには、さまざまな国・地域で手にしている本当の収益に応じて納税する義務を負わされるべきなのだ[63]。

中国を含め、新規雇用先の九割は企業である。私たちはみな、企業にとっての消費者であるし、たとえ意識しなくても、自分たちの貯蓄が年金基金を通じて投資されているので、みな株主でもある。企業に対し、この力を使って、雇用慣行、環境フットプリント、企業行動に関する説明責任を果たさせることはめったにない。企業側は、株主にとどまらず、幅広いステークホルダーに責任を持つ必要があることをますます理解するようになっており、それが説明責任の向上につながる可能性がある。しかし各ステークホルダーからの矛盾する要求が増え、企業がそれに選択的に対処できるようになると、かえって説明責任が弱められる危険性もある。

企業がただ単に自社で儲けようという人々に報いる責任ではなく、社会の利益に奉仕する責任を真剣にとらえているのなら、実現に向けて、法律で企業の義務が明文化されなければならない[64]。企業がその行動で刑事責任を問われることは稀だが、オーナーが告訴されないまま、こっそり倒産手続きが進められ、機能不全を起こすことはよくある。次のような事例がそうだ。二〇二〇年九月、パーデュー・ファーマはオキシコンチン〔中毒性のあるオピオイドを含む処方鎮痛剤〕の使用を広めたとする刑事告発の有罪責任を認めた。オキシコンチンによって麻薬中毒が蔓延し、何十万もの人を死に追いやり、挙げ句の果てに倒産となった。だが、パーデューの所有者で一〇〇億ドル以上を儲けてきたサックラー家の誰も、個人的には罪に問われなかった。サックラー家は、アメリカ司法省の民事和解案に従い、二億二五〇〇万ドルの支払いに合意しただけである[65]。

株主資本主義からステークホルダー資本主義への転換が中身のないスローガンであってはならない。従業員、地域社会、サプライヤー、顧客に対する企業の積極的関与行動のなかに反映されなければならないのである。企業がより持続可能で包容力ある社会を国内外で確実に生み出そうとすれば、ラディカルな改革が必要になる。租税回避が日常的な大企業やビリオネアの社長に対しては、消費者や規制当局が影響力を行使し、まっとうな納税をさせなくてはならない。私たちは、企業やそのオーナーに説明責任を果たさせるべきだし、危機のとき、それらが何をしたか、過去において従業員や顧客に対し、どのような行動をとったかで本質を見極めなくてはならない。私たち一人ひとり、そして政治家がその行動で判断されるのと同じである。危機から社会を救済するには、企業を短期的利益最大化の呪縛から救済し、社会のより幅広く長期的な利益に奉仕するインセンティブを高めて鼓舞する必要がある。善行によって、成功できるように。

第7章　奉仕する政府

大きな政府が舞い戻ってきた。一九八〇年代には、イギリス首相マーガレット・サッチャー、アメリカ大統領ロナルド・レーガン、そしてドイツその他の地域における同じような自由企業礼賛派は、第二次世界大戦後、中心となってきたシステムを退けた。彼らの新自由主義的な政策課題には、革命的プログラムが並んでいた。民営化、規制緩和、労働組合への攻撃、減税、そして教育・保健医療・福祉給付への政府支出の削減である。パンデミックは、これに対する反革命をもたらした。

一九三〇年代、ジョン・メイナード・ケインズは、大不況から抜け出すには財政支出が必要と訴えた。今回は変革の時代にふさわしく、アメリカ、イギリス、ドイツ、フランスの保守的政府がケインズの主張さえ超えるほどの最大の支出をおこなった。均衡予算と市場への政府不介入という四〇年にわたり保持した責務を一夜にして放り出し、津波のような新型コロナに見舞われた個人や企業のライフラインを整えた。倒産の阻止とか、すべての市民に対するベーシックインカムとか、二〇二〇年の一月には思いもよらなかった考え方がいまや主流になった。アンゲラ・メンゲルのキリスト教民主同盟率いる連立政権のように、健全財政に固執していたはずの政府さえ、いまではやり方を変えている。その結果、拡大する政府支出と減少する税収との開きが大きくなり、それを埋め合わせるべく、債務が爆発的に増大した。

いま問われるべきは、この状況をどのように持続するか、膨らみ続ける債務の山が今後新たな緊縮政策の反動を呼ぶのかどうか、ということである。一〇〇年前、第一世界大戦中に積み上がった債務のあとに続いたのは、厳しい緊縮政策とドイツへの懲罰的賠償請求であり、こうしたことが結果的に、大不況とナショナリズム、そして次なる世界大戦につながった。これと同じように、二〇〇八年には、政府が金融危機の猛火に対して消火栓を開き、現金の放水をおこなったあと、破壊的な緊縮政策がおこなわれた。これが賃金の停滞、不平等の拡大、政治的ポピュリズムにつながり、二〇一六年には、イギリスにおけるブレグジット賛成、アメリカ大統領選におけるドナルド・トランプの勝利という事態をもたらしたのだ。緊縮政策は各国の国民保健制度や世界保健機構（WHO）を資金不足に追い込み、それによって、パンデミックの可能性が高まる一方、社会の備えが追いつかなくなった。

二〇二〇年、こういった近視眼的な政策のコストが誰の目にも明らかとなった。打ちのめされた経済を必死になって支えるため、富裕国は一二兆ドルを超える財政支出をおこない、その結果、赤字は各国の対GDP比で平均一七％にまで膨らんだ[1]。二〇二〇年、イギリス政府の借入は二〇一九年の四倍以上になり、債務残高は二兆一〇〇〇億ポンドを超えた。これは史上最高であり、イギリスの経済規模を超える額である。イギリス財務省によれば、返済額は毎年四〇〇億ポンドとなり、大臣は「現保守党政権は、今後常に均衡財政を目指す」と約束したので、緊縮政策への回帰という非常に困った状況が待ち受けている[2]。

債務の増大に対し、必ずしも緊縮政策が必要なわけではない。苦しいときに財布のひもを締めなければならない家計と政府とは異なる。財政支出を削減しても、すでに暗雲漂う雇用創出の可能性にとどめを刺すだけである。破壊的経済を乗り越えるには、むしろ生産的な投資が必要だ。さらに他の債務削減手段もありえる。たとえば、ベイルアウトやベイルインを実施している企業に政府が資本参加し、産業の再国有化に踏み切ることも一案だ。イギリスでは、三〇年にわたり民営化されていた鉄道事業再国有化の必要性を保守党政府が最終的に認めた。

パンデミックへの対応に際しては、主流派経済学の守護者が歳出拡大の利点を説きはじめ、ほとんど無制限の政府保証を提示した。アメリカの連邦準備制度理事会（ＦＲＢ）は、かなりの額の企業債務の肩代わりをうまくやってのけたし、ドイツは国内総生産（ＧＤＰ）の四分の一に相当する債務保証をおこなった。国際通貨基金（ＩＭＦ）は、緊縮財政の守護神のごとき役割を放棄したどころか、政策を大きく転換し、パンデミックが去ったあとも財政による経済刺激策を続けるよう促した。成長を回復し、ゼロカーボン経済への投資をおこなうには、政府が税収以上の支出を続ける必要があると認識したからだ。

一九七〇年代初めは、原油価格の高騰と累積債務の影響を克服するため、さまざまな国がＩＭＦと世界銀行の支援を必要としていた。それ以来、両機関はワシントン・コンセンサスとして知られる新自由主義政策の実施を求めてきた。そこには、均衡予算と支出削減の実施が含まれていた。こうした「構造調整」政策は一九九〇年代には不評を買っていたが、パンデミックに直面したいまになってようやく、ＩＭＦは、可能な国に対し債務の拡大を求めるようになった。これら高所得国では、二〇二五年以後も長期間にわたり債務増大の可能性がある。高所得国なら、こうした政策が有効だ。低金利が続くかぎり、債務危機に悩まされる可能性は低い。だが、途上国には手が出せない。債務がこれ以上拡大しようものなら、信用格付けは崩壊し、金融危機に見舞われるからだ。つまり、成長見通しに関する富裕国と貧困国の格差は過去数十年で狭まってきたにもかかわらず、いまや悲劇的なほど拡大している。それにともない、この先、世界的な不平等も広がるだろう。

積極的国家

歴史が教えるところによれば、グローバル危機は、どの国の政府にとっても、その後長く影響を及ぼす分岐点になってきた。パンデミック以前、総じて先進国の政府支出は、経済活動全体の約三分の一を占めていた。パンデミック後、これが四〇%以上に跳ね上がった。経済が収縮したのと同時に、支出が膨れ上がったからだ。これまでは戦時中を除けば、資本主義国で政府の活動がこれほど突出したことはなかった。ドイツのように、財政面ではもっとも保守的な政府でさえ、いまではこのレベルを必須とみなしているわけだから、革命的変化だ。

これまでは神聖不可侵だったルールブックを破り捨て、各国中央銀行は、紙幣を増刷し、政府の借入コストを低く抑えようとした。アメリカ連邦準備制度理事会も、ヨーロッパ中央銀行も、過去の慣行と決別し、いかなる制限も設けていない。瀕死の経済を蘇らせるためならば「何でも」やると宣言しているのだ[3]。未曾有の規模の政府借入は、中央銀行による債券購入の拡大によってまかなわれた。中央銀行は、マネーの創出によってうまく赤字をファイナンスしている。さらに中央銀行は、企業や銀行に対する新たなクレジットラインを設定した。この直接的支援によって、中央銀行システムは、マネーサプライのコントロールに限定されていた従来の権限を超えつつある[4]。

富裕国では、パンデミック以前であれば、年間約八%の企業が倒産し、一〇%の労働者が職を失うとされていた[5]。パンデミックに突入すると、ヨーロッパ各国のほとんどのリーダーは、企業倒産に対するモラトリアムを宣言し、企業支援のため新たに信用を供与した。一時帰休やこれに類する雇用維持計画も導入し、失業の急増を抑えようとした。ただアメリカでは、企業は救済されたが、労働者は救われなかった。

意見が一致しないことで有名な経済学者の間でさえ、これまでにはなかったコンセンサスが生まれた。しかも、政府が支出を拡大すべきかどうかをめぐっての議論ではない。支出拡大政策をどれだけ続けるべきか、その資金をどうやってまかなうべきかをめぐっての議論でコンセンサスが生まれたのだ。一七九〇年、アメリカの初代財務長官がある取り決めをまとめあげた。以前は対立していた各州の債務を新たな連邦政府が肩代わりすることによって、ひとつの財政同盟のなかで各州政府に責任を分担させるというものだ。この有名な「ハミルトン」モーメントほどではないものの、ＥＵの新たな取り決めの先駆となった発想には深い意味があり、時を超えた力がある。新たな取り決めでは、ヨーロッパ連合（ＥＵ）が加盟国のために初めて債務を背負うことで合意したのだ。

パンデミックで税収および歳入が落ち込む一方、保健医療サービス、福祉給付、公共交通機関保持に向けた支出は膨らんだ。一時帰休その他の雇用維持政策を巨額の公的債務によって支えるなど、平時であれば革命的政治行動とみなされたであろう。しかしながら、パンデミックの間は、市民との協議もないまま、一夜にして正しい政策として実施された。

ＥＵに加盟する二七カ国は初めて、欧州委員会が七五〇〇億ユーロの共同債務を負うことを承認した。こうした動きによって、以前はヨーロッパの南の国々とリスクを分かち合うなど、まっぴらごめんだった北の国々の姿勢が変わった。各国はまた、国家支援に関する過去の神聖なルールを破るような企業への資金拠出を認め、平時なら受け入れられなかったであろう介入策も承認した。欧州委員会は、復興に向けたこうした積極的行動を取り消すどころか、促進している。ヨーロッパはいま、アメリカや中国の企業と渡り合えるヨーロッパ発のチャンピオン企業創出を目指しており、とくに人工知能（ＡＩ）や情報技術（ＩＴ）分野に力を入れている。巨大な欧州原子核研究機構（ＣＥＲＮ）、エアバス社の共同エアライン創設計画など、国家間および企業間の協力でヨーロッパの要塞を築くことを鼓舞していた精神が、パンデミックによってあらためて勢いづいた。

　アメリカでは、通常、各州が優遇税制や補助金によって民間企業を誘致するが、ヨーロッパでは、こうした措置は違法であり、より貧しい国に向かうかもしれない投資を富裕国が誘致することは禁じられている。しかしながら、新型コロナによって、これに関わる措置が変更された。パンデミック以前は、政府から企業への国家補助に対する欧州委員会の厳格な規則により、結果的に認可されないことも多いのに、審査に最低でも平均六カ月必要だった。いまでは、企業支援という例外措置をブリュッセル〔のＥＵ本部〕が二四時間以内で認可する傾向にある。これと同じく、予算に関わる議論も、通常なら欧州委員会において何年もの時間が必要なのだが、新たに意思決定の迅速化が講じられるようになった。一兆八〇〇〇億ユーロ（二兆二〇〇〇億ドル）の予算計画が、以前よりもはるかに短い三カ月で承認されたのだ[6]。

　ランドマークとなる二〇二〇年予算は、これまでのブリュッセルの常識を超えたものだ。二〇二〇年予算では、金融支援を法による支配の原則と結びつけた。それにはハンガリーとポーランドにおける司法権の独立擁護も含まれている。そのうえで金融支援は、再生可能技術や雇用創出に向けた投資、より貧しい南欧やバルカン諸国向けの無償支援に充てられた。三九〇〇億ユーロにのぼる無償支援によって、これら諸国の経済に対するパンデミックの衝撃を緩和することが目指されたのだ。こうした支援の規模はきわめて大きく、クロアチア、ブルガリア、ギリシャにとって、パンデミック以前の経済規模のおよそ一〇％程度、ポルトガル、スペイン、イタリアにとっても、かなりの無償支援がおこなわれた[7]。

EUにとっては、パンデミックが分岐点となり、社会的連帯と変革に向けた新たな可能性を模索する力を加盟各国に与えた。ヨーロッパ域内について、EUは、増強した経済力を背景に、きちんと納税するとともに環境・社会・ガバナンスに関する原則について、より高度な水準を守るよう企業に促した。さらに、グーグルやフェイスブック〔現メタ〕といったテック大企業の有する独占といってよいほどの力を押さえるため、新たな法律を導入した。デジタル時代にふさわしく競争政策を現代化するとともに、違法かつ有害なコンテンツのみならず、データプライバシーやデータ利用に関するルールを厳格化した。ルールの厳格化によって、違反した場合、当該企業のヨーロッパにおける売上高の一〇％に相当する反則金がかけられることになった[8]。国際的には、EUは貿易取引に環境基準と労働基準を盛り込むことを求めた。贈収賄、紛争地の鉱物資源、違法伐採の木材、児童労働や人権といった領域に関わるヨーロッパの法律に違反しかねない行動について、多国籍企業による法的な説明責任の立法化を模索しているのである。将来的には、パンデミックの間に引き上げられた基準を継続し、それをより幅広くグローバルな潮流にすることが課題となる。

ケインズの復活

ミルトン・フリードマンの信奉者たちは何度も葬り去ろうとしてきたが、パンデミックによって、ジョン・メイナード・ケインズの理論がふたたび息を吹き返した。ケインズ理論の核心のひとつは、成長を促進するうえで政府が重要な役割を果たすべきという考え方である。人々が金を使って国内の製品・サービスを購入する力を政府主導で増強し、それによって成長を促進せよというのだ。彼の議論によれば、政府は借金をし、インフラストラクチャーや諸々のサービスへの投資を増やすことによって、需要と経済を刺激できる。そして、貯蓄能力の劣る貧困層に対し、福祉給付その他の再分配によって金を回すことで、支出と消費を拡大できる。

経済成長が回復すれば、政府の歳入が伸び、債務は返済できる。ケインズはこう論じた。彼の理論は、一九五〇年代と一九六〇年代におけるイギリスその他の国々の成功をうまく説明できたが、一九七〇年代には、理論への信頼は失われた。一九七〇年代を通じ、財政支出の増大によって、失業は減らないのに物価上昇スパイラルが発生した。支出増大によって、生産は伸びず、物価が上昇したのだ。こうした状況下、フリードマンその他のマネタリストは、流通する貨幣数量を減らし、税や政府の大きさもそれに合わせ縮小すべきであるとした。物価安定を継続し、需要を抑えてインフレーションをコントロールするため金利を引き上げることが、政府による政策の主要目標となった。三〇年にわたり緩やかな経済成長となり、こうした理論が証明されたかのように思われたが、それには代価がともなった。不平等が拡大し、経済的・政治的な権力は都市部のエリートにますます集中した。システミック・リスクも積み上がり、ついには、二〇〇八年の金融危機という頂点を迎えたのだ。

金融危機後、金利は継続的に引き下げられたが、成長を回復させるにはいたらなかった。パンデミックによって、貨幣理論と緊縮政策の失敗が明らかとなり、政府がふたたび舞台の中央に押し戻された。金融政策で手は尽くしたが、その効果はますます陰りを見せるようになり、政府はふたたび、支出と税制が中心となる財政政策に頼らざるをえなくなった。債務は増大したが、高金利にもインフレーションにもつながらなかった。ケインズの完全復活である。

ケインズは、経済危機によって長期の経済見通しが損なわれる可能性があると警告していた。アメリカの大不況で人々がいかに支出を減らすようになったかを示し、人々に貯蓄を手放してもよいと思わせるには、経済を回復させることが必要と論じたのだ。人々は経済危機によって、用心深い習慣が染みつき、将来への投資をする余裕がなくなっていく。一九のパンデミックを検証したところ、それらは長期的成長を抑圧したことが明らかになった。家計が神経質になり、需要と雇用を維持するために必要な消費を削って貯蓄を増やしたというのが、その理由である[9]。「信念への後遺症」というべきこの状況を回避できる政策であれば、持続的回復を支え、経済成長への長期的ダメージが避けられるだろう[10]。

救済に向かう政府

健康面への緊急事態が過ぎ去ったとしても、パンデミックの影響は、その後長く続くだろう。失業、不平等、債務が拡大し、いろいろな世代・地域に長く傷跡を残すだろう。多くの国は、パンデミック前の経済水準を達成するまで何年もかかるからだ。最終的に総生産がパンデミック前の水準に戻ったとき、その中身はまったく違ったものになるだろう。貿易パターンの変化、自動化、人口シフト、生産性の低迷が与える影響は、成長への重しとなり、パンデミックで容赦なく明らかとなった分断が深まるからだ。こうした負の影響を抑え、持続可能で包容力ある社会を構築するには、すべての国で政府の役割を大幅に拡大する必要がある。

全能の政府を求めているのではない。必要なのは、より戦略的でスマートな政府である。パンデミックは、デジタル技術と監視の拡大に拍車をかけた。それにともない、各国内および各国間で、データに関わるガバナンスと基準を定めることが、以前にも増して喫緊の課題となった。現状、こうしたことは、首尾一貫しないパッチワークのようなルールのもとにあり、各国内でも、国際的にも大きなギャップがある。アメリカでは、巨大テック企業や州政府がそれぞれ別の道を模索し、国民レベルのフレームワークは存在していない。ヨーロッパは最先端を行き、独自の基準を設けている。だが、貧困国はもちろんのこと、ほかのほとんどの国は、ルールなき野放し状態にあるか、ロシアや中国その他の専制国家では厳格な国家管理のもとにある。パンデミックは、デジタル経済と監視国家の到来を早めたが、その結果、私たちのデジタルツールへの依存は高まるのにガバナンスは遅れ、ギャップが拡大してしまった。このギャップこそが早急に埋められなければならないのである。

　私たちは、台湾、エストニア、ニュージーランド、フィンランドといった有効に機能した政府から学ばなくてはならない。より大きく、より抑圧的な政府ではなく、よりスマートな政府が機能したのだ。政府が何に支出できるのか、規制がどのように可能なのか、どのように学べるのかについて、これまで存在したタブーは、パンデミックによって打ち砕かれた。アメリカ、イギリス、フランス、ロシアといった自信過剰で傲慢な国家の成果はとくにひどかった。その一方、世界から最善の対策を学び、専門家の声に耳を傾けた、より小規模な国家は、はるかにうまくやってのけた[11]。パンデミックによって、政府が改善し、国内をまとめ国際的な協力を実現する力も上向き、それが勢いづけられるなら、よりよき世界への重要な土台ができあがったことになるだろう。

第8章　都市の未来像

新型コロナは、第二次世界大戦時の空襲以来、都市に対して最大の脅威を与えた。破壊されたイギリス、ヨーロッパ、日本の都市は、これら各国、その他の国々の都市が過去の大惨事やパンデミックから回復してきたように、第二次世界大戦からも復興を果たした。パンデミックは、密な環境で急速に感染を拡大するので、常に都市に対してもっとも大きな打撃を与えてきた。新型コロナも例外ではない。しかしながら、一五世紀から一七世紀の大規模な疫病や、一九一八年から一九一九年のスペイン風邪のような破壊力最大のパンデミックのあとでさえ、大都市の回復がもっとも早かった。地方や衰退地域よりもはるかに早かった。ニューヨークは、一九七〇年代には犯罪と破綻寸前の財政状況、二〇〇一年にはツインタワーへの攻撃、二〇〇八年にはウォールストリートの崩壊と、再三再四、揺さぶられてきた。ただニューヨークやその他すべての都市にとって、こんどばかりは様子が違う。

世界人口のかなりの部分で急速にリモートワークが広がり、都市と私たちの関係性をこれまでとはまったく異なったものに変えてしまった。在宅勤務、フリーランスのライフスタイル、自営業にみられる大きな変化は、すでに始まってはいた。だが、ゆったりした移行トレンドは、新型コロナのパンデミックによって加速し、たった一年に凝縮されるかたちとなり、オフィスや都市の未来に衝撃的な影響が及んだ。

　人々は多くの理由を挙げて都市を評価する。都市は互いの違いを認めてくれるし、娯楽・文化・アメニティに触れる機会を提供してくれるというのも、理由のひとつだ。しかしながら、何世紀にもわたって続いてきた、働く場としての都市の魅力は衰えつつある。結果的に、今回のパンデミックは、都市だけではなく、人々が住む場所を変えるにともない、郊外や小さな町、農村地域の姿まで永久に変えることになるだろう。リモートワークの比率が高まれば、家族持ちや年配の専門職業人は、ますます都市から出ていくだろう。その結果、都市はコスモポリタンの集住する場所となり、人々は仕事の必要性よりライフスタイルを理由として、そこに住むことを選ぶようになるだろう。都市はまた、ほかの場所に移り住む余裕のない人の住処ともなる。

　職場の配置がより柔軟なかたちにシフトしているが、これは、産業革命以来、もっとも重要な職場環境の変化のひとつである。そして、これまでの変化よりもはるかに急激である[1]。産業革命は、田舎の小さな村での小規模家内工業から都市の大規模製造業への衝撃的なシフトをもたらした。蒸気機関の導入にともない、労働は工場に集中し、労働者の配置はベルトコンベアのつなぎ方で決まるようになった。ベルトコンベアは工場内に張り巡らされ、一つないし二つの巨大な蒸気エンジンにつなげられた。二〇世紀初めに電力が登場すると、それぞれの機械がソケットで電力を取り入れて動くようになったが、ヘンリー・フォードが開発した生産ラインには、製造上の利点があり、それが工場に労働者を集める強力な要因であり続けた。公共輸送機関や自動車が長距離通勤の手段になるとともに、都市の規模が拡大した。

ISBN978-4-560-09456-3 C0033

未来救済宣言

売上カード

定価
3080円⑩

分類 政治・経済

注文カード

書店(帖合)印

注文数 部

発行所 白水社

未来救済宣言

定価 3080円
(本体2800円+税10%)

月 日

9784560094563

ISBN978-4-560-09456-3

C0033 ¥2800E

製造拠点の配置は、原材料や大規模鉄道、配送センターとの距離で決まった。第二次世界大戦後、製造業の衰退とともに、こうした地の利に恵まれた、かつての大都市の多くが廃れていった。アメリカのラストベルト、イングランドの中部・北部地方、ドイツのルール地方、フランスの北部といった地域が、その実例だ。その一方、急拡大する行政サービス、銀行・法律・会計・メディア・コンサルティングといった専門サービスの分野では、新たな事務仕事が生み出された。これらの仕事は、政府や顧客、サービスを供給する会社、大型空港に近いところに多くなったので、製造業の場合よりも少数の都市に集中している。集中が進むとともに、アメニティや娯楽部門が成長し、それによって大都市がさらに力を増した。

近年では、高速ブロードバンドの登場とサービス関連業務の成長によって、人々はより柔軟に居所を定められるようになった。一九七〇年代初め、イギリスで鉱山ストライキが起きたときはエネルギー不足に陥り、一週間三日勤務となって、職場も家庭も大きな影響を受けた[2]。今回のパンデミックの間は、電力、ブロードバンド、その他の重要なサービスが維持されただけではなく、実際、経済全体で工場に依拠する部分はごくわずかなので、在宅勤務への変更は以前ほど混乱を招かなかった。鉱山ストライキのとき、イギリスの労働者の四分の一が製造業で勤務していたが、今日では八％にも満たない[3]。

オフィスの未来

将来的にはリモートワークと「選択自由のオフィス」が混在する。こうした考え方が注目を集めている。このような変化は、人々の住む場所と都市の未来に対して多方面にわたる影響を与えるだろう。一二カ国、一万人以上の労働者を調査したところ、パンデミック以前は二〇人のうち一人しか在宅勤務が許されていなかったのに、一〇人中、九人は、パンデミック後も在宅勤務を続けたいと考えていることがわかった。[4] ほとんどは、一週間のうち三日ないし四日の在宅勤務を望んでおり、これによって、生産性も雇用主への忠誠も高まると信じている。

ほとんどの人が在宅勤務を希望しているとすれば、なぜパンデミック前は、たった三%しか在宅勤務ではなかったのか、なぜオフィス開発がブームになっていたのだろうか。[5] 人々が大量の紙でやり取りし、ブロードバンドもデジタル機能も使えなかったころは、オフィスが必要だった。[6] 大量の紙をやり取りする場所という役割は、何十年も前に終えているのに、惰性が続き、エコノミストの言う「悪い均衡」に陥っていた。だがパンデミックによって、私たちは、新たな改善された状況に行き着いた。ここで必要となるのは、三つの障害を乗り越えることだった。[7] 第一は、意思の問題だ。多くの人が働くにはオフィスに行くものと考えていた。第二に、効率性の問題である。面会、物品・サービスの授受、社内・社外ミーティングのためには、一カ所に、そして他社の近くにいる必要があると思われていた。第三に、投資の埋没費用（sunk cost）の問題である。オフィスシステムには支出済みで、在宅システムへの投資は不足していることを考え合わせれば、雇用主は変化が必要とは思いたがらない。パンデミックになると、必要性に駆られ、これら三つの障害のすべてに向き合うようになったのだ。

パンデミックによって、都市の魅力だったダイナミックなエコシステムが破壊された。とりわけ、いろいろな人、スキル、ネットワーク、産業の複雑・濃密・多様な融合がなくなってしまったことが大きい。歴史的にみると、こうした融合こそ、経済成長とイノベーションの大きな源泉だったし、大都市の生産性が他地域の二倍になる理由だ。都市は、サプライヤーと消費者の間に、しっかりと確立しつつもたえず進化するネットワークを提供してきた。両者の距離が近いことは、効率的なだけではない。非公式なことも多いが、いつも情報が行き交い、暗黙知が蓄積されていく。都市には、新参者や移民がたえず流れ込み、新しいアイデアが溢れているし、それに触れる機会や方法にも恵まれている。こうして接触と情報が拡大・深化することによって、都市のダイナミズムが高まっていく。[8] まさにこうした活力源が郊外への脱出とリモートワークによって脅かされているのだ。

オフィスは驚くべきスピードで閉じられている。パンデミック以前は、アメリカで日常的に在宅勤務をしていたのは全体の三％に満たなかった。ところがいまや、大半の人が在宅勤務を経験している。労働者がどの程度オフィスに戻ってくるのかは複雑な問題であり、三二兆ドルに及ぶ商用不動産市場の行方が定まっていない。[9] ロックダウンが緩和されたとき、フランスの労働者の八四％は自分の席に戻ったが、イギリスの労働者は四〇％未満にとどまった。[10] イギリスでおこなわれた大規模な企業調査によれば、企業幹部の四分の三はパンデミック後も在宅勤務を続けると答え、半分以上は、これによってオフィス需要が下がるとみている。[11]

リモートワークという選択肢を与えない企業は、より柔軟な働き方を提示する会社に有能な社員を奪われるだろう。[12] リモートワークをどうとらえるかについて、アメリカ、イギリス、フランス、ドイツ、日本、オーストラリアで実施された調査によれば、以前のオフィス作業に戻りたいと考えている労働者は、たった一二％にすぎない。ワーク・ライフ・バランスの改善、ストレスの軽減、生産性の向上を理由に、圧倒的多数がリモートワークを望んでいる。[13] アメリカでは、調査した労働者の約九〇％がフルタイムでオフィスに戻ることは望んでいないので、多くの企業がより柔軟な働き方を導入し、とくに技術部門で顕著となっている。ツイッターのＣＥＯジャック・ドーシーは、社員に対し、オフィスの現場に戻ってこなくてよいと通知した。[14] グーグル、セールスフォース、ツイッターを含め、いくつかのテック企業は、少なくとも二〇二一年夏まではリモートワークを続けると発表した。フェイスブック〔現メタ〕は社員を三つのカテゴリーに分け、在宅勤務継続可能な社員、一週間数日出勤を推奨される社員、そして不適切な内容の有無を精査する監督要員とした。監督要員のほとんどは、アメリカ国外のオフィスで働く契約労働者であり、彼らがアクセスする内容はセキュリティに関わることなので、パンデミック中でさえ、オフィスでのフルタイム出勤が命じられていた。

グーグルは、社内三日・社外二日勤務の方針を無期限で採用すると発表した。グーグルでは、柔軟性を重視するとともに、協働・創造性とのバランスが目指されている。創造性には、仕事上、他者と物理的に共に過ごす時間が必要と考えられているからだ。四大監査法人のひとつであるＰｗＣは、イギリスでは、全従業員二万二〇〇〇人がある程度はオフィスを使ってほしいと示唆した。[15] ミュンヘンに拠点を置く一大産業グループのシーメンスは、全世界の従業員の約半数、およそ一四万人に対し、週に三日の在宅勤務を無期限で認めると伝えた。ドイツ企業の半数以上が同様の方針を採用している。[16] 全世界で八万五〇〇〇人の社員を抱えるスタンダード・チャータードバンクは、九〇％の社員に対し、無期限の「フレックス労働」協定を提示した。同社は二〇二三年までに、九〇％以上の社員に対して「居所近接」の仕事場を提供することを目指している。[17] ブラックロック会長のラリー・フィンクは、従業員の三分の二がオフィスに戻るだろうが、戻らない者も多いとみている。[18] バークレイズのＣＥＯジェス・ステイリーは、本社ビルが「過去のもの」になると確信しているし、有力な国際法律会社は、リモートワークの増加が続けば、自社にとって高価なオフィスの必要性は半減すると見込んでいる。[19] 日本では、富士通がオフィススペースを半減し、八万人の従業員に対して、長時間残業と通勤混雑で名高いこの国では考えられなかったほどの柔軟な働き方を提示した。[20]

パンデミック後は、世界中で労働者の大半が週に三日か四日、オフィスに戻ってくるだろうが、以前、労働者を一斉に集め、道路や交通機関の渋滞と混雑を招いていたほどの規則的勤務ではないだろう。このことは、経営顧問会社ウィリス・タワーズワトソンのニコラ・オベールにとって、次のような意味を持つ。彼が言うには、「この先、専門的サービスをおこなう企業が不動産の五〇％以上を保有し続けるというなら驚きだ。不動産は相当減らすことになるだろう。……かつては優良な不動産だったものが、半分空室で割高なビルになるリスクは深刻だ[21]」。世界中の大都市でオフィス需要は、長期的に、少なくとも一〇％低下すると予想されている[22]。アメリカでは、パンデミック後、高層オフィスビルでの仕事は二五％下落すると見込まれている[23]。テック企業は、今後ますますオフィス空間に縛られることが少なくなり、大半の企業は商用オフィスの四〇ないし六〇％の削減を計画している。これによって従業員は、一週間のうち二日から四日の在宅勤務が可能となる。およそ三〇％の企業は、オフィスを完全にたたみ、リモート第一の経営を目指している[24]。前提となっている大きな要因は、それら企業が世界中の人材プールから採用可能であり、オフィスから半径三〇マイル圏内に住むことが前提の人材に限られないということだ。

労働者が在宅勤務できるようにするには一部の追加コストが発生するが、在宅勤務を進めれば、雇用主は、家賃や人件費について、年間で労働者一人あたり平均一万八〇〇〇ドル（一万四〇〇〇ポンド）節約できる[25]。こうして節約できるからこそ、ピンタレスト[*1]は、サンフランシスコ中心部の新たなオフィスビルの契約について、自ら進んで八九〇〇万ドルの違約金を支払うのだ[26]。

残されるオフィススペースは、オフィス勤務を選択する、もしくはその必要がある人々の交流が活性化するデスクスペースとなるように模様替えされるだろう。かつて多くのオフィスでは、デスクトップコンピュータがずらっと並んだ光景が一般的だった。だがオフィスは、仕事に直接関係すること／しないことをおこなう場所に変わるだろう。そこには、互いに顔を合わせたり、Ｚｏｏｍでやり取りしたりする部屋がある。

ラウンジエリア、くつろぎやすい椅子やソファがあるし、シリコンバレーのテック企業が先駆けとなったが、ゲームのできるカフェのような場所もできるだろう。外部の共同従事者が利用可能なエリアも付け加わるだろう。私がインタビューした法律会社は、クライアントが使うスペースを用意していた。これによって、長くご贔屓にしてもらうとともに、相互学習を深め、生産性を高めようというのだ[27]。

不定期利用にも対応しやすく、面会や交流がうまくいくように改装されるのは、オフィススペースだけではない。居住空間も改装の必要がある。パンデミック前、ロフト、エネルギー効率のよい暖房システム、庭やテラスに金を使って家のアップグレードや拡張を求める世界中の家主が、住宅改築ブームを支えていた。パンデミックによって、リノベーションへの需要が高まる一方、優先事項の変化ももたらした。そのひとつに、〔間仕切りをなるべく設けない〕オープンプランの流行が逆転したことがある。ともに暮らす一人ひとりが住宅内での遮音を求め、個室を評価するようになっている。プライバシーを確保したい、預かり保育に使う時間を延ばしたい、もっとキッチンにいたいといった要望をかなえるため、これからは想像力を働かせ、新たなデザインを模索することになるだろう。

店舗の未来

パンデミックの間に、空っぽになったのはオフィスだけではなかった。オフィスが廃れるにつれ、クリーニング店、理美容室、サンドイッチ店、カフェやレストランといったまわりのエコシステムも大きな脅威にさらされた。オフィス機能が分散したあと、中心街には、空室が増え資産価値を落とした多くの建物が残された。またオンラインサービスが増大したことによって、目抜き通りの店舗群や大規模都市型ショッピングセンターも衰退した。いまや中心街の「ゴーストタウン化」が懸念されている[28]。

リモートワークとオンラインショッピングが重なって、通りの閉店は記録的な数にのぼり、中心街に大打撃となった。イギリスでは、一万一〇〇〇以上の系列販売店が店を閉じたが、そのうちかなりの部分が完全閉店だった[29]。ロンドンでもっとも大きな家主のひとつ、シャフツベリーの報告によれば、パンデミックの間、賃料の四一%しか支払われず、アパートについては五分の一が家賃を受け取れなかったし、六一一の販売店、レストラン、カフェ、パブの大部分は休業延長の状況だった[30]。ロンドンの中心、シティ・オブ・ウェストミンスターでは、二〇二〇年、経済産出高が前年比で六三%下落した[31]。

二〇二〇年における中心街への来訪者は、前年比で四二%下落した[32]。世界中の都市で中心ビジネス街から人がいなくなり、スターバックスは、二〇二〇年、二〇億ドル以上の損失となった[33]。ニューヨークでは、二万三六五〇店あるレストランの半数までもがパンデミックによって完全閉店となり、一五万九〇〇〇の雇用喪失、一三〇億ドル以上の収入減をもたらした[34]。

アメリカでは、「小売りの終わり」といわれる状況が二〇〇八年の金融危機後、実店舗の閉店が相次いだころから囁かれはじめていた。パンデミックがこれに拍車をかけた。二〇二〇年の最初の九カ月で一万四〇〇〇以上の系列販売店が閉鎖され、二〇一九年一年間の合計九八七九件を大きく上回った。ブルックス・ブラザーズ、Jクルー〔アパレル・アクセサリー小売り〕、JCペニー〔百貨店〕、Kマート、ル・パン・コティディアン〔ベーカリーレストラン〕、ロード・アンド・テイラー〔百貨店〕、モデルズ・スポーツ、ピザハット、シアーズといった数多くの販売チェーンが破産宣告し、ブルーミングデールズ〔百貨店〕、ギャップ、メイシーズ〔百貨店〕、ニーマン・マーカス〔百貨店〕、ノードストローム〔百貨店〕、ヴィクトリアズ・シークレット〔ファッションブランド〕、ウォルグリーン〔薬局〕、ザラといったその他の系列販売は、何百もの店舗を閉じた[35]。事業を維持してきた店舗も新たな生き残り策を模索中である。たとえばターゲット〔ディスカウント小売り〕は、二〇一七年にカーブサイド・コレクション*〔2〕を開始し、パンミック中は、このサービスへの需要が七倍に増えた。ウォルマートは、二〇二〇年、デジタル販売額を五〇%増やした[36]。

かつてイギリスは個人の経営する実店舗での買い物が盛んだったが、パンデミックによって、国民の約三分の一がオンラインショッピングをする国になった。二〇二〇年初めは国民の五分の一、二〇一〇年には七%にすぎなかったのに利用者が急増した[37]。その結果、過去三〇年間は店舗拡張に金を投じてきたので、現在では、店が必要とするスペースよりもおよそ三分の一ほど過剰となっている[38]。賃貸契約がなくなり、店が潰れていくと、空室がますます多くなり、賃料が下がるだろう。すると店舗は、個人向けサービスと娯楽系サービスをおこなうテナントで占められるようになる。オンラインで買える物を売る店ではなくなるのだ。

イギリスでは、アルカディア・グループ（トップショップ、ミス・セルフリッジ、バートンその他のブランドで知られている）、デベナムズ〔百貨店〕の各店舗は閉鎖されたし、マークス&スペンサーは、衣料販売の落ち込みによって、全従業員の三分の一を一時帰休とし、五〇以上の店舗を閉鎖した。スーパーマーケットチェーンのセインズベリーは三五〇〇人の雇用削減、鮮魚・精肉センターの閉鎖を発表し、アルゴスは、デジタル販売や小規模店舗（neighbourhood outlets）を拡大する一方、独立経営の四二〇店舗を閉鎖した[39]。近隣地域を商圏とし、日用の食料品に特化した地域スーパーは業績好調だった。コープは、二〇二〇年の九月から一二月にかけて五〇の地域スーパーを開店した[40]。中国ではパンデミックの間に、コンビニエンスストアでの売上が一二〇%増となった。中国、さらにその他の地域でも、コンビニはオンライン配送サービスと組み合わせた販売を拡大している。イギリスでは、アマゾンが一部資本参加しているフードデリバリー・プラットフォームのデリバルーが、工業団地やその他の低家賃地域に店を構えるレストランやポップアップ型キッチン*〔3〕だけではなく、スーパーマーケットから食料・飲料品を配送するサービスを開始した[41]。

系列販売店の多くは、都市近郊のショッピングセンターで重要なテナントとなっている。アメリカでは、ショッピングセンターの数は一九九〇年代から減っており、いまも残る一〇〇〇かそこらのうち、四分の一は二〇二五年までに閉鎖予定だが、パンデミックがこうした衰退に拍車をかけた[42]。生き残りそうなのは、主にエンタテインメントセンターだ。トリプルファイブ社がニュージャージーで新たに手がけたショッピングセンター「アメリカン・ドリーム」では、パンデミック以前、販売店は四五％の面積を占めていたが、いまでは三〇％以下となり、より多くがエンタテインメント・レジャー系施設に充てられている。室内スキー場、レゴランド、観覧車のあることを誇っている[43]。店舗やオフィスが流出し空洞化すると、都市にとっては大きな脅威となる。それらあってこその都市だからというだけではない。それと同時に、空洞化によって固定資産税やその他の地方税収入が落ち込むからだ。さらに追い打ちをかけるのが、リモートワークをする労働者がどの場所で地方所得税を納めるかという問題である。地方財政に大きな影響を与えかねない問題だ。こうした事例は、アメリカその他の国で実際みられる。たとえば、パンデミック以前、ニューヨークに通勤していた何十万もの人たちの収入には、ニューヨーク州が課税していた。コネティカット州やニュージャージー州は、この課税権を狙っている。いまや彼らの主な職場は、住居を構える州に存在するのだから、というのがその根拠だ。国によって地方当局が負う責任の範囲は異なるが、多くの国では、地方税収によって重要なサービスがまかなわれている。消防、警察、ゴミ収集、道路メンテナンスのほか、図書館、スポーツその他の地域施設などだ。これらのサービスが資金不足になれば、実際、たとえばデトロイトがそうなったように、都市の魅力や安全性が低下する危険がある。そうなれば、中心ビジネス街はさらに衰退し、退去できる人は都市からますます出て行くことになる。

不動産価格

都市中心部は、世界中どこでも、近郊都市や小規模都市と比べ、経済活動の落ち込みが激しい。マンハッタンでは半分以下に落ち込んだし、ロンドンでは三分の一以上の下落だった。ほかも似たような衰退ぶりだ[44]。オフィスの流出にともなう経済の崩壊によって、不動産投資家の運命は劇的に反転した。オフィス、店舗、ホテル、アパート、倉庫への商業不動産投資は、二〇二〇年までの一〇年間で四倍に膨れ上がり、三二兆ドルに達した[45]。年金基金のような長期の投資家にとって、不動産は他の資産形態よりも常にパフォーマンスが良好であり、金利が低下する世界で安定収益をもたらしてくれるかに思われていた。投資家と膨張する都市からの需要がますます高まるなか、不動産開発業者は、歴史的低金利で資金を借り入れて、それに対応できた。パンデミックまでは。

イギリスでは、二〇二〇年、商業不動産の価格は約一二％低下したが、これは平均値なので、まだら模様の現実は見えにくい[46]。オンラインでの買い物に対応可能な倉庫への需要が拡大する一方、ショッピングセンターの評価額は約二八％低下し、そのほか小売店舗やオフィス向け不動産についても二〇％下落した[47]。こうした評価額の低下によって傷ついたのは、不動産投資家だけではない。退職した労働者も同じである。金利がつかず、債券を含め他の長期資産の利回りが低下するなか、彼らの加入する年金基金は不動産投資をおこなってきたからだ。

不確実性が蔓延し、世界中の企業が長期リース契約を躊躇している。長期契約は、前年比でいえば、ロンドンで五九％、ニューヨークで六六％、東京で七七％低下している[48]。イギリスでは、ロックダウンの間に賃料を延滞しなかったテナントは、オフィス、店舗、アパート全体の半分以下だったし、ホテルは稼働率九〇％減という状況にあえいでいた[49]。

私はオックスフォード大学で「仕事の未来」という研究グループを主宰している。そこでの研究で明らかになったのだが、もしオフィスワーカーが週に二日の在宅勤務をおこなうと、空室を埋めるには、二六年間にわたり新規契約者が増え続けなければならない[50]。オフィスからの流出がもたらす影響の全体像は、すぐには感知できないだろう。通常、企業の賃貸契約は最低五年だからだ。だが、それでもすでに、不動産ファンドの価格低下を招いている。年金基金のような長期の投資家は、供給過剰が何をもたらすか判断する。そうなれば必然的に、賃料収入や不動産評価額の低下につながる。長期的には、新規建設計画を凍結したまま、既存オフィスをアパート、ホテル、娯楽向けアーケードなど、ほかの用途に向けて設計しなおすことになるだろう。

郊外志向や田舎志向が高まり、二〇二〇年には中心市街の賃料は急激に下がった。ロンドン中心部では二〇％かそれ以上低下した。都市部の賃貸物件を探す人が前年比二三％落ち込んだことがその原因である[51]。ニューヨーク市の賃料も、過去一〇年以上で初めて空室率が六％になるとともに急落した。その一方、近隣のブルックリンでは、テナントにとって、同じ価格でより広いスペースを得られるため、賃料は堅調だ[52]。

金に余裕がある人にとっては、アクセスに便利な別宅や農村の田園が持つ魅力は、パンデミック後も長く続くだろう。二〇二〇年、アメリカでは農村地域の不動産需要が三分の一増加し、イギリスでは、農村地域に不動産物件を求める都市住民が前年比一二六％増となった。庭付きで、部屋数が多く、緑地にアクセスしやすい家を求めた結果であり、アンケートに答えた半数がそうした理由を挙げた[53]。不動産エージェントのハンプトンズでは、通勤可能な農村への引っ越しを考えるロンドン市民からの問い合わせが六三%増えた[54]。イギリスでは、二〇二〇年における住宅購入のうち、五分の一以上がいまより広い家を求めて都市からの脱出を決めた人たちによるものだった。イングランド南西部の一戸建て家屋の価格は、二〇二〇年、約七%上昇した[55]。

　都心部を離れ、広いスペースを求める家族が多くなったことで、二〇二〇年の下半期は都市近郊の不動産需要が上昇し続けた[56]。通勤する人の約四分の一は、オフィスから一五マイル（二四キロメートル）以上のところに住んでいるが、通勤頻度がそれほどではない人の居所とオフィスとの距離は広がりそうだ[57]。毎日通勤する人は、会社から一時間圏内の家を物色するのが普通だが、通勤頻度がそれほどではない人は、思い切ってもっと離れたところを考える。こうしたこともあり、ロンドンから二ないし三時間圏内の物件の販売が、二〇二〇年には前年比で二〇%以上増えた[58]。

　住宅価格を引き上げる要因は、今後も長引きそうだ。こんな具合に。記録的低金利が続く。住宅以外の投資対象は見当たらない。旅行やその他の物品・サービスに対する支出はさらに低下する。家で過ごす時間がますます長くなる。自然や環境の重要性への認識は日々高まる。リモートワークに適したオフィスやプライバシーが必要になる。働き方がより柔軟になり、通勤しやすいところにいる必要はなくなる。

　イギリスと同様、アメリカ、ヨーロッパ、オーストラリアでも、住宅価格は近年、上昇している。パンデミックにもかかわらずなのか、パンデミックゆえになのか、アメリカとイギリスでは、住宅価格が五%以上、上昇した。ドイツでは、二〇二〇年、一一%上昇した[59]。アメリカの住宅販売は、二〇二〇年、全体として前年比で二〇%増えたが、住宅価格の中央値は三一万一八〇〇ドルをつけ、二〇一九年の値に四万ドル上乗せされた[60]。この上昇分のほとんどは、高価格帯市場での住宅購入によるものである。二五万ドル以下の住宅は四％の売上増にとどまったが、一〇〇万ドル以上の住宅の売上は、二倍以上の上昇となった[61]。売上のほとんどは、すでに自宅を保有している人がより広い家に住み替えようとしたことによる[62]。

初めての住宅購入が落ちているということは、根深い不平等を示しているとともに、不平等を深刻化させる事態でもある。すでに住宅という資産を持っている人には、より広い家に住み替える余裕がある。しかし、ますます多くの人が、まずは低価格住宅を取得し、住宅という資産のハシゴを駆け上ろうとしても、その最下段にすらたどり着けなくなっているのだ。これでは、すでに自分の家を持っている年長労働者と家を買う余裕がない若年労働者の世代間格差が、固定化されてしまうだろう。イギリスでは、自宅を保有する、もしくは地方自治体や住宅協会（housing association）〔公営住宅供給を管理する民間非営利団体〕の供給する住宅に住む若者の比率は、一九九〇年代以来、半減している。いまや一八歳から二九歳の半数以上が親との同居を余儀なくされ、あとは民間賃貸住宅住まいである[63]。都市からの流出によって価格が下がるほど、若者が手を出せるかもしれないし、イギリスでは、住宅購入時の印紙税の一時的免除によって、わずかの期間、初めて住宅を持つという人による購入が増えた。だが、雇用不安が高まっているし、返済の保証がなければ、金融機関は住宅ローンに応じようとしない。これによって、若者が自分の家を持つ可能性はしぼみ、ベビーブーマーとその後の世代との格差が広がってしまう。

豊かな地域に住む人は、通勤時間が短くなり、近隣の施設の利用を楽しめると期待してよい。一方、貧しい人は、郊外の高級住宅地に住む余裕はなく、待ち受けているのは、〔裕福な人とは〕逆方向の通勤、町を跨いだ（cross-town）通勤である。貧しい人々は、都心部や、さほど豊かでない通勤労働者の集まる地区に押し込められたままなのに、増えているのは在宅もしくは富裕地区にある商業センターでおこなわれる仕事ばかりである。この先、貧しい労働者は遠距離通勤を余儀なくされることになる。都心部に向かう通勤需要は減るが、公共交通をめぐる問題が表面化するだろう。町を跨ぎ都市近郊を周回する公共交通は脆弱である場合が多い。労働者が通勤のため、まず都心部のハブに出向き、その後、郊外まで遠距離のバス・電車通勤を余儀なくされるという状況を避けようとすれば、巨額の投資が必要になる。こうした政策の効果は薄く、費用もかかるので、結果的に自動車利用の増大を招くだろう。公共交通機関の選択肢が少なければ、人々はますます個人的な交通手段や相乗りタクシーに頼ることになる。公共交通が整わない発展途上国で長年懸案となっている事態だ。

　リモートワークによって、エッセンシャルワーカーや在宅勤務できない人たちの公共交通への依存は、低下するどころか、今後高まることだろう。彼らの収入が激減したからというだけではない。雇用機会が都心部から遠く離れた郊外にあり、彼らは遠距離通勤することになるからである。彼らは郊外の店舗やレストラン、その他のサービス事業で働き、地域的に幅広く分散したリモートワーカーを支える。経済学者のアンガス・ディートンと共著者のアン・ケースは、アメリカ中西部の人たちの悲惨な暮らしを記録したが、ここからひとつ教訓を得るとしたら、次のようなことになる。町から仕事が消えたとき、求人の増えている場所に行けるかどうかが希望と絶望の分かれめになるということだ[64]。仕事をが見つかることと、仕事場に通えることとは、まったく別の事柄である。これがまったく別だというのは、なぜ仕事が他で見つけられる地域で、高失業率が続くのかということからわかる[65]。

公共交通

今般のパンデミックは、都市がどれほどエッセンシャルワーカーに依存しているか、またエッセンシャルワーカーがどれほど公共交通機関に依存しているかを明らかにした。通勤客がバスや電車を使わなくなり、規制によって新たな制限と費用がのしかかってきたので、公共交通システムの収入が途絶え、かつてはぼんやりとした危機だったものが本物の財政破綻となってしまった。

イギリスでは、新型コロナが民営化に終わりを告げる弔鐘を打ち鳴らすことになった。政府は、七一億ポンドの命綱で鉄道を救済するよりほかになかった。これは実質額でいうと、三〇年前の民営化以前、政府が支出していた二倍以上にあたる[66]。首都の地下鉄とバスシステムを運営するロンドン交通局もまた、二〇二一年末まで公共交通を維持するには五七億ポンド必要なので、緊急融資を求め政府に懇願するしかなかった[67]。突きつけられた融資条件には、運賃値上げ、混雑地区料金引き上げ、ロンドンの南北をつなぐ横断二号線計画の延期といった内容が含まれていた[68]。

ニューヨーク州都市交通局（ＭＴＡ）は、パンデミックの間に、一週間につき二億ドルの損失を出した。運賃やトンネル・道路通行料金収入がすべて激減する一方、夜間の施設閉鎖、車両やプラットフォームの入念な清掃を含め、さまざまな理由で費用が増大したからだ[69]。ＭＴＡの見込みによれば、二〇二一年末までに、連邦政府からの一二〇億ドルの資金が確保できない場合、市内の四〇％、郊外の半分以上のサービスを減らしたうえ、料金の引き上げ、メンテナンスと投資の遅れが余儀なくされる[70]。

公共交通システムが縮小されれば、長期的には混雑が増すことになるだろう。公共交通が一〇％削減されると、道路の渋滞が三〇％増す結果となる[71]。自動車ディーラーの報告によれば、パンデミックの間、公共交通の利用を差し控えたい都市住民による購入が増大した[72]。イギリスでは、パンデミックの最初の数カ月間、新車購入待ちリストは長大になり、中古車需要が記録的に高まった。中古車価格は、一八歳から二四歳の若者の関心がパンデミック前の二倍になったことで急上昇した[73]。

公共交通サービスがまばらとなり、新しい設備やメンテナンスの費用削減がサービスの不安定化につながると、通勤や夜の歓楽・エンタテインメントへのアクセスは難しくなり、都市に対してさらなる圧力となるだろう。ニューヨークでは約三分の一の家庭が年間三万ドル以下の暮らしをしている[74]。世界中の都市や町に住むこうした低所得家族こそが公共交通に依存し、接客その他のサービス業で糧を得ていることが多く、だからこそパンデミックによってとくに打ちのめされた。公共交通サービスのカット、料金引き上げとなれば、もっとも大きな影響を受けることになり、不平等が拡大するだろう。

公共交通は、パンデミック前からすでに不安定な状態にあった。裕福な個人はそれを気にしないで済むだけの余裕があるが、パンデミックで明らかになったように、しっかり機能する公共交通システムは重要だ。低所得者にとってだけではない。病院、店舗、生活に必須のサービスが回り続けてもらわないことには、それに依存する私たち全員が困る。パンデミックによって明らかになったのは、公共交通を死に至らしめる下方スパイラルの脅威であり、それにともなう交通手段のさらなる縮小、低賃金労働者の所得低下、都市の経済・サービス機能衰退の危険性である。公共交通網が都市のかたちと活力を左右してきた。都市が繁栄し、多くの人に職を提供するためには、公共交通へのコミットメントを刷新し、財政支援する必要がある。

都市の救済

デジタルで実装した若きノマドたちは、どこにいても仕事ができるので、大都市でのコスモポリタン的な生活に引き寄せられる。成長するコスモポリタン地域のカフェやクラブ、街並みを好む。郊外や小さな町よりも、人の集まる都市のほうが、新しい友だちや恋人候補を見つけやすい。その結果、ダイナミックな都市の人口模様は、ますます砂時計型になっていくだろう。若者の比率が大きくなり、（多くの家族持ちは転出し）中年層は小さくなる。大きなグループとなるのが高齢者層だ。いまは子どもがいない、都市の文化施設に魅力を感じているという高齢者、あるいは貧困地区に閉じ込められ、そこから出て行く余裕のない高齢者だ。

　イノベーションと生産性の点からみた人口密集の利点は、スキルを持ち創造力あふれる個人が集まるほど高まる。こうした理由で、都市住民は小規模な町で暮らす人よりも、平均して五〇％生産性が高い[75]。彼らはまた、より大きな変革力もある[76]。その理由のひとつとしては、学ぶ機会、生産性の高い人と思いがけなく出会う機会が多いということがある[77]。新しい考え方が広まるには、単なるバーチャル上のやり取りよりも、物理的な接触が必要になる。たとえば、シリコンバレーのコーヒーショップで多くの人が会えば会うほど、新しい特許の申請能力が高まるのだ[78]。

　知識労働者どうしが近くにいることで、新たなアイデア、新たなビジネスが量産され、その恩恵は、すぐに遠くまで波及する。平均すると、革新的かつ創造的な一人の人物は、弁護士からバリスタまで五人の雇用を生む[79]。そのほか、都市に対しても恩恵がもたらされる。人口が密集する都市に住む人は大規模家屋に住む人よりも、カーボンフットプリントがはるかに低いし、外出で車を使わず、オンライン商品の配送車両に頼ることも少ない。

　一部の大都市による政治的・経済的な支配というのは不健全である。イギリスやフランスはもっとも中央集権的な国家であり、ロンドンとパリの政治・経済エリートが国全体に決定的な影響力を行使する。イギリスの首長、基礎自治体、地方政府は、ほかの高所得国、たとえばドイツほどの自律性はない。このため、パンデミックに対応するため地方政府がルールや規制を策定しようにも、いろいろな困難が立ちはだかった。

それだけではない。これは、行政を担う地方専門機関がほかの高所得国以上に中央の下請組織になっているということでもあった。他方、ドイツ、イタリア、アメリカといった国では、首都に与えられた経済力および政治力は、イギリスより小さい。これらの国々では、地方センターがさまざまな行政サービスや対人サービスをおこなっている。これらサービスはパンデミック前から態勢が整えられているが、在宅勤務をする住民が増大すれば恩恵を受けられる。彼らの新たな要望にも応えられる。

オフィスの閉鎖、それにともなう無数の店舗・サービス事業の閉鎖によって都心が衰退すると、周辺の郊外地域、より遠方の町や村が恩恵を受けられるかもしれない。近隣で長く過ごせば、労働者は、食料・衣料品から贈答品、理美容、地元の娯楽・エンタテインメント・ご当地食にいたるまで、あらゆるものの購入に対し、地元でより多くの金を使うようになるだろう。彼らはまた、家や庭の修繕にも気持ちが動くし、そうなると地元の建築業者その他の小規模事業者を雇うことになるだろう。近隣で過ごす時間が長くなると、地元の市民活動や地方政治に関わることが多くなる可能性もある。これによって、コミュニティには、より大きな地域ボランティア精神のような恩恵がもたらされるかもしれない。以前であれば、寝に帰るだけの町、休日に訪れるだけの村のように感じていた場所をふたたび活性化させる基盤となるかもしれないのである。

パンデミック以前、パリ市長が「一五分都市」のアイデアを高らかに掲げていた。市民は家の近くで働き、家の近くで生活する。移動は主に徒歩か自転車。緑に溢れ、よりクリーンな環境で働き、暮らすというアイデアだ。パンデミックによって、こうしたアイデアが数多くの町や都市で盛んに議論されるようになった。暮らしやすいクリーンな都市の創造に向けた動きが加速し、都市の改造がポストコロナの回復において中心的役割を果たすとされているのだ。

都市部における新型コロナの重大さは空気の汚染と関係していたが、ロックダウン期間中、大気の質が劇的に改善したことと相まって、きれいな空気と交通量減少の恩恵に対する意識が高まった。星を眺め、鳥のさえずりを耳にするのは、新型コロナのもたらした無形の利益であり、これから先、長く環境改善に向けた力となるだろう。これは、混雑の緩和や有害な排煙の削減に向けて都市を突き動かす力も高めるだろう。すでに、都市という都市で、自転車屋が記録的な売上となっており、市長が新たな自転車専用道路計画を発表している。パンデミックは、公共空間をより暮らしやすくクリーンな環境に転換する動きを加速した。

休日の旅行先、自然の美しさが溢れる場所は、ますます多くの人を引き寄せ、海辺のコテージや農村の保養所の予約は記録的な高さとなって、不動産価格も急上昇している。その結果、雇用機会の高まる郊外に人を運ぶためだけではなく、国内観光旅行の新たなパターンに合わせるためにも、交通体系を再編する必要に迫られている。こうして小さな田舎道が渋滞するようになれば、農村部の鉄道サービスへの需要が復活するだろう。

イギリスでは、パンデミックの間、観光旅行需要が高まり、通勤が減っていることから、鉄道サービス需要は、かつて一九五〇年代がそうであったように、ウィークデーより週末のほうが大きくなった[80]。通勤ルートと観光ルートの需要調整は、パンデミックの間はずっと続くことになるだろう。

労働者がオフィスに集まらなければならないという事情によって、現代の生活、現代の都市のあり方が形づくられてきた[81]。社会に対するオフィスの縛りがパンデミックによって弱まり、リモートワークに新たな機会が生み出された。これによって、どこに住み、どこで働き、どこで遊ぶかということが深い意味を持つことになった。だが、都市の死は以前から語られてきた。都市はそれでも並外れた回復力を維持している。新型コロナは、よりよき方向に向けて、多くの面で都市の姿を変えるだろうが、経済的・文化的な活力を生み出す主役としての都市は、新型コロナによって衰退することはないだろう。ただ、都市がどのように対応するかで事態は大きく左右される。パリは人間の身の丈に合った一五分都市構想を掲げ、ロンドンは「好機をつかみ取るためロンドンを構想しなおす」計画である。ここに示されているのは、断固たる行動がなければけっして実現しないものの、かつてのように都市が中心となって、より持続可能で繁栄した社会をつくりだす可能性があるということだ。これがまた、より包容力のある都市につながるようにするには、障害者や高齢者のニーズが考慮されなければならないのは言うまでもない[82]。

都心の衰退は一〇年を経てここまでになったが、新型コロナのパンデミックによって、都市は一気に瀬戸際に追い込まれ、自らの将来についてラディカルな再考を迫られている。系列販売店が目抜き通りの中心に居座るのではなく、町や地域に責任を持って関わる地元の独立自営企業が新たなる復活の土台となるべきだ[83]。こうした企業はさまざまなサービスを回し、これによってコミュニティが結ばれ、つながっていく。二一世紀にふさわしい市民の空間として目抜き通りをつくりなおすには、地方政府が固定資産税の引き下げを通じ、支援する必要がある。これら企業はかつて系列販売店が支払っていたほどの家賃を短期的には出せないが、こうした小売り地域が長期的に生き残れるかどうかは、コミュニティに根ざした地元企業の成長を促す新たなアプローチにかかっている。不動産所有者は、このことを認識しなければならない。政府からの資金支援はまた、地元企業が不動産を購入しやすくなるものでなくてはならない。これによって、大規模不動産会社が商業不動産に持つ支配権に風穴を開けるのだ。

オフィスビルを快適に暮らせるアパートに変える。シャッターを下ろした店舗群をスタートアップ企業ゾーン、シェアオフィス、期間限定の映画館やパフォーマンス・スペース、フードマーケット、その他の小規模地元企業の拠点に変える。これが第一歩となって、都市はふたたび、人が顔を合わせる賑やかでダイナミックな場所になり、交遊関係、エンタテインメント、雇用、繁栄の源となる。これぞまさに、何千年にもわたり都市に存在理由を与えてきたものだ。住民のニーズを第一とし、住みやすく清潔で安全な環境を生み出す、責任を持った運営が都市をふたたび活性化するであろう。

一般に信じられていることと違い、人の集まる都市に住めば、パンデミックのときでさえ、経済的便益だけではなく、多くの健康上の便益ももたらされる可能性がある。世界中の三六の大都市、アメリカにおける九一三の都市圏を調査したところでは、人口密度と新型コロナの感染率には何ら関係はなかった[84]。長期的にみると、平均寿命は都市のほうが人口過疎地域より高い。その理由としては、都市住民のほうがよく歩き、よく体を動かす。食事由来その他の慢性疾患に苦しむ可能性が低く、自動車事故に巻き込まれる可能性もはるかに低い。こういったことが挙げられる。

都市居住に利益がともなうのであれば、世界中で急速に進行する都市化が二一世紀の決定的特徴であり続けるだろう。パンデミックによって明らかになったのは、都市が脆弱ということではない。コミュニティがさまざまな雇用を増やし、いろいろな機会を生み出す活力源であるということだ。パンデミックは、オフィスや店舗の変化を加速することによって、都市に自己再生を促し、未来に向けて、清潔かつ安全で豊かなコミュニティと住まいを生み出すよう仕向けているのである。もし経済と社会を繁栄させたいなら、都市を救済し、新たな課題に向き合えるよう、都市に変化をもたらすことが必須となる。

第9章　メンタルヘルスの改善

エコノミストのノリーナ・ハーツが著書『The Lonely Century――なぜ私たちは「孤独」なのか』[*1]で注目しているように、パンデミックは孤独を深め、メンタルヘルスの問題を悪化させた。それと同時に、新型コロナのパンデミックによってこうした問題が可視化され、重要な課題に向き合い、解決に向けて動き出す機会も生み出された。

パンデミックの間に、人類の半分以上が、少なくとも一度は外出を制限された。[1]スペイン風邪がアメリカを襲ったとき、平均して一つの家を四人以上の家族で共有しており、一人住まいの人は一〇%に満たなかった。[2]今日では、一世帯の平均人数は二人に近く、四分の一以上が一人で住んでいる。スウェーデンでは、一人世帯が過半数を占め、大都市では一人住まいの割合が全国平均よりはるかに高い。ストックホルムでは六〇%以上、ロンドンでは五五%が独居市民である。こうしたことが問題になるのは富裕国であり、パキスタンでは、一人住まいの人の割合はわずか約一%だ。

パンデミック直後は、ロックダウンによって、かつて一〇代を過ごした実家に戻る若者が一時的に増加した。パンデミック前でも、ティーンエイジャーやヤングアダルトは、デジタルのつながりは強くても、もっとも孤独な年齢層だった[3]。パンデミックによって、ティーンエイジャーは家族のなかに閉じ込められてしまい、そこらを歩き回り、友だちとつるむ力を発揮できなくなった。いったん離れたと思っていたのに、子ども時代の家に舞い戻らされた若者は、一人の大人として自立する過程が逆転してしまった。ロックダウンの発動と解除が繰り返され、普通の生活が続けられるか、不確実な状況となり若者たちの不安がなおさら大きくなった。

アメリカでは、二〇二〇年の夏、一八歳から二九歳までのヤングアダルトの半数以上が親と同居していた。これまでは、第二次世界大戦中、一九四〇年の国勢調査における四八%が記録だったが、それを凌駕したのだ[4]。親との同居率は、一九六〇年代までに二九%に下落していたが、その後、上昇し、過去一〇年では四〇%前後となっていた[5]。二〇代と三〇代前半のヤングアダルトが実家に戻る「ブーメラン現象」は、ポストパンデミック社会の長期的特徴になる可能性が高い。新型コロナは、若者が労働市場で直面する困難をも増幅させたからだ。若者の状況は、すでに二〇〇八年の金融危機によって揺らいでいた。金融危機によって、家を保有したり借りたりする余裕がない若者、パートナーと同居する時期を先延ばしにしなくてはならない若者が増えた。若者の自立の機会が奪われるとともに、すべての年齢層への圧力が増大したことによって、実際にストレスが高まり、メンタルヘルスの問題が急増したのである[6]。

ストレス

イギリスのある全国調査によれば、全体の三六％がパンデミックの間に雇用の保障が不安定化したと感じ、三五％がより貧しくなった。そして四五％の人はストレス度が上がったと訴え、三八％はメンタルヘルス上の問題が増えて苦しんでいるという[7]。もっとも大きな困難を抱えているのは、女性と若者だ。一八歳から二四歳までの五五％が孤独を訴えている。それに対し、七〇歳以上は三一％である[8]。福祉給付を申請した人の半分以上が初めての申請であり、こうした人々の間で罪悪感や挫折感が広がった。自分がチャリティや政府の給付金に依存するなど想像もしなかったような人がとくにそうだった[9]。

　セーフティネットのひとつとしてコミュニティがどれだけ重要か、パンデミックによって浮き彫りになったが、個人主義の高まりにより、ここ数十年、コミュニティの構造やそれを担うべき組織は弱体化していた。パブのように、なんとか生き延びていたところもロックダウンの間は閉店となり、家族だけが唯一、避難し支援を得られる場になることもあった。それを良い経験とした人も多かったが、困難を抱える家族では、断ち切れない密な環境で暮らすストレスに大いに苦しめられた。

　家庭内の虐待事案が少なくとも二〇％増加したが、国際連合は、その世界的な拡大を「シャドー・パンデミック」と表現した[10]。オーストラリアでは、二〇二〇年が家庭内暴力の最悪の年として記憶されることになるだろう。新型コロナにともなう規制が失業や収入減をもたらし、家庭内暴力事件が国中で急拡大して、少なくとも三三人の女性が亡くなった[11]。イギリスの調査では、虐待関係に置かれた女性の三分の二がパンデミック中、虐待がひどくなり、四分の三がロックダウンの期間、虐待相手からの避難が難しくなった。イングランドにおいて家で虐待される人がどれほど深刻な状況だったかは、最初のロックダウンのとき、警察に対して三〇秒に一度の通報があったという数字に示されている[12]。パンデミックのもたらした悲惨な結果は、乳幼児に対する殺害および傷害事件の急増にも示されていた。イギリスでは、幼児の死亡が過去数年に比べて五分の一上昇した。その原因は「有害因子の融合」である。つまり、孤立や精神疾患にさいなまれていたことに加え、パンデミックの間、保健師やソーシャルワーカーの家庭訪問ができなくなったことが重なったのだ[13]。

以前なら、共働きカップルがともに過ごすのは一日数時間だったかもしれない。だが、ロックダウンとなり、数時間以上、離れて過ごすことのほうが珍しくなっている。パンデミックのもたらすその他諸々の状況と同じく、見えなかった問題がここでも明らかになった。新型コロナが離婚の急増を引き起こした。不幸な結婚がついに終わりを告げ、実に多くの国の法律事務所で、離婚相談サービスの需要が約三〇ないし四〇%増加したと報告されている[14]。

新たな関係を求める人には、パンデミックが新たな問題となった。一九九五年、五組のうちほぼ一組は、職場でパートナーと出会った。パンデミックの直前は、これが一〇組に一組となり、パンデミックによって職場恋愛はさらに落ち込んだ[15]。しかしながら、まさにロックダウンによって、オンライン上のデートがおよそ三〇%増えた[16]。会うのが難しくなったことで、ビデオ会話のような新たな手段を使う機会が増えた。これによって、オンラインの関係をバーチャルに探せるようになったわけだが、三〇歳以下の女性の利用がもっとも急激に伸びた。オンライン上のデートは一五年ほど前に始まったが、そのときは束の間の関係が中心だった。したがって、オンラインで出会った人どうしの結婚は、全体の三%に満たなかった。ところがいまでは、結婚したカップルの実に四〇%以上となり、数世紀にわたる伝統は急速に覆りつつある[17]。ただ全体としてみれば、パンデミックの間に、人と出会い、パートナーと長期的な関係を築くのは難しくなった。これによって、人々の孤独感や孤立感が深まった。

孤立

二〇〇〇年以上も昔、ソクラテスが洞察したように、子どもは「遊び場でのお喋りが大好きだ[18]」。認知機能の発達を研究する専門家によれば、とりわけ青年期は人との交流が必要であり、仲間からの孤立は、それぞれのアイデンティティ構築にとってとくによくない。同じように、年少の子どもたちも、人とのつながりがなくなることで苦しんできた。オックスフォード大学のキャシー・クレズウェル教授がパンデミックの間におこなった調査によれば、小学校児童の間で不幸・不安・不調の感情が高まっていた[19]。

人間は本質的に社会的な動物であり、長期にわたり人との接触が遮断されると、非常によくない影響をもたらすことが知られている。実際、国際連合は一五日以上の独房幽閉は一種の拷問ととらえており、アメリカ最高裁判所もヨーロッパ人権裁判所も、その状況を非難してきた。それによって心と体の両面で能力が低下すると注意喚起したのだ。したがって、孤立が長引くことにより孤独・不安・抑うつの感情が増しても驚くべきことではない。物理的に孤立していない人にとってさえ、さまざまなかたちでソーシャルディスタンスをとれば、安心して人と接触することはなくなる。人との接触がストレスを減らすのに、それができなくなるのだ。

新型コロナに対し高齢者はとくに弱く、ほとんどの人が長期にわたり家に閉じ込められた。一人暮らしをする八〇〇万のイギリス人の約半分は六五歳以上である。インターネットの利用に自信を持っている人は、若年層が九五%なのに対し、高齢者はわずか四四%にすぎない。この事実によっても、高齢者の抱える困難が上積みされる。オンラインショッピングや家族とのビデオ電話に頼るべき年齢層が不安を感じることになるのだ[20]。

孤立状態に置かれるだけではなく、多くの高齢者は危機感と喪失感に耐えてきた。北米、ヨーロッパ、南部アフリカ、イギリスでは、新型コロナに起因する超過死亡の三分の一から半分がケア施設でのものだった[21]。その結果、食堂での食事が中断され、入居者は部屋に閉じ込められた。家族や友人による面会は、重篤状態の人に対するものでさえ、禁止されるのが普通だった。ハグもなく、身体的な接触もないというのがとくに大きな問題となった。なぜ隔離されざるをえないか、十分には理解していない認知症の人にとっては、とりわけそうだった。愛する人に最後の別れも告げられず、葬儀にも参列できない家族が世界中にいる。それによって、どうしようもない悲嘆にさいなまれるようになれば、そうした家族には専門家の対応が必要になるかもしれない。

一人暮らしの人は、ウイルスに感染するリスクは低いが、メンタルヘルス上の問題を抱えるリスクはもっとも高かった。イギリスにおいて、前向きな気持ちになれないと答えた人が五五歳以上では半分だったのに対して、一八歳から三四歳では三分の二以上にのぼった[22]。アメリカでは、成人の四五％以上がメンタルヘルス上、悪影響を受けたと報告されている。イギリスでは四〇％、中国では三五％の成人が同様の経験をした[23]。孤立が長引くほど、メンタルヘルスに対する影響が大きくなった。医学誌『ランセット』によれば、パンデミックの影響は心的外傷後ストレス障害（ＰＴＳＤ）に苦しむ人の状況と似ている[24]。

そのうえ多くの人は、経済的な見通しを立てにくくなったり、失業したりした。それが情緒不安定や薬物乱用につながった。一九一八年のスペイン風邪、二〇〇三年の重症急性呼吸器症候群（ＳＡＲＳ）のときと同じように、新型コロナのパンデミックによって、自殺防止ホットラインへの電話、さらには自殺そのものが増加した[25]。

二〇二〇年のロックダウンの初期段階では、調査回答者の五七％に不安が見てとれ、実に六四％が共通して抑うつの諸症状を示していた[26]。もっとも憂慮すべきは、ある調査が示しているように、アメリカではロックダウンの間、自殺念慮がパンデミック前の四%から増加し一一%もの人にみられたこと、一八歳から二四歳では、それが四分の一以上になったことだった。非常に深刻な問題だ[27]。

一般市民の声を調査して驚くべき一面が明らかになった。それは、ごくわずかの人は気分が高まり、ロックダウンを楽しんでさえいることだった。そうした人には安全・安心の手段があり、「取り残される恐怖(FOMO: fear of missing out)」を感じにくい。これが不安を訴えることの少ない理由のひとつとなっている。ほとんどは個人の置かれた環境で決まる。つまり、安定した仕事や教育の機会があったかどうか、支援してくれる家庭環境だったかどうか、仕事やアウトドアレジャー活動向けのブロードバンドや物理的空間があったかどうかで状況が決まるのだ。

イギリスでおこなわれた大規模な研究によれば、裕福な家庭と貧困家庭では子どものメンタルヘルスに「大きな差」が出た。小学校期にあたる四歳から一一歳までの貧困家庭の子どもは、もっとも大きな悪影響を受けていた[28]。イギリス・メンタルヘルス財団が明らかにしたところによれば、パンデミック前からの心理的状況がさらに悪化し、経済的困難によって負の影響が増幅している。財団は、「私たちはみな、同じ嵐の渦中にいるが、同じ船に乗っているわけではない」と分析している[29]。低所得若年層のストレスが増大し、メンタルヘルスの困難に陥ることによって、社会の根底にある所得や機会の不平等が増幅したのだ。被害をこうむった人は、パンデミックのもたらした傷跡によって、将来的にはさらに脆弱になる可能性が高いので、カウンセリングその他のタイムリーな対応策が必要となる。さらには、社会的な関係構築について、より地域に根差したアプローチを展開する必要も出てくる。すなわち、パンデミックの間に、高齢者に対して向けられた連帯行動を今後はさらに拡大し、より包容力があり、ケアの行きとどいたコミュニティを構築する必要がある。そうなれば、ほかにもさまざまなサービス給付をおこない、孤立や精神疾患のリスクを減らせるだろう。

世界的規模のメンタルヘルス・パンデミック

パンデミックと同じく、精神疾患の増大も世界的規模で広がった。インドでは、すでに高かった自殺率がさらに上昇し、パンデミックの間に失業した六六〇万人のミドルクラスの専門職で自殺が急増した[30]。ほかの国々での報告と同じように、インドでは一五歳から二五歳のグループがもっとも自傷行為に走りやすい年代であり、パンデミックの間、一時間に一人以上が自殺を図ったと報告されている[31]。アフリカ諸国は新型コロナからの最悪の影響を免れたが、その経済的影響にはもっとも苦しめられ、それがメンタルヘルスの問題に波及している。たとえばマラウィでは、二〇二〇年、自殺者が五七%増加し、記録を取りはじめて最悪となったが、これは家計を支えられなくなった大黒柱が自暴自棄に走ったのが原因だった[32]。

多くの国では、対面式のメンタルヘルス・サービスが中断するなか、それに対応するためリモート相談が採り入れられたが、各国内では、こうしたサービスの利用には所得や教育水準の違いによって大きな格差が生まれている。サービス利用に関する国家間の格差はさらに大きい。高所得国の八〇%以上がリモートでの相談・サービスを活用し、メンタルヘルスの問題に対処しようとしているが、途上国でそうした体制を整えている国は半分に満たない[33]。国が貧しければ貧しいほど、家計が貧しければ貧しいほど、リモートでのメンタルヘルスその他のオンラインサービスが利用できる可能性は低くなる[34]。秘密保持をしながらの相談にはプライバシーが必要だが、居住空間を共有している人にとっては、ロックダウンの間、それを確保するのはとくに難しかった。家で子どもと一緒にいるセラピストにインタビューしたことがある。彼女が言うには、相談者の秘密を守りながら面接しようにも、子どもに邪魔されることなく十分なプライバシーを確保するのは難しい。かたや相談者の多くも、パートナーや家族と距離をおいて、秘密を守りながら対話するのは不可能とのことだった。

　パンデミックの間、リモート相談やホットラインはこれまで以上の大忙しであったが、多くの人にとって、これらは対面式の相談が与えてくれる安心感の代わりにはならなかったし、いつも利用できるわけではなかった。世界保健機関（ＷＨＯ）が調査した一三〇カ国のうち七〇％以上が、パンデミックによって自国のメンタルヘルス・サービスがかき乱されたと報告している[35]。三分の二の国で重症者対応サービスに影響が生じ、中毒患者対応センターの約半分が正常に機能しなかった。また患者の約三分の一は、精神疾患に対する薬物治療を受けられなかった[36]。

　アメリカでは、オピオイドその他の中毒が悪化し、処置を必要とする人の数がかなり増大した。その一方で、スタッフの欠員、パンデミック対応の病棟開設、物理的ディスタンスの厳格なルール、ますます悪化する資金難によって、薬物依存治療サービスは供給減となった。メンタルヘルスに対応する機関は、収入の四分の一が失われ、三分の一以上が二〇二〇年末までに閉鎖を余儀なくされた[37]。こうしたことから、アメリカの代表的なメンタルヘルス産業団体のＣＥＯは「緊急行動がなければ、第二の破壊的な公衆衛生危機が起こりうる」と警告した[38]。

　パンデミックはメンタルヘルスに対して長期にわたる影響を与え、今後数十年間、大きな損害をもたらし続けるだろう。アメリカでは、ショッキングなことに、新型コロナ患者の五人に一人がパンデミック発生後三カ月以内にメンタルヘルスの問題で苦しんでいた、との報告があった。不安神経症や不眠症の蔓延が大きな問題となり、アメリカやイギリスでは抗うつ剤の使用が常時高水準となった[39]。私たちはＰＴＳＤの激増に備えるべきであり、入院患者、あるいは、いろいろな規制で愛する家族に会えない人にはとくに注意すべきである。

命に関わる遅れ

パンデミックは、深刻なメンタルヘルスの問題のみならず、複雑な慢性疾患その他の健康問題を激増させた。だが、こうした状況は、保健医療体制が限界を超えるかたちで新型コロナへの緊急対応を迫られるなか、忘れられがちだった。私自身が気づかされたことだが、かなりの誤診も発生した。肺水腫を患っていた高齢の私の親戚が入院したとき、すぐに——だが間違って——新型コロナ病棟に入れられ、彼女はそこでウイルスに感染してしまったのだ。

　多くの国で新型コロナ以外の慢性的な疾患や症状が見過ごされ、それにともなうリスクによって、パンデミックそのものよりも多くの死がもたらされたかもしれない。ロックダウンの間、救急外来による入院が激減し、命に関わるもっとも重大な措置以外、延期されたことで、心不全や脳卒中その他により自宅で亡くなる人が急増した。体力がもっとも落ちているので、こうした状況はとくに高齢者に悪影響をもたらしている。

　イギリスの王立外科医師会は、次から次へと手術がキャンセルされる事態を「津波（tsunami）」と表現した[40]。二〇二〇年一一月までに、二〇〇万人以上の人が人工股関節置換手術のような、ごく日常的な手術を一八週間以上も待たされた。一年以上の手術待ちは、パンデミック以前には一六〇〇人だったのが、一〇〇倍以上の一六万三〇〇〇人を超えた[41]。病院が入院を先送りし、人々が感染を恐れ、かかりつけ医や救急外来での診察を避けたことで、パンデミックの間、イギリスでの在宅死は数年前と比べて三分の一ほど増加した[42]。心臓病によって家で亡くなる男性は四分の一上昇し、女性はアルツハイマー病と認知症の在宅死が四分の三も上昇した[43]。同じように、癌の受診や治療における二〇カ月待ちという事態は、避けられるはずの死を今後数年にわたり上昇させることになろう[44]。

途上国では、これよりもはるかに深刻な悪影響がもたらされた。パンデミック対応に医療資源が向けられ、ロックダウンによって、いくつもの公衆衛生計画が中止されるなか、マラリアほか高致死率の感染症削減に向けた重要なワクチン接種や公衆衛生計画がないがしろにされたのだ。今回のパンデミックが収まったあとも、メンタルヘルスだけではなく、慢性疾患に対するこうした二次的影響によって、世界中の国々は長期間にわたり被害をこうむり続けるだろう。

孤独と精神疾患からの救済

金で幸せは買えないが、不確実性やいろいろな不安を減らすことはできる[45]。パンデミックは、大きな経済的困難、複雑に絡み合った不確実性を生み出し、何百万という人々の心と体の健康を蝕んだ。メンタル面で幸せに満ちた将来をもたらすためには、不平等の克服、すべて人へのまっとうな仕事の提供という二つの課題に対処しなくてはならない。それに加え、気候変動の緊急事態にも取り組む必要がある。それがとくに若者の間で不安の大きな原因になっているからだ[46]。

長年にわたりメンタルヘルス・サービスが不足してきたことについては、さまざまな記録から明らかだし、大いに批判もされてきた。これが見過ごされてきた理由のひとつは、精神疾患は一般に数量化しにくく、ほかの数多くの健康問題よりも無視されやすいということである。これによって、事態は軽視され予算もつきにくくなる。問題に対処するための資金は圧倒的に足りず、ほとんど注目もされなくなる。

新型コロナは精神疾患と孤独の増大をもたらしたが、これらについて、以前よりもオープンな議論を呼び起こした。何か不名誉なことという先入観も払拭したので、課題への対処を促す可能性もある。そうなるためには、いままでよりもはるかに大規模に政府が介入し、資金を拠出する必要がある。政府はメンタルヘルスに関するリップサービスはするけれども、ニーズが拡大しているにもかかわらず、予算は削減され続けた。体の不調は広く認知されやすい。だが心の健康は、体と同じように衰弱する可能性があるのに、目に見えないことが多く無視される。予算を拡充し、精神病治療や社会的サービスに対する資金を増やす必要がある。これには、メンタルヘルスの専門家に対し、資格と経験、さらには背負わされるストレスに見合った報酬を支払うことも含まれる。そして即時・無料のカウンセリングが、すべての一般診療で利用できるようにすべきである。現在、その利用機会は散発的だし、偏りもみられ、カウンセリングを必要とする多くの人が診療を受けられなかったり、長期間待たされたりしている。

孤立は健康によくない。社会との密接なつながりを欠いている人は、早死にする可能性が五〇％ほど高くなる。これは一日一五本のタバコを吸うのと同じである[47]。友人や家族とのつながりは、認知症や精神疾患全般のリスク低減にも寄与してきた[48]。社会との密接なつながりを育み、弱い立場のグループによるインターネット接続を最優先し、さらには、コミュニティ活動を盛り上げることによって、孤独は撲滅できるはずだ。だがこうしたことは、最近数十年のうちに個人主義の文化が広く行きわたり、社会的サービスと地域サービスが減退するにつれて、著しく廃れていった。メンタルヘルスや孤独に取り組むには、より結束力があり、より協調的な社会を目指す総合計画に組み入れる必要がある。パンデミックによって、これら諸問題が可視化された。私たちがどのような社会に住みたいのか、政府・都市・企業・地域社会が問題の解決に向け、どのような貢献ができるか、より広範なかたちで認識できるようになったのだ。

新型コロナのパンデミックの結果、愛する人の死を看取れなかった多くの人は、持っていき場のない嘆きに苦しみ、ＰＴＳＤに悩まされた。必要な人にすぐさま支援の手を差し伸べ、寄り添えるように、資格を持った専門家や支援グループが必要とされるだろう。世界大戦後、さらにはベトナム、イラク、アフガニスタンなど、そのほか数多くの戦争後、兵士たちは、のちに「砲弾神経症（shell shock）」と呼ばれることになるＰＴＳＤを抱えながら帰還した。ほとんどの場合、彼らの状況は隠蔽され、その結果、家族が苦しめられた。傷ついた人々は遠くに隔離され、悪夢と暴力の記憶にとりつかれた。もはや今日では、こうした症状を認めることが「男らしくない」とか、恥だとかみなされることは（普通は）なくなった。そして、トラウマを経験し、その影響で心と体を病んでいる人々が救われるように、さまざまなセラピーが用意されている。

私たちはなお、新型コロナのパンデミックがメンタルヘルスに与える長期的影響を注視すべきだが、要は、精神疾患に適時・適切な方法で対応できるかどうかである。同じくトラウマになる出来事でも、提供されるケアやサポートのレベルによって、その体験は大きく異なってくる。トラウマに陥った人々のなかには、新型コロナに感染し死の恐怖におびえた人もいれば、身近な家族や友人が入院した人もいる。そのうえ、不安定な生活、失業、先行きへの不安と恐怖がのしかかる。もし彼らに、自らの経験や不安を共有し支えてくれる家族や友人、医療従事者がいれば、もっと楽になるだろう。新型コロナのパンデミックとは別のトラウマに苦しんできた人々の場合と同じだ。こうした考え方は、医師や看護師、その他のエッセンシャルワーカーにも同じようにあてはまる。彼らは最前線に立ち、感染の危険にさらされながら、心に深手を負っている。イギリスの国民健康保険制度（ＮＨＳ）では、重症患者のケアスタッフの約半分がＰＴＳＤ、抑うつ、不安に苦しんでいると報告されている[49]。

ニューヨーク州では、六〇〇〇人以上のボランティアカウンセラーがクオモ知事の支援要請に応じ、迅速に対応した。だからといって、これが体系的な国家規模の対策の代わりになるわけではない。カウンセリングその他のメンタルヘルス・サービスに予算をつけ支援する対策を実施し、それらをもっとも必要とする人が利用できるようにしなくてはならない[50]。

第二次世界大戦後、イギリスでは、新設された国民健康保険制度にタヴィストック研究所、ポートマン・クリニックといった機関が加わった。あらゆる専門家グループによる学際的アプローチをとって、すべての世代が抱える戦争トラウマとその長期的影響を克服する必要があると、政府が認識していたからだ。同じように、今日、私たちの社会でメンタル面のウェルビーイングを向上させるには、こういった組織によるホーリスティックなアプローチにふたたび目を向け、そこに資金を投じることが喫緊の課題となっている。パンデミック前のメンタルヘルス・システムを元に戻すなど、悲惨な結果をもたらすだけだろう。元に戻したところで、パンデミックがもたらした喫緊の課題や既存のシステムのお粗末さは理解されないからだ。新型コロナのパンデミックは、お粗末なシステムを白日のもとにさらすとともに、悪化させた。

第Ⅲ部　協調の必要性

——協力がなぜ共存共栄をもたらすか

第10章　政治とパワーシフト

新型コロナのパンデミックの拡大自体は、長い歴史におけるこれまでのパンデミックと同じく、貿易と統合という動脈を通じてもたらされた。ローマ帝国時代、貿易とそれが生み出したさまざまなつながりによって、急成長が後押しされた。だが二世紀ごろには、おそらくは天然痘と思われる感染症の拡大につながった。一世紀後、別の疫病によって貿易が混乱し、帝国の長期衰退がもたらされた。それと同時に、疫病の影響が比較的緩やかだったため、南欧のほうが大陸北部よりも相対的に優位な立場になった[1]。これと同じように、新型コロナも、グローバリゼーションの新局面をもたらすのはもちろんのこと、時代がついにアメリカ支配から中国再興へと変わる分岐点となる可能性がある。

『フィナンシャル・タイムズ』のジャーナリスト、マーティン・ウルフが指摘したように、今日の米中対立は二〇世紀初頭の英独対立を想起させる[2]。英独の対立は第一次世界大戦にまでつながり、グローバリゼーションの第一段階は崩れ去った。もしも私たちがより安全で包容力のある世界を築こうとするなら、アメリカと中国の間で高まりつつある緊張を抑え込むことが決定的に重要である。対立していては、これとは真逆の展開となる。一九一三年時点で世界の経済活動において貿易が占めていたシェアを回復したのは、一九七〇年代のことであり、実に六〇年を要した。地政学的対立はまた、地球規模のすべての潜在的驚異を高めるリスクもある。将来のパンデミックを食い止め、気候変動や核の脅威、そのほか私たちが直面するありとあらゆる生存の危機を押さえ込むには、アメリカ、中国、ヨーロッパ連合（ＥＵ）が協力し、世界の平和と安全保障に不可欠の土台を構築する必要がある。

パンデミックが加速した政治シフト

アジアの隆盛とアメリカの相対的衰退は数十年にわたり続いてきたが、パンデミックがドナルド・トランプ大統領の失政をなおさら際立たせ、アメリカの退潮に拍車をかけた。かたや中国と近隣諸国はパンデミックに比較的うまく対応しており、ほかの地域と比べて東アジア隆盛の勢いが増した。世界的にみれば、アメリカの地位は長期的停滞を経て、二〇二〇年、急激に低下した。アメリカはたしかにナンバーワンである。ほかのどの国よりも感染死者数が多いという悲劇的な事実に反映されているとおりだ。

アメリカ国内の失敗は、国際社会から距離をおく姿勢にあらわれている。トランプ大統領は、アメリカが七〇年以上にわたり粘り強く築き上げてきた国際秩序を自ら台無しにした。世界規模の協調とリーダーシップが何よりも必要なときに、アメリカは世界に背を向けた。ジョー・バイデン大統領と経験豊富な顧問団は、トランプの大統領府とさほど見栄えは変わらないかもしれないが、アメリカへの評価が内政面でも外交面でも部分的に高まりそうではある。共通の目標の達成に向けて、大きな違いを見せる可能性はある。ただアメリカへの評価が国際的に回復するには時間がかかるだろう。その間、中国の影響力は高まり続けるだろう。アメリカが単独で世界的な事柄を決定することは、二度とできないだろう。新型コロナは、中国よりもアメリカの経済により大きな打撃を与えた。中国は急速に回復し、いまや、二〇二八年までにはアメリカを経済的に凌駕すると予測されている。以前の見通しより五年前倒しだ。政治的には、パンデミックによってアメリカの優越性という認識には風穴が開き、それとともに、他国が羨むべき能力主義と民主主義を体現する理想の国という考え方も崩れ去った。経済面と軍事面における支配的パワーの喪失にアメリカがどう向き合うかによって、私たちを待ち受ける世界がどのようなものになるかが決まるだろう。対立するアメリカと中国それぞれの支配圏に結集するかたちで世界がより分裂するのか。アメリカと中国が違いを乗り越え、グローバル・リスクの低減、共存共栄の未来の創出に向け協力できるのか。この点では、ＥＵの役割がきわめて重要になる。

　ＥＵはイギリス脱退によって活性化した。パンデミックは保健医療と経済の脅威となったが、ウルズラ・フォン・デア・ライエン欧州委員長のリーダーシップのもと、ＥＵはそれらへの対応に大きな進歩をみせた。さらには、カーボン排出削減に向けた新たな環境政策にも取り組んだ。しかしながら、国際舞台で力を発揮するには、加盟二七カ国のコンセンサスを得る必要があり、これがＥＵの能力の足かせとなる。ＥＵが多角的体制で強いリーダーシップを発揮しようにも、とくにポーランドとハンガリーがその能力を削いでいる。

　この間、イギリスは、ヨーロッパの政策に対する影響力を通じ、かつては行使していた政治力を失い、危機の猛威をまともに受けている。ブレグジットによる深刻な経済不況、パンデミック対応の誤りの渦中にいるのだ。アメリカにとっては、大西洋を挟んだイギリスとの「特別な関係」など、ＥＵとの関係に比べれば、今後はるかに重要度が下がるだろう。イギリスは二〇二一年、ＣＯＰ26の気候サミットとＧ７会議のホスト国だが、これがアメリカのバイデン新政権と参加各国との初顔合わせとなる。この機会を活かせれば、気候変動への取り組みを加速できるかもしれない。さらには、世界全体で極度の貧困と飢餓を撲滅することを含め、国際的に合意された「持続可能な開発目標」（ＳＤＧｓ）実現への道に途上国を引き戻せるかもしれないのだ。この歴史的機会に向けて、イギリスがステップアップするには、援助予算の大幅削減やＥＵおよび中国との落ち着かない関係をなんとかしなくてはならない。

トランプ大統領は選挙結果を受け入れず、選挙で不正がおこなわれたという根拠のない主張を繰り返した。この状況は暴徒と化した群衆による議事堂占拠にまで達したが、これによって、民主主義のロールモデルとしてすでに落ちぶれていたアメリカの地位がさらに揺らぐこととなった。ジョー・バイデン率いる大統領府は、世界の舞台でアメリカへの尊敬を回復し、アメリカの国際的役割の重要部分を元に戻すため、何らかの対応策をとるだろう。たとえば、気候変動に関するパリ協定への即時復帰、国際保健機関（ＷＨＯ）への再加盟、国際連合分担金の支出と国連における建設的な役割強化などである。

一世紀以上もの間、アメリカの道徳的権威を蝕んできたのは、国内的には政治権力と金融の癒着、国際的には経済的・戦略的な利益の飽くなき追求だった。こうした利益の追求は民主主義的・人権的な関心事項よりも優先され、独裁者や反民主主義的クーデターに肩入れすることもあった。しかしながら、バイデン大統領の支持基盤を考えれば、その外交課題には、民主主義や人権の追求が掲げられるだろうし、ウラジーミル・プーチン大統領のような独裁者への対応もより毅然としたものになるだろう。

米中摩擦の高まりは、貿易取引の伸びが鈍化していたように、パンデミック前から明らかだった。しかしながら、パンデミックによって米中とも内向きとなり、自国の緊急事態への対応が重視されるようになった。そして、感染拡大は「中国ウイルス」のせいだとトランプ大統領が躍起になって非難すると、米中関係はさらに悪化した。

パンデミックの間、トランプ政権下のアメリカはグローバル・リーダーシップの空白状態を生み、中国はこれにつけ込む機会を得た。トランプ大統領がＷＨＯ脱退を決定したことによって、二〇二〇年五月の総会では、習主席が開会の基調講演をおこなうことになったのだ。中国はパンデミック前から積極的な外交活動を展開していたが、さらにギアが上がった。緊急事態に対応するため、先頭を切って、イタリアやアメリカなど一五〇カ国以上に必須の医療用備品を送り届けた。中国は製造業の強みを活かし、二〇〇〇億枚以上のマスク、二〇億着の防護服、八億回分の検査キットを供給できた。これにより、ワクチンの早期開発と相まって中国企業への依存が固定化し、貧困国では中国からの寄付頼みとなった[3]。

パンデミックの震源地と非難され、中国に対するイメージは高所得国では傷ついてきたが、アフリカやラテンアメリカの多くの国では、一般にヨーロッパやアメリカから拡大したのだと信じられている。中所得国および低所得国では、自由民主主義国のソフトパワー衰退は放置され、権威主義国、とくに中国とロシアのソフトパワーがなりふり構わず推進されている。緊縮政策や世界情勢への関心の低下が原因となり、アメリカ、イギリス、ヨーロッパでは外交に回される人と資金が不足するようになった。まさにそのとき、中国とロシアが外交活動を増強したのだ。このことは、海外派遣される外交官の数や対外的メディア・文化交流への資金の急増にあらわれている。

過去一〇年以上にわたり、中国は世界中で二〇〇以上の孔子学院を開設してきた。一方、イギリスではＢＢＣの国際放送、ブリティッシュ・カウンシル、在外大使館はすべて予算削減の憂き目を見た。またアメリカ国務省、ボイス・オブ・アメリカの予算も同じように減らされてきた[4]。この間、中国は「一帯一路」構想によって、贈与・借款・技術的な支援を組み合わせ、一〇〇カ国以上の案件に関わり、世界的規模でのプレゼンスを急速に拡大してきた。ロシアは自国のハードパワー行使を何ら躊躇しない。パンデミックの間に、サイバー攻撃、敵対人物の命を狙う襲撃、選挙への介入、フェイクニュース発信への支援が強化された。ロックダウンに対する市民の支持を低下させたり、反ワクチン運動を支援したりすることによって、政府への不信を広めることもあった。

これら広範囲にわたる行動があるにせよ、トランプ政権時代、多角的システムにとってもっとも脅威となったのは、中国でもロシアでもない。システム自体を守るべきアメリカこそが最大の脅威だった。

アメリカは、第二次世界大戦後ずっと世界の狩猟場の管理人という立場だったのに、トランプ政権期、もっとも危険な密猟者になった。このことがパンデミックによって白日のもとにさらされた。アメリカは地政学を自ら破砕することによって、地経学の崩壊を促したのだ。これまで第二次世界大戦後のいかなる危機においても、世界中の対応策を結集したのはアメリカだった。二〇〇八年、グローバル金融が崩壊したとき、ジョージ・W・ブッシュ大統領は世界のリーダーに呼びかけた。中国の説得に成功し、中国が世界的対応の主役となった。パンデミックの間、トランプ大統領は中国への攻撃を強め、中国をスケープゴートにして貿易上の緊張関係を悪化させた。そして、保健医療と経済の緊急事態に対し、世界中が断固たる行動をとるという展望をまったく閉ざしてしまったのだ。

政治的協力

アメリカがリーダーシップを発揮できないことによる世界政治の混乱は、パンデミック前から始まっていた。それがパンデミックを生み出したわけではないが、世界に対するパンデミックの影響を増幅した。パンデミックが経済や保健医療にもたらす課題に対し、世界が協調して対応しようにも、二〇二〇年の一年間、米中ばかりか米欧の対立が続き、うまくいかなかった。パンデミック以前から、WHOはビナイン・ネグレクト（優雅なる無視）の対象であり、すでに衰退しはじめていた。そして、パンデミック防止に貢献するはずの科学者と組織間のグローバル・ネットワークは、慢性的な資金不足に陥っていた。世界政治におけるリーダーシップの空白状態は、パンデミックを悪化させただけではない。気候変動の緊急事態に対し、大胆さを欠く対応しかできないのも、武装対立の激化やロシアによる恫喝を含め、世界の脅威に対応できないのも、リーダーシップの空白状態が原因だ。

　世界が共通の脅威に取り組むためには、有効に機能する多角的組織が是が非でも必要なのだが、モデルとすべきは、力が衰え二一世紀の目標にはまったくそぐわなくなってしまった組織ではない。国際組織の制度設計には、ラディカルな改革が必要とされている。

　パンデミック、気候変動、サイバー攻撃、抗生物質耐性、グローバル金融の崩壊など、挙げればきりがないが、これらはもはや抽象的な脅威ではない。現代における決定的に重要な課題なのだ。現在の私たちは、以前からいわれていた以上の意味で、地球村の住人である。しかしながら、私たちの村には有能な長老はいないし、共通の問題を解決するために必要な道具もない。過去八〇年にわたり、名ばかりの地域機関および国際機関で溢れかえってきたが、急速に進む二一世紀の課題に対応するには役立たない。グローバル・ガバナンスにおけるラディカルな改革が切に求められる。

　こうした変化によって、国家主権が消滅するわけではないし、地域の自立性や正統性に対するラディカルな挑戦になるわけでもない。国境内に限定され、国境内で対応可能な地域の課題に対し、国際的組織が介入することは正当化できないし、歓迎もされない。だがいまや、国境などお構いなしの脅威がますます増大している。こうした課題に対応するには、いずれにせよ国家主権について一部放棄し、さまざまな国を拘束するルールに従うといったかたちでの協調や合意が必要となる。主権の境界を越えるシステム全体の脅威に対し、協調もせず各国バラバラに取り組んでも、これまでのところ効果は上がらなかったし、これからも上がらないだろう。

これまでだって、正しい方向に進むのにそれほど多額の掛け金が要るわけではなかった。それでも、今後の見通しはよくない。過去一〇年の状況から判断すると、新たな問題は、別の目的のためにつくられた古い組織に対し、丸投げされるだけになりそうだ。ＷＨＯ、国連、国際通貨基金（ＩＭＦ）、世界銀行、その他の国際機関のいずれも背負わされる課題が多すぎ、次から次へと指令を発することができなくなっている。私たちはグローバル・ガバナンスを設計しなおす必要がある。それによって、既存の組織にはきちんと定められた管理可能な権限を与えるようにする。旧来の組織の手に余るときには新たな機関を立ち上げる。ローカルからリージョナル、グローバルにいたる統治主体間の協調を恒常的かつ効果的におこなう。実現すべきはこうしたことだ。包容力があり持続可能なグローバリゼーションの促進に向けたルールを共有するシステムの構築が、いますぐ必要である。

昨日の組織は今日の問題に対処するためつくられたものではないが、ありがたいことに、まだ遅くはない。強い行動に出なければならないが、もし、私がオックスフォードの同僚ンガイル・ウッズと考えた五つの中心原理にもとづいておこなわれたら、そうした行動は効果的なものになるだろう。第一に、グローバルな行動の必要性はグローバルな問題に限定するという原理である。地域の管轄主体は重要だし、国内や地域の諸問題に対し、それぞれのやり方で対処し続けなければならない。第二に、すべての人を国際交渉に巻き込まなければならないわけではないが、主要関係者の参加は必須とする。たとえば、最大の原因を生み出している主体がもしも気候変動協定の縛りを受けないとなれば、こうした協定は何ら機能していないことになる。第二の原理は、改革行動の中心に据えられなければならない。主要関係者は国家であるとは限らず、後述のとおり、企業や都市、地域コミュニティも問題の解決には非常に重要である。第三に、行動は効率的でなくてはならない。すべての人を巻き込む組織は大きすぎて非効率だ。問題解決にあたり重要な役割を果たせる中心的主体に限定したほうが機敏に対応できるので、そのほうがよい。たとえば、小さな島嶼国モルディブでは、海面上昇による浸水被害に見舞われているが、温室効果ガスの排出にはさほど関与していない。それゆえ、モルディブは気候変動をいかに抑止するかという問題に関与する必要はない。しかしながら、地球温暖化の影響にどう対処するかについての交渉には参加する必要があるだろう。第四に、有効なグローバル・ガバナンスには正統性を要する。一つのシステムであるためには、各国がゲームのルールの一部に同意できない場合も、審判の裁定は受け入れるという場でなくてはならない。第五に、行動には大きな強制力をともなわなければならない。強制力がともなわなければ、いずれの原理も何の役にも立たない。

　将来のパンデミック抑止は最上位の政治課題である。パンデミックはどこからでも、どこにでも広がるという意味で、すべての国々が協調すべき唯一のグローバル危機だ。これ以外の危機は、はるかに小規模の参加者によっても解決できる可能性がある。たとえば、世界核戦争を引き起こす可能性があるのは九つの国だし、金融システムで重要となる国の数も同じように限定的であり、グローバル金融の崩壊を招くのもこうした国になりそうである。温室効果ガスに関しても、上位一〇カ国で三分の二以上を排出しており、気候変動の緩和に向けて抑止されるべきは、こうした国々による排出だ。実際、アメリカ、中国、インドのわずか三カ国にEUを加えれば、世界のカーボン排出の三分の二以上となる。上記のような非常に重要な課題について、世界全体で合意しようとすれば、暗礁に乗り上げる可能性が高い。国際交渉への参加国が増えるにつれて、コンセンサスを得るのは難しくなるからである。ほとんどの問題は、もっと小規模の集団で解決可能だ。こうした集団には、国家・都市・企業・地域コミュニティからなる一定規模の連合形態を含めてもよい。

二一世紀の問題に対処するには、これまではほとんど政府だけに依存していたシステムに対し、新たなアプローチをとらなければならない。システムが第二次世界大戦後に生まれたことを考えてみれば、驚くほどのことではない。当時は、少数の国が全権力を握り、市民社会や都市、企業は、政治的役割という点で今日ほど重要ではなかったからだ。

たとえば、次なる金融危機を阻止するには、十数社程度の銀行と金融会社を厳格に規制する必要がある。これらの本社機能を抱えるひと握りの国は、企業行動を監視しコントロールできるグローバルな規制当局と協調しながら責任を果たさなくてはならない。気候変動を緩和するには、合計すれば世界のカーボン排出で優に三分の二以上を占める米中印の三カ国とEU加盟国が、緊急行動をとることがとくに重要だ。同じ考え方は、サイバー攻撃、抗生物質耐性、核兵器、武装対立やテロリズムといったほかの脅威にも適用される。都市や企業といった非国家主体からなる一定規模の集団と協調しながらではあるが、少数の国で、問題解決に向けたきわめて大きな貢献を果たせる。

パンデミックに関しては、こうはいかない。どこからでも発生しうるという点で特異な脅威だからである。多くの政府は、内向きの反応を示した。国境を閉じ、備品やワクチンの調達競争に邁進した。こうしたナショナリズムによって、ワクチンを世界に配分し、新型コロナを封じ込めるために重要な取り組みが台無しになりかねない。そのうえ、経済不況に対処することも、いまよりはるかに危険になりかねない次のパンデミックに備えることも難しくなる。いま、そして将来の大惨事を防ぐため、政治的協力が必要なのは明らかだ。

協力できなければ、世界の安定を脅かしかねない危機が次から次に襲いかかり、犠牲を増やすばかりとなる。

歴史的にみれば、国連やブレトンウッズ機関が第二次世界大戦後の廃墟から不死鳥のごとく立ち上がったように、グローバル・ガバナンスの改革を推し進める力は悲劇のさなかに生まれてきた。今回のパンデミックは、ふたたびそうした契機を生み出した。無駄にしないことが非常に重要だ。グローバル・ガバナンスは現代における唯一無二の課題といってよい。時代遅れとなった諸機関の武器庫には、現在、保健医療、平和、安定、繁栄に襲いかかっている脅威に立ち向かうだけの対抗手段が残されていない。好むと好まざるとにかかわらず、私たちはみな、この渦中にいる。この状況に応じた行動を開始するときがきている。

パンデミックとポピュリズム

パンデミックは国内および国家間の不平等を際立たせた。こうして不平等が拡大すると、伝統的政治家に対する幻滅が広がりかねない。周辺に追いやられたと感じている人々のニーズに鈍感な政治家、とみなされてしまうからである。金融危機後に起こったのと同じように、このままでは、経済政策の失敗をエリートと外国人のせいにするポピュリストのリーダーたちへの支持が高まることになるだろう。

パンデミックは不平等を深刻化させるとともに、個人の自由をめぐる問題を政治の中心に押し上げた。これによって、意見の両極化がさらに深まった。アメリカでは、リバタリアンによる抗議行動の高まりに、これが如実にあらわれた。トランプ大統領とソーシャルメディアに煽られたものだが、フェイクニュース、裏ニュース（parallel news）の世界がエスタブリッシュメントに対する反感の火に油を注いでいる。危険なことに、ますます多くの人がソーシャルメディアで垂れ流される陰謀論にとらわれ、人によっては、パンデミックはただのドッキリだとか、ワクチンには行動をコントロールするためのマイクロチップが埋め込まれているだとか主張するまでになっている。印刷物による嘘の拡散には規制ルールがある。このルールを拡張して、ソーシャルメディアのプラットフォームに、すぐにでも適用する必要のあることがパンデミックではっきりした。罪のない人の命の危険を招きかねない事案は、とくにそうである。命に関わる感染症の蔓延阻止に向けた努力を無にしないようにするのと同じだ。

　自身には何の落ち度もないのに、突然、世界中の何百万もの人々の生活環境が悪化すると、どのような政治的結果がもたらされるだろうか。予測もつかない。こうしたことが二〇〇八年の金融危機後に起こったときは、市民の怒りが高まり、ポピュリズムが台頭した。市民は、その後一〇年にわたり、この重い代償を支払わされた。専門的知識よりも世間受けする言葉探しに熱心な、未熟なリーダーばかりだったからだ。小さな政府と減税を推し進めたポピュリストは、国内および国際的な執行機関の効力を削ぎ落としてしまった。

　アメリカやイギリス、そして多くのヨーロッパ諸国では、政府の能力が低下していたうえに、リーダーがパンデミックのコントロールに失敗した。緊縮政策と保護主義で負ったまま完治していない傷が、これによって悪化したのだ。世界的には、パンデミックによって、これら民主主義国と中国との緊張関係がさらに深刻化した。オーストラリアのように、輸出先として、また留学や観光の上客である中国に強く依存している国々でさえ、いまではぎくしゃくした関係となっている。

　多くの人がパンデミック問題で中国を非難し、一般的論調は反中国に急転した。ウイグル族の処遇や香港の民主主義抑圧に関する懸念が高まったことで、こうした論調に拍車がかかった。中国はパンデミックから迅速かつ確かな足取りで回復し、自信を深めたが、問題はそれが欧米でどう認識されているかだ。新冷戦という事態を回避するためには、両者の間で広がる溝を埋める必要がある。パンデミックにもかかわらず、二〇二〇年、中国経済は二%の成長をみせたが、そのほかの経済大国はすべて低迷状態だった。

民主主義の成否は〔市民による〕政治的同意と〔同意内容を実現する〕政治的力量にかかっている。ニュージーランドのジャシンダ・アーダーン首相、ドイツのアンゲラ・メルケル首相は、市民の自由を制限する厳格な措置をとったが、その力量と率直な言葉によって強く幅広い支持を勝ち取った。かたやトランプ大統領やボルソナロ、エルドアン、オブラドール、プーチンその他の面々は、健康への懸念を大げさだと言い、エセ科学を広め、自国ばかりか国際的な保健医療機関を公然と否定した。社会的価値より個人主義を強く推進し、専門家のアドバイスに逆らうことを常としていたポピュリスト指導者の三人――トランプ、ボルソナロ、ジョンソン――が、コロナウイルスにいち早く感染した政治家だったのは、偶然の一致ではない。彼らは、科学的アドバイスを否定し、ロックダウンを遅らせたことによって、ウイルスの急拡大を許してしまった。リーダーがWHOのガイドラインに実直に従った国では、これほどの急拡大は起きなかった。

アメリカ、イギリス、ブラジル、イスラエル、インドといった国々では、パンデミックによってポピュリスト政治家の脆弱さが露呈した。リーダーを選ぶ次の機会にどのような投票行動をとるべきか、市民にとっての判断材料が示されたのだ。とはいえ、ポピュリストのリーダーに対する支持の強さを侮ってはいけない。市民は、伝統的政治家が何代にもわたり、自分たちの声を代弁してくれなかったと憤っている。ポピュリストのリーダーは、こうした市民の怒りにチャンネルを合わせている。二〇二〇年一一月、アメリカの大統領選挙では、悲惨なパンデミックとそれにともなう経済の崩壊によって、トランプ大統領の二期目は実現しなかった。にもかかわらず、実際、彼はなおも七四〇〇万以上の票を獲得し、二〇一六年、大統領に選出されたときより一一〇〇万票も上積みした。この事実に示されているのは、深刻化する不平等と失業、そしてバイデン大統領が体現する政治的エスタブリッシュメントに対する怒りの根深さ、これらの影響がいかに大きいかということだ。

パンデミックが伝統的政治家への支持を高めた国も多かった。危機に見舞われているときには、伝統的政治家への信頼が高まるのが普通だ。ユーガブ（YouGov）が二六カ国でおこなった世論調査によれば、二〇二〇年には、調査対象となったヨーロッパの八カ国すべてを含め、ポピュリスト的思想への支持が急落した[5]。アメリカ、ロシア、トルコで権力を握るポピュリストは新型コロナが健康および経済にもたらす恐ろしい状況から市民を守れず、彼らの主義主張は受け入れられなかったのだ。ヨーロッパでは、パンデミックによって極右ポピュリスト政党の勢いが反落した。オーストリア自由党、ドイツのための選択肢（ＡｆＤ）、イタリア北部同盟、イギリス独立党（ＵＫＩＰ）への支持は崩壊した。それでも、伝統的諸政党の混乱によって、フランスではマリーヌ・ル・ペン率いる国民戦線、スペインではボックス（Ｖｏｘ）が力強いプレゼンスを維持していた。このほか、失政にもかかわらず上昇したトランプ大統領への支持、議事堂占拠で示された行動の過激化、さらにはラテンアメリカにおけるポピュリストリーダーの復活もみられる。これらに鑑みれば、実際には、ほかの地域におけるポピュリストの弱体化は一時的現象にすぎない可能性がある。

危機のさなか、すべての世代が苦しんでいるが、とくに影響を受け続けているのは貧困層と若者である。二〇二〇年、パンデミックが襲いかかったとき、南欧はまだ二〇〇八年の金融危機から回復しておらず、スペインやイタリアの若年失業率は、なおも三〇％を超えたままだった。「経済的苦痛は膨れ上がる傾向にある。現在の低賃金は将来の低賃金につながり、これがその後の貧相な年金へとつながる。……高齢者にとっては、不況は道路のくぼみのようなもので、ほとんどの人はタイヤがパンクすることもなく、車を動かせるだろう。だが南欧の若者にとっては、巨大なすり鉢のようなもので、そこから抜け出すのは難しいだろう[6]」。一九八〇年代および一九九〇年代に生まれたミレニアル世代は、時代のもたらすご褒美が約束されていたはずだった。冷戦の対立を乗り越え、市民はどの国でもグローバリゼーションの恩恵が得られるはずだった。人々の願いは打ち砕かれた。まずは金融危機によって、その後はパンデミックによって。

人は二〇代半ばから後半に、政治的立場が固まる傾向がある。したがって、若者がこれまでに経験した二つの危機によって、今後、その政治的影響はかなり長く続くかもしれない。北欧では、金融危機の間、若年失業率が一一％を超えたことはなく、新型コロナ禍前は五％を下回る傾向にあった[7]。その結果、北欧の若者は自分たちの収入や仕事の将来性について心配することはほとんどなく、政治的関心は「非物質的」問題、すなわち環境、人権、ジェンダー、平等、そして価値観や文化の問題に向けられることが多かった。

このことは、二〇一九年、ヨーロッパでおこなわれた選挙の結果に反映されていた。北欧では欧州議会選挙で緑の党の議席が倍増となり、移民・難民の各国社会への文化的融合に関わる問題が大きな関心を呼んだ。これとは反対に、南欧では、雇用や収入が中心課題であり、緑の党は議席を伸ばせなかった。若者はラディカルな経済的代替案を唱える政党を支持することで、自分たちの置かれた苦境への怒りを表した。いまや、スペインの若者の三分の二が民主主義への不満をぶちまけている。それが極右のボックス、極左のポデモスといったポピュリスト政党伸張の土壌となっている。イタリアでは、二五歳から三四歳の有権者のほぼ半数が極右の北部同盟や左派ポピュリスト政党の五つ星運動を支持した[8]。真正の国家主義的右翼政党「イタリアの同胞（ＦＤＩ）」はパンデミックの恩恵を最大限享受し、得票率を五％から一六％に伸ばした。反体制的かつ伝統的な価値観を具体化し、新型コロナに生活を破壊された何百万という人々の暮らしの改善を約束するという意味では、北部同盟以上に有力な存在となった。

一九八〇年以後生まれの有権者がさらに大きな比率を占めつつあり、これにより各世代にとっての政治の姿が変わりそうだ。今回のパンデミックによる経済不況ばかりか、三〇代で二〇〇八年の金融危機を経験している人もいるので、四〇歳以下の人たちは、年長者が同年代だったころよりも、平均的にかなり貧しい状況にある。彼らの実質的な手取り額は、金融危機前の水準をいまだに下回っている。現在のイギリスの三四歳は、一〇年早く生まれた人が三四歳のころよりも、資産が四分の一少ない[9]。彼らはまた、将来的な雇用が見通せず、借金が膨らみ、増税に苦しみ、不動産にも手が届かない。大学生に関するイギリスのある調査によれば、パンデミックの結果、半数以上の学生の政治意識が高まった[10]。こうなってくると、これからの政治に新しい風を吹き込む政党、よりラディカルな改革に向けて本当の道筋をつけようという政党への支持につながるだろう。そうならなければ、驚きだ。

ラディカルな改革の要求

パンデミックによって、個人主義の時代は終焉を迎える。個人主義について、マーガレット・サッチャーは「社会などというものは存在しない。……自助がわれわれの義務だ」と言い、ロナルド・レーガンは「政府がわれわれの問題を解決するのではない。政府が問題なのだ」と言った[11]。パンデミックによって、イデオロギーの振り子は左に触れ、政治家や専門家は政府や共同体の重要性を口にしはじめた。

かつてビル・クリントンは「経済こそが重要なのだ、愚か者」と言ったが、人々の投票行動を予想するのにいちばん良い方法は、経済そのものよりも、ウェルビーイングを求める有権者の主観的感覚に注目することだ。ウェルビーイングは経済にとどまらず、健康や将来への不安にも左右される[12]。伝統的政治家が人々を日々高まる不安から守れなければ、選挙でしっぺ返しを食らうだろう。金融危機は、私たちにトランプとブレグジットとポピュリズムをもたらした。アメリカでは、過半数にはいたらなかったものの、かなりの人数がなおもデマゴーグに従っている。それでも、実績と経験のある人が過半数を獲得した。ヨーロッパその他の地域でも、アメリカと同じように、権力の座にあるポピュリストの無能さに気づいた有権者が実績や経験の重視に転換するかどうか。それはまだわからない。

家族、となり近所、地域コミュニティが一致団結してパンデミックのもたらす共通の脅威に立ち向かうなかで、国を二分する（とりわけブレグジットをめぐるイギリスにおけるほどの）軋轢は、短期間のうちに克服された。保健医療、コミュニティ、家族がこれまで以上に重要になったのだ。だがパンデミックは、私たちのコミュニティにおける新たな断層も明らかにした。とくに顕著なのは、パンデミックのまっただなかで大統領選挙がおこなわれたアメリカだ。投票日当日、一〇〇万人以上の感染者が出たが、トランプ大統領支持者の多くが専門家を無視し、マスクの着用を拒んだ。

パンデミックの間に、連邦捜査局（ＦＢＩ）すら驚愕するほど、戦闘的リバタリアニズムが台頭し白人優越主義思想への支持が高まった。ＦＢＩは、極右自警団をアメリカ社会に対するもっとも過激な脅威とみなしていた[13]。パンデミックの間、連邦政府と各州政府との緊張が高まった。こうした状況には、価値観をめぐる両極端の根深い対立が反映されていた。根深い対立をもっとも顕著に示していたのが銃の販売だった。二〇二〇年の最初の九カ月で一七〇〇万丁以上が売られ、それまでの年間売上を凌駕し、一般用モデルの不足を招くまでになった[14]。

多くの国では、パンデミックによって貧困層および中間層の将来展望が急転し、苦しめられることになった。不平等が拡大すると同時に、経済のパイ全体も縮小したからである。数多くの国で、経済の不確実性が高まると同時に、民主主義が脅かされているとの懸念も広がった。危機によって神経をすり減らし、心を引き裂かれた人々の怒りが爆発したからだ。疲れ果て、パンデミックの危険にさらされていたにもかかわらず、二〇二〇年、通りに繰り出す人々の数はますます増えていった。アメリカでは、ほとんどの都市で抗議活動が起こった。イギリスやヨーロッパも同様だった。ラテンアメリカでは、政府に対する抗議の波がブラジル、ボリビア、チリ、コロンビア、エクアドル、ペルー、ベネズエラへと押し寄せた[15]。これらと同じように、抗議活動はベラルーシ、キルギスタン、カザフスタン、香港、タイ、インドネシアのほか、南アフリカ、マラウィ、コートジボワール、ナイジェリアでもみられた。

二〇二〇年五月二五日、アメリカで一人の黒人男性、ジョージ・フロイドが警官によって殺された。ブラック・ライブズ・マター運動は、これに抗議する自発的運動として沸き起こったが、一週間のうちに世界の一〇〇カ国以上で抗議活動が繰り広げられた。デモの参加者は、フロイドの生前最後の言葉である「息ができない」を口々に繰り返した。「息ができない」という言葉は、警官に殺されたもう一人の犠牲者、エリック・ガーナーからも発せられていた。あれからまだ一〇年もたっていないが、あのときには世界規模での抗議活動は起こらなかった[16]。でも、こんどはその言葉が心に刺さったのだ。共にあるという感覚が共有され、それが不平等の拡大と相まって市民の行動を促し、二〇二〇年には公民権をめぐり全米で八五〇〇以上のデモが発生した[17]。新型コロナが私たち個々人の優先順位を大きく変えただけではなく、映像や情報がソーシャルメディアその他に乗って世界中に急拡大した。大規模デモの背景には、こうしたことがある。黒人やアジア系その他の少数民族グループが直面する不正義は、いまに始まったことではない。だがパンデミックによって不平等が拡大し、それが誰の目にも明らかになった。少数民族出身者は、死ぬのも、重病にかかるのも、仕事や収入を失うのも、白人よりそうした目に遭う可能性がはるかに高かった。新型コロナによって意識が高まり、構造化した不平等を終わらせることの重要性が明らかになったのだ。

エリック・ロナーガンとマーク・ブライスが共著（*Angrynomics*）において描き出したとおり、ポピュリストの怒りとは、グローバリゼーションと成長の恩恵を共有できなかったことに由来している。二人が明らかにしたように、一九八一年から二〇一七年の間、イギリスの国内総生産（GDP）は二倍になったのに、フードバンクの利用者は一〇〇〇％も増えた[18]。二人によれば、エリートに対するまっとうな怒りの奥底では、正義が果たされていないことへの憤怒が渦巻いており、それこそがブレグジットやポピュリスト政治家への支持につながっている。新型コロナがこうした不平等を拡大した以上、怒りが増すのは確実である。

　経済のメインストリート〔実業〕とウォールストリート〔金融・証券業〕との断絶が広がれば、政治的分断が深まり、二〇〇八年の金融危機によってもたらされたシステムへのショックが増幅されてしまうだろう。金融危機こそが、トランプ大統領の選出、イギリスにおけるブレグジット、イタリア、スペイン、ギリシャ、フィリピン、ブラジル、メキシコ、インドその他、多くの国々におけるポピュリスト政治家の勝利に向けた環境を醸成した。

　私たちがコミュニティの重要性に目覚め、不平等増大への意識を高められれば、新型コロナは、包容力を増す一方、不平等を許さない政治にシフトするための、まさにきっかけとなりえる。普通の人々を代弁すると主張し、極右政党と極左政党、中道政党が競い合うことになる。危機のときには、市民はひとつの旗印のもとに集まりやすく、ラディカルな変化に身をゆだねがちとなる。問題は、どのような旗に集まり、どのような変化を支持するのかということだ。

市民の自由に対するパンデミックの打撃

状況改善の希望が打ち砕かれたとき、怒りが増大し、政治の先行きはさらに不透明となる。したがって、権威主義的本能に駆られた政府もそれに対応するような行動に出る。抗議行動や市民の自由に対する攻撃を強めるのだ。パンデミックはどの国の政治家にも権力増強の手段を与えた。

　ハンガリーでは、ヴィクトル・オルバンが間髪入れずにこの機会を利用した。二〇二〇年三月三〇日、「新型コロナ法」を施行し、これによって、期間を定めることのないまま、大統領令による支配という無限の権力を獲得したのだ[19]。ひと月も経たないうちに、四八もの国が緊急時の権限を手にした。その典型的中身といえば、移動の権利の制限、メディアに対する検閲の容認、集会の禁止などであり、多くの場合、議会機能の一時停止が盛り込まれている。ベラルーシでは、ヨーロッパ最長の支配を続けるアレクサンドル・ルカシェンコ大統領は、再選が怪しくなったとき、一般大衆の暴動を抑え込もうとした。彼の庇護者であるウラジーミル・プーチンも同じようにパンデミックを利用し、政治的反対勢力への抑圧をさらに強めた。アゼルバイジャンでは、反対勢力を黙らせることは「歴史的必要性」という理由で正当化された。ヒューマン・ライツ・ウォッチが「異議を唱える者への弾圧の悪循環」と称する事態を招いているが、新型コロナウイルスがその口実となっている。これによって、ナゴルノ・カラバフのアルメニア人居住区への攻撃に乗り出した大統領の権威を高めようというわけである[20]。

　各国政府は、緊急事態に乗じて、反対や異議を唱える者を抑圧し、より権威主義的な手段に訴えてきた[21]。マイノリティや市民社会への攻撃は日常茶飯となり、平和的反対運動にも、ラディカルだの、暴徒だのとレッテルを貼ってきた[22]。二〇二〇年には、民主主義や人権が八〇カ国以上で後退した。パンデミックによって、冷戦終結後三〇年でもっとも急激な退潮がもたらされたのだ[23]。

　パンデミックのときのように、不安を感じたとき、人々は外国人嫌いの度を強め、アウトサイダーと認識されるグループや移民への支持が弱まる傾向にある。自分たちの病を他人のせいにするのが簡単になる。インドでは、モディ首相がムスリムを「大感染源（super-spreaders）」として非難した。[24] ブルガリアでは、ロマの居住区が厳しさを増すロックダウンに苦しめられた。トルコでは、宗教的権威者がゲイを非難した。マレーシア当局は移民労働者を非難した。アメリカでは、トランプ大統領が中国人を非難した。そしてイギリスでは、パンデミックを機に内務大臣プリティ・パテルが移民および難民への敵対姿勢に拍車をかけた。難民申請者は南大西洋の孤島に送り込むべきだとし、彼らを支援する弁護士を非愛国的だと決めつけるまでになった。[25]

これまで強固な民主主義を誇っていた国でさえ、保健医療の緊急事態に直面し、プライバシー・追跡調査・安全性のバランスに変化が生じた。ロックダウンの実施という、戦時を想定した緊急対応の権力行使が世界中でおこなわれたが、さほど大きな反対は起こらなかった。アメリカは例外で、主に過激なリバタリアンから反発があり、ヨーロッパでも小規模なデモが発生した。保健医療関連アプリの幅広い活用から明らかなように、国家による大規模な追跡調査は国民に受け入れられた。こうしたアプリでは、市民の位置情報、接触履歴、言葉のやり取りが共有され、以前なら神聖不可侵とされたプライバシーのレッドラインを超えている。

新型コロナへの対応を一手に差配してきたのは、政府だった。保健医療や経済面の緊急需要への取り組みについて、どの国の市民も注視しているのは、企業のリーダーではなく、政治のリーダーである。ロックダウンで示されたのは、政府の絶対的権威であり、国益がすべての商業的利益や個人的利益を上回るということだ。

信頼と政治システム

権威主義的政府と民主的政府のどちらがパンデミックにうまく対応してきたのかについては、いまだ結論は出ていない。ともに大きな失敗を犯すとともに、そこそこの成功も収めたからだ。お粗末な成果しか上げられなかった国には、ロシアのような権威主義国もあれば、アメリカ、イギリス、スペイン、ブラジルのような民主主義国もある。うまく対応した国についても、中国、ベトナムのような権威主義的政府もあれば、台湾、韓国、ニュージーランド、ギリシャのような民主的政府もある。民主的政府のなかには、早期のロックダウンや接触履歴調査に向けて社会がひとつになり、支持を取りつけてもっともうまく対応した事例も見受けられた。女性リーダーの国も多く、とくにニュージーランド、台湾、ノルウェー、フィンランド、アイスランド、デンマーク、ドイツには注目すべきだ[26]。

パンデミックによって、多くの国では信頼が崩れ去ったが、回復した国もある。先進諸国では、パンデミックに見舞われるずっと前から信頼は崩壊し、苦境にあえいでいた。不平等が拡大し、一般市民の感じる苦痛と株式市場の高騰に大きな隔たりが生まれ、市民の間ではますます信頼が失われていった。

二〇〇八年には、金融危機を招いた政府高官や専門家への信頼が失われた。今回、専門家は立場を守ったが、パンデミックのもっとも深刻だった国では、政治家が非難の的となった。例外は、政治家が一歩引いて、国家疫学官のアンデシュ・テグネルに政策の指揮を任せたスウェーデンである。政策が保健医療を悪化させる結果となり、専門家がわかりやすい非難の的となってしまった。

パンデミックを悪意ある政府もしくは個人のせいにする陰謀論が満ち溢れている。アメリカでは、三〇%の人がパンデミックは実験室から生み出されたと信じていたし、三五%の人がワクチン接種を拒否すると答えた[27]。私たちが直面する大きな脅威に立ち向かおうとすれば、それが将来のパンデミック、核戦争、気候変動、サイバー攻撃を含め、いかなるものであれ、私たちには専門家の意見に耳を傾けることが求められるし、専門家は事実を伝える能力を向上させなくてはならない。

政治家どうしの信頼も決定的に重要である。二〇二〇年には、国家間はもちろん、国内でも実際に顔を合わせることが難しくなった。Ｚｏｏｍでは、新たなつながりを生み出し、親密な関係を築き、信頼を構築することなどできない。Ｚｏｏｍは「重要なことが起こる」決定的瞬間に居合わせる場を提供できない。歴史の流れは、実際こういう場所で変わってきた。それまで敵対していた者どうしが共通の目標に向けて一堂に会し、コーヒーブレークや食事をともにしながら交流を深め、関係を築いていくものなのだ。

二〇二〇年九月の国連の七五周年行事、二〇二〇年一一月のＧ20会合はバーチャル会場でおこなわれ、場所やセキュリティの制約もなく、幅広く各方面からの参加が認められた。そして、参加には費用がかからなかったし、不便もなかった。しかしながら、廊下やコーヒーショップでの会話がなく、事前に作られた台本以上のことは、ほとんど実現しなかった[28]。また両イベントのメディア報道は、近年の扱いと比べれば三分の一以下だった。通常、大きな国際会合には各国報道陣が随行し、ジャーナリストと参加者の交流の機会ができる。両会合の報道が少なかったのは、随行報道陣のいなかったことが一因である。

家庭や職場でもっとも強い絆や親密さが育まれるのは、食事やリラックスの時間を形式ばらずに共に過ごすからだ。これは、グローバルな問題の解決に向けて私たちが頼りにする政治家や外交官、さらにはさまざまな情報を提供して私たちに影響を与えるジャーナリストについてもあてはまる。必要なのは、より緊密なつながりだ。そのようなとき、リモートでつながるだけでは疎遠でバラバラな世界がもたらされかねない。

政治の救済

マンガのルーニー・テューンズでは、ワイリー・コヨーテがロード・ランナーを追いかけると、お決まりのとおり、崖の淵からはみ出てしまう。しばし空中にとどまるが、そのあと彼の不運が現実となり、まっすぐ地面に落ちていく[*1]。私たちの国のリーダーもワイリー・コヨーテと似たようなものだ。彼らは魔法の杖で一二兆ドルを引っ張り出して会社や労働者の破産を防ぎ、有権者の信頼を維持した。保健医療の逼迫が最悪の状況にある間は、待ち受ける運命を先延ばしにできた。だが、現金注入のアドレナリンが切れるや否や、失業と倒産が急上昇した。政治的審判はもはや先延ばしできない。

エコノミストのダイアン・コイルが分析したとおり、新型コロナは社会のX線撮影をしたようなものだ。これによって骨折や病気、すなわち不平等、必要なサービスの資金不足、会社のスキャンダル、さまざまな制度の脆弱性が明らかになった。また、これら諸問題を把握し解決する任にある専門家やリーダーが、いかに不適切な対応しかできていないかがはっきりした[29]。

いざ危機となったとき、真価が問われる。スローガン頼みのポピュリストは権力の座に就いてはいけなかった。結局のところ、パンデミックは、うまく対処できない国に政治的な時限爆弾を仕掛けたことになる[30]。政府への信頼は崩れ去り、フランス人の七八％、イタリア人の七一％、それよりはるかに多くのイギリス人が自国のリーダーを信頼していない[31]。

この結果、変革を求める気運が高まっている。約九〇％の人が、企業による「海外タックスヘイブンの利用停止」「すべての労働者に対する公正な賃金の保証」を求めている[32]。さらには、大多数の人々がグリーン・ニューディールを支持し、ヨーロッパではとくにそうなっている。若者に対しておこなわれた調査によれば、アメリカでは八二%がブラック・ライブズ・マターの抗議活動を支持している[33]。変革を求めているにもかかわらず、アメリカ、イギリス、ヨーロッパでは、三分の二の人々が変革は起こりそうにないと思っている。凝り固まった権力が現状を維持すると信じているのだ[34]。ただ元に戻るだけなら、たしかにこれでよい。しかし、本当の変革を目指すときがあるとすれば、それはいまだ。

変化を続けるには、私たちの運命を決定づける政治家が企業に囲い込まれないようにしなくてはならない。アメリカでは、二〇二〇年一一月の大統領選挙に一四〇億ドル以上かかったし、連邦議会の一議席には、宣伝活動やその他の支払いで最低一〇〇〇万ドルかかる。したがって、政治家が議席に着くまでには、多くの資金提供者やロビー団体にどっぷり依存することになる。汚職は社会にいつの間にか忍び寄る癌のようなものであり、政府が普通の市民のニーズを代弁しようとするなら、それを食い止められなければならない。自己都合で選挙区の区割り操作がおこなわれたり、アメリカには選挙人制度があったりと、選挙の妨げとなるものが結果を左右することも多い。たとえそうであったとしても、リーダーを投票で選べる恵まれた国では、選挙で政府を選択するのが普通なのだ。

私たちはパンデミックを経験し、リーダーになりたいという人物について、そして彼らの政党の取り組みが自分たちの利益に沿うものかどうかについて、以前よりもじっくり考えられるようになった。その際、留意すべきは、減税を含めた短期的利益を優先しないことである。自分の生活や他人の幸福を守るためには、短期的利益よりも重要な長期的要件があるからだ。

政治では、緊急性が重要性を押しのけてしまう。短期的な要求が注目される一方、長期的な徐々に忍び寄る脅威は放置され、蔓延していく。危機のさなかは、そのことだけに没頭しがちだ。こうして危機管理に集中すると、長期的変化の可能性が萎みかねない。目先の課題ばかりが広がり、一般市民は日常に戻ることばかり訴えるので、政治家、公務員、社長は、長期的政策目標がそっちのけとなる。
社会を正常化しパンデミック前の世界に戻ろうと政治家が頑張ると、改革に向けた過去の約束が忘れられたり、後回しにされたりする危険がある。パンデミックの後始末を優先するからだ。とくにそうなりそうなのが、世界的規模での人権の追求、気候変動の抑止、そのほか大きな脅威への対応といったことなどだ。メディアが新型コロナやその直接的影響に関わる話ばかり取り上げてきたので、政治家もそうなってしまった。彼らの行動はニュースの見出しで左右されるし、ソーシャルメディアで繰り返される言葉に影響されることも多くなっている。昔は紙の新聞を発行する新聞社や国民的ブロードキャスターの数が限られていて、これらが世界に関する見方を二四時間の周期で報じていた。そのころ、政治家はメディア貴族と協力しながら、取り組むべき課題の設定や市民の合意形成をいまよりもはるかに大きな範囲でおこなうことができた。いまの政治家は、四六時中、反応する政治的情報合戦に関わりすぎている。

歴史が教えるところによれば、破壊的な戦争、飢餓、パンデミックは、大規模な社会的・経済的な変化のきっかけになることが多い。私たち市民が変化を望むなら、メディアと政治家はそれに従うだろう。

第一次世界大戦によって、また、対応があまりに不十分で大不況が大惨事にいたるのを阻止できなかったことによって、その後は悲惨な状況に陥った。一九四〇年代の政治家はこれを目の当たりにして、根深い問題を克服し長期的目標を達成するには、迅速な行動と高い目標設定が必要だと認識した。ウィンストン・チャーチルとフランクリン・ローズヴェルトの構想によって長期的な世界平和が生み出され、新たな世界秩序が整えられた。不況で負った深い傷は、アメリカとイギリスでは、労働者の優に半分以上が失業する事態となって現れた。だからこそ、アメリカでニューディールが実施され、〔イギリスにおいて〕一九四五年の選挙で〔労働党への〕記録的揺り戻しが起こり、クレメント・アトリーにラディカルな改革が負託されることとなったのだ。これらの改革が目標としたことの意味は、一九七〇年代までには蹴散らされ、一九三〇年代と一九四〇年代の教訓は忘れられてしまった。政府が社会の直面する問題の根源とみなされることが多くなり、これによって、成長に向けた産業政策が廃止され、高税率で再分配重視の福祉システムが衰退することとなった。当初、イギリスでこうした政策転換を目指したのは保守党政府だったが、トニー・ブレアの「新たな労働党」政権でも堅持された。アメリカでも、クリントンおよびオバマ両民主党政権は、レーガン＝ブッシュ時代の減税方針を覆せなかった。

国家のビジョンと能力が狭められることの意味はこれにとどまらない。新たな危機が生じたとき、対応が不十分になり、それによって、国家的・集団的な危機管理がますます手薄になっていくのだ。一九七〇年代の原油価格高騰への対応が不十分なうえに遅れたことによって、世界経済が危機に陥った。イギリスその他、多くの国がＩＭＦに支援を仰がざるをえなかった。このときと同じく迅速かつ断固たる対応に失敗したことで、一九九〇年代のアジア危機の影響が大きくなってしまった。二〇〇八年の世界金融危機、二〇一〇年のユーロ危機、二〇二〇年の新型コロナのパンデミックも同様だ。

世界金融危機でも、さらには今回のパンデミックでも、政府や国際機関の対応では、より大規模な経済支援が必要との認識が遅れてしまった。パンデミックの間、マネーサプライや政府の企業支援が劇的に増加したということは、支援の必要性は悟ったということだ。だが悟れていないことがある。保健医療や経済は危機の真っ最中にあるが、ただこれに対処するための短期的な緊急行動に支援を限定していてはいけないということだ。根本的な原因に対処しなければ、危機はエスカレートするだろう。つまり、もっと長期的な視点でのシステムチェンジが必要なのだ。民主主義においては、短期的ニーズを無視する政府は権力を失う可能性が高くなる。同じく企業も、短期的課題を無視すれば破産に陥るだろう。したがって、短期に目を向けないわけにはいかない。だが、もしも長期的ニーズを犠牲にしてこればかり追いかけるなら、企業と同じく社会も、衰退し没落する。緊急事態に対応するだけではなく、必須の構造改革にも同時に取り組むためには、国家や企業のリーダーは、短期のボールも長期のボールも、お手玉のように扱えなくてはならない。どちらを落としても、失敗なのである。

　チャーチルとローズヴェルトは長期的視点で計画を立てることができた。しかもそれを第二次世界大戦中のもっとも過酷な数年のうちにおこなったということで、なおさら彼らの偉業が際立つ。短期的犠牲はすさまじく、多くの人が亡くなったり苦しんだりしていた。それでもなお、二人は長期的構想を練り、生き残った人々が前向きに生きられるようにしたのだ。大惨事となる危機を経験すれば、多くの人がより安全で安定した世界を求めるようになる。連帯によって利己主義は克服できる。だからこそ、国連やブレトンウッズ機関、福祉国家が生まれた。マーシャルプランは、それまでの、そしてその後のいかなる援助パッケージも小さく見えるほどの規模だった。アメリカは、五年以上もの間、毎年、ＧＤＰの一％にあたる金額をヨーロッパに送った。今日の額で年間合計約二一〇〇億ドルが現地のニーズに合うように、主に融通の利く贈与のかたちをとり、現地機関に配分された。これがのちにドイツ政府や企業の債務の帳消しにも役立った。

　ハーバード大学のアマルティア・セン教授が指摘したように、第二次世界大戦中、イギリスは大きな苦難を経験したにもかかわらず、連帯意識の高まりが不平等の低下をもたらした。必要性に応じた割当と配分によって、それまで排除されていた人たちの栄養と健康が改善した。また一九四〇年代の戦争の一〇年間に生まれた子どもたちは、全体で、平均寿命が六・五年以上伸びた。食料不足の人々の栄養が改善したこと、無料の医療サービスが導入されたことがその要因である[35]。福祉国家ができたことで、その後もこうした状況が持続し、またさらに改善されていった。

連帯意識は戦後も消えなかった。それどころか、前記のような原則を法制化しようという有権者の決意によって、福祉国家を選挙運動の中心に据えた労働党が一九四五年の選挙で勝利した。アトリーは一九五一年の総選挙でチャーチルに敗れ、労働党はその後一三年間、政権の座に戻れなかったにもかかわらず、戦争直後の時期に確立した優先事項は、こののち三〇年にわたり、イギリス政治を決定づけた。一九七九年、マーガレット・サッチャーが首相になって初めて、福祉国家の土台が揺らいだ。福祉国家解体に向け、大きな手段とされたのが政府と再分配の規模縮小であり、最高所得税率は八三%から四〇%に引き下げられた。同じようにアメリカでも、ローズヴェルト後の政権は、戦後のコンセンサスと完全雇用の達成を優先する政策を続けた。アメリカの最高所得税率は一九八一年までは七〇%以上を維持していた。これを二八%に引き下げたのはレーガンだ。イギリスと同様、新自由主義政策を重視し、政府の規模縮小、福祉や再分配予算の削減、民間部門に対する規制の極小化を目指したのである。

アメリカ、イギリス、多くのヨーロッパ諸国では、第二次世界大戦後のケインズ主義的コンセンサスが三〇年以上続き、その後、新自由主義的反革命路線が四〇年間、政治を支配してきた。これと同じように、現在の危機がどのような結果をもたらすかによって、今後数十年の政治のかたちが決まるだろう。長期的な改善がもたらされるかどうかは、永続的変化の実現に向けた私たちの意思によって決まる[36]。第二次世界大戦の教訓とは、みなでこうむる犠牲には、みなの利益となる新たな社会契約が必要ということだ。二〇二〇年の一年間のうちに、こうした犠牲はどの国でもはっきりしていたが、新たな社会契約は、いまだ結ばれていない。犠牲はあるのに社会契約がない状態だからこそ、リーダーがどれだけ戦時精神を呼びかけても、虚しく響くだけになってしまうのだ。

数多くの国で目を見張るほどの連帯が実現したが、連帯を不平等の縮小、新たな社会契約の創出に結びつけなくてはならない。この新たな契約によって、各国で共存共栄社会を築き上げるのだ。新型コロナでは、政府は財源を見つけられるということ、私たちは自らの行動を変えられるということがはっきりした。

パンデミックは私たちを結びつける一方、社会における経済格差も拡大させた。これによってポピュリズムと怒りに火がつくかもしれない。あるいは、社会の傷を癒やすための新たな社会契約を通じて、これを乗り越えられるかもしれない。新たな社会契約を実現するには、聞き心地の良い言葉を弄するだけのポピュリスト政治家から政治を救済しなければならない。そして、人々と地球にとって喫緊のニーズを優先する政策を展開できる政治家によって、私たちの社会が導かれるようにしなければならない。

優先事項も政策手段も各国で異なるだろうが、どの国でも、新たな社会契約の内容には、増税とそれによるセーフティネットの増強が含まれることになるだろう。契約を効果的なものにするには、すべての高所得国では、すべての成人に対し、最低限のベーシックインカムを保証すべきだし、これらの国はそれが可能だ。教育や保健医療のシステムを高度化するには、政府による投資の増額が必要になる。政府はまた、カーボンフリー経済への移行に向けて、何を優遇し何を制限するかの体制整備をさらに積極的におこなうべきである。このためには、炭素その他の汚染物質にはいま以上の課税が必要になるし、民間部門に寄り添うかたちで、新たな電力系統や蓄電能力増強に向けた政府の投資が必要になる。こうした投資によって、完全な再生可能電力システムに付随する一時中断の問題を民間投資が乗り越えられるようにするのだ。専門的職業教育の強化は、政策目標のなかで格上げし、予算も増やさなければならない。そうしてこそ、エネルギー移行のニーズに適合し、ケアや保健医療サービスの不足を克服するために必要なスキルが開発されることになる。仕事での自動化が進み、労働市場に適合するには苦痛が絶えないが、これにうまく対応するには、政府は、人々が新たな職場に通いやすくするように住宅政策や交通政策を整える必要がある。一般的に、新たな職場はこれまでの職場とは異なった場所にあることが多いからだ。

人々が直面する問題を外国人やグローバリゼーションのせいにするのは、そろそろやめよう。私たちは真正面から問題に取り組まなくてはならないのだ。そのためには、より包容力のある社会を築くこと、共通の脅威を抑え込み、グローバリゼーションを管理するため諸外国の人々と協力すること、こうした政策を実現しなくてはならない。

第11章　包容力のあるグローバリゼーション

とくに急速かつ広範囲に拡大してきたグローバリゼーションの最終局面を、新型コロナのパンデミックが襲った。二〇一九年には、外国旅行、移民、国境を越える金融取引、デジタル取引は記録的な水準となり、財の貿易は低下しはじめたとはいえ、サービス貿易は増大していた。

パンデミックに先立つ三〇年間で、輸出は世界経済の一五%から二五%にまで増加した。とくに恩恵を受けたのは途上国であり、平均で約四%の成長を果たした[1]。二〇〇八年の金融危機によって、国際貿易の伸びは減速した[2]。パンデミックの直前数年間で、保護主義が台頭し、貿易という車輪に砂がまかれ、伸びはさらに減速して先行き不透明となった。パンデミックによって、こうした保護主義的な傾向がさらに強まった。

グローバリゼーションはつかみどころのない概念であり、その定義や内容は非常に広範囲にわたる。エコノミストは、世界の国内総生産（GDP）に占める貿易額および投資額に注目する傾向がある。この比率は金融危機前にピークを迎えて以来、下がっているので、グローバリゼーションは減速したと主張するエコノミストもいる。しかし、こうした捉え方は、グローバリゼーションを考えるうえでは狭すぎる。所得の上昇につれて、各国は大量の町や道路をつくり終え、セメントや鉄その他の一次産品需要は減るので、こうしたものの貿易は当然低下する。また、どんな人であれ、購入する靴、自動車、冷蔵庫、電子レンジの数には限界がある。所得が上昇するにつれて、私たちは、ただ多くのものを増やすというより、高品質のものを買おうとする。個人でも国でも、所得が増えるにつれて、エンタテインメントや外食といったサービスへの支出が増えるだろう。ほとんど輸入されていないサービスだ。輸入されるサービスといえば、海外からの音楽や映画の購入、さまざまなサブスクリプションの支払いとなるが、これらはインタンジブルと分類される取引であり、その多くがデジタルサービスだ。

パンデミックによって、工業製品貿易は五分の一低下し、対外投資は三分の一減少した。移民による母国送金は、二〇一九年と比べ二〇二〇年には五分の一落ち込んだ[3]。これらの流れは、回復するとともに、その様相が一変するだろう。調達先を多様化し、一カ所の失敗が全体に及ぶリスクを下げるため、サプライチェーンが再構築されるだろう。幅広い製造業およびサービス業で、現在、自動化が進行中である。ロボットが自動車を組み立てているし、オンライン配送の倉庫作業は、人からロボットに切り替わりつつある。こうしたプロセスが進めば、生産工程は今後ますます大市場に戻るだろう。高所得国では機械の費用が安くなり、熟練のオペレーターやスペアパーツも活用しやすくなるからだ。消費者は迅速な配達を望んでおり、これを実現する最善の方法は、大市場に近接する場所で自動化された生産をおこなうことになる。サービスの分野では、コールセンターのスタッフがますますチャットボットに置き換わりつつある。同じように、管理部門の仕事に携わる人々がコンピュータクラウド上のデジタルシステムに取って代わられつつある。こうして、有形なものからインタンジブルなデジタルサービスへの移行が加速しているので、労働市場は大きな混乱をみせている。また、これによって、生産をどの国でおこなわれたものとするか、統計上の新たな問題が発生している。もしも明確に各国の法律で禁じられなければ、データはどこのサーバーでも蓄積可能となり、また同じく、システムの操作はどの国からでもできてしまう。デジタルシステムは国境を越えても、それを管理する法律はそうはいかない。利益と課税対象がどこで発生するか。データプライバシーに関する管轄権がどう確保されるか。スタッフの雇用条件がどうなるか。こうしたことを決する国際システムについて、各国は理解を深めるとともに、システム構築への合意を急ぐ必要がある。

　自動化が進み、生産者にとって配送の迅速性がいま以上に重要になると、有形の財の貿易は地域内でおこなわれることが多くなるだろう。たとえば、中国の「一帯一路」構想や「アジアと太平洋諸国間の東アジア地域包括的経済連携（ＲＣＥＰ）」貿易協定（アメリカが入っていないことが注目される）は、域内各国間の貿易強化を狙っている。

　精密電子産業がその典型だが、既存の生産システムを動かすには、高価な設備を配置するとともに、高度な熟練労働者と専門的サプライヤーを手配できなければならない。しかしながら、複雑な生産工程でロボットがさらに使われるようになると、工場の移転はますます容易になるだろう。縫製業のように、さほど資本は必要ないが汎用性の高いスキルを多く活用する生産は、一カ所にとどまることは少ない。したがってパンデミック後は、サプライヤーに大きな変化が起き、こうした労働集約的工程に関しては域内貿易のかたちをとることが多くなると予想される。これにより、途上地域内でさらに低賃金の労働力を提供できる他の場所に再配置される可能性が出てくる。

　マッキンゼーのコンサルタントの試算によれば、世界のサプライチェーンの四分の一、製薬やアパレル業の半分もが二〇二五年までに再構築される可能性がある。企業はコスト構造の変化、レジリエンスの強化に向けた市場や政治からの圧力に対応するため、生産調整を決断しなくてはならないが、新型コロナによって、その決断がさらに早まった[4]。しかしながら、政治的関心が高まっているからといって、アメリカの製造業製品の調達先に急激なシフトが起こると考えるべきではない。ジョー・バイデン大統領は、ドナルド・トランプ大統領ほど介入主義の姿勢を見せないはずだ。さらにいえば、アメリカの親会社が複雑な製造プラントの一部をある外国拠点から別の拠点に移すには、たとえそれが望ましいとしても、かなり時間がかかるだろう。たとえば、バイオ薬の製造プラントに二〇億ドル以上かかり、建設に五ないし一〇年かかるとすると、製薬会社はその場所に居着くことになる[5]。

強く警戒されていたが、サプライチェーンはパンデミックのピーク期でもかなり持ちこたえた。トイレットペーパーや石鹸は、予想を超えた需要増、買いだめによって不足したが、売り方を変えることによって一時的な不足にとどまった。たとえばトイレットペーパーは、以前なら会社が買っていたものを郊外のスーパーマーケットに回したし、小麦粉は、レストラン向けに大袋で売っていたものをより少量の家庭購入用に詰めなおした。

大きな食料品店は、パンデミックの間も遠く離れたところから船や飛行機で運ばれてくる季節外れの果物や野菜を含め、尋常ではない種類の食品を用意できた。サプライチェーンのレジリエンスは、こうした事実に示されている。昨今のグローバリゼーションの幕開けとなった一九九〇年と比べ、現在、大規模食料品店の扱う商品の種類はほぼ二倍となっている。パンデミックの前から、生産システムにおける環境や人権の側面への意識が高まり、それがサプライヤーの見直しや適合化につながった。だがいまや、これは供給途絶に対するレジリエンスの向上を目指す企業が取り組むべき最優先の課題となっている[6]。したがってサプライヤーは調達先を新たな基準に適合させ、カーボンフットプリントや過剰包装、高まり続ける基準に対応しない調達先への依存を減らそうとする。その結果、見分けのつかない商品を前に消費者が選択に迷うことは少なくなると予想される。こうしたことはすでに、首都近郊の新興高所得地区では起きはじめている。そこでは、食料品店は包装を減らすとともに、環境・社会・ガバナンスの要件について認証を得たサプライヤーからの製品調達を増やしている。

パンデミックで脱グローバル化に向かうどころではない。すでに始まっていた変化がパンデミックによって加速することになる分野はほかにもあるが、デジタルもそうだ。かつては緩やかでなかなか進まなかった流れが加速を強いられた最たる例は、デジタル・グローバリゼーションに見いだせる。一夜のうちに、ビデオ会議が対面会議に取って代わった。創業九年のＺｏｏｍがいまや四二〇億ドルを超える企業価値を有し、どの航空会社よりも上を行っている。パンデミック期間中、私は大学の講義や個別相談だけではなく、Ｚｏｏｍのバースデーパーティー、Ｚｏｏｍの結婚式、そして悲しいことだがＺｏｏｍの葬儀にも参加した。リモートでの会議となれば、時間帯への配慮は別として、会議をどこでおこなうかというのは、ほとんどどうでもよくなっている。こうしたつながりができあがっていることに、デジタル・グローバリゼーションの劇的な加速が見いだせる。

金融のグローバリゼーションは、国境を越えた企業の吸収と合併にともない加速するだろう。パンデミックによって資産の急激な再評価が進み、投資家は死屍累々の破綻企業の中からお買い得品を探すのだ。リターン増を求めるグローバル投資家は、早期回復を見込んで東南アジアへの投資を拡大するだろう。

国境を越える民間金融取引は増大し、さまざまな変容をみせるだろうが、同じことは、政府や国際機関からの資金についても言える。パンデミックにともなう経済の津波によって、一〇〇カ国以上が財政基盤を剝ぎ取られた。国際通貨基金（ＩＭＦ）や世界銀行その他の国際機関による救済は不可避であり、各国の民間債務も、同じように再調整が必要となる。これまでの危機であれば、再調整に関与しなければならないのは、主にワシントンに本部を置く諸機関とアメリカ、イギリスの銀行だっただろう。ところがいまでは、官民のより幅広い債権者が関わる必要があり、そのなかには中国の関係機関も含まれる。

中国の影響が増すグローバリゼーション

中国がその政治的・経済的な影響力を背景に、文化や政治の舞台で存在感を増す。グローバリゼーションの次なる段階では、これが決定的特徴となるだろう。中国その他の東アジア諸国がパンデミックからまず最初に復活したので、東アジア地域が世界経済のパイに占めるシェアをかなり増大させるだろう。二〇二一年末までに、中国経済はパンデミック前から一〇%成長すると予想されている。一方、ヨーロッパとアメリカは約五%減、イギリスは経済規模がパンデミック前から一〇%縮小しかねない[7]。もっとも大規模かつ急速に成長する市場となれば、外国企業は中国への投資を増やさなければならない。人権侵害への懸念と地政学的対抗関係を考えれば、なるべく関与すべきではないという政治的圧力があるかもしれないが、それでも投資を増やすだろう。

パンデミックによってアメリカと中国のデカップリングが進むどころか、ある面ではつながりが強まった。トランプ大統領は中国を孤立させようとしたが、これが現実であり、中国が求めればアメリカの投資家がそれにしっかり応えることを示している。つまり世界に残された数少ない成長市場のひとつとして、中国がその重要性を高めているということだ。中国市場は、二〇一八年の二四兆ドルから二〇二三年には四一兆ドルまで成長すると期待されているので、世界展開を目指す企業にとっては、とにかく最大の投資機会となる市場である。[8] 市場規模と経済見通しの明るさに引き寄せられ、二〇二〇年の六月までで、中国の資本市場には海外から二〇〇〇億ドル以上が流れ込み、外国人による中国株保有は五〇％、債券保有は二八％増えた。[9] 二〇二〇年には、中国で金融部門における外国人所有制限が撤廃されたことにより、アメリカ金融業界を支える二つの巨大企業、ゴールドマン・サックスとモルガン・スタンレーは、いくつかの中国ベンチャー企業株の過半数保有に踏みきった。アメリカ最大の銀行シティバンクは中国における機関投資家業務を認められた。世界最大の資産管理会社ブラックロックは中国でミューチュアルファンドの販売を開始した。そして、七兆二〇〇〇億ドルを管理し、世界最大のミューチュアルファンド販売会社であるバンガードは、アジア本社を上海に移転した。[10] マスターカードやペイパルといったアメリカの信販会社、Ｓ＆Ｐやムーディーズを含む格付会社も、二〇二〇年、中国での業務を拡大した。貿易戦争にもかかわらず、二〇二〇年六月までの一八カ月間で、外国人による企業の吸収・合併額は、直近一〇年のいかなる時期よりも高かった。

　中国政府債の一〇年の利回りは、アメリカが〇・八％であるのに対し、三・一八％であり、金融上のリターンが政治的懸念事項に優先されてきた。アメリカの見通しが芳しくないのに対し、中国はしっかりした回復基調にあるので、中国への資金流入はこれからも増えるだろう。[11] 二〇二〇年、外国人による中国国内債券保有額は前年の水準から二〇％上昇し、四二一〇億ドルを超えた。[12] 二〇二〇年一〇月、中国が初めてアメリカの投資家にドル建て国債を販売したとき、それに対する需要は調達予定額の四倍を超えた。アメリカの年金基金やその他の投資家の中国への関心を示す端的な指標だ。これら投資家の関心は、ある銀行家の言葉を借りれば、トランプ政権時代に高まった政治摩擦によって「まったく」影響されなかった。[13] そしてバイデン政権下なら、なおさら影響を受けそうにないということがはっきりするだろう。

　アメリカ政府が成長の減速を狙って民間企業による中国投資を抑えようとしても、ほとんど功を奏さなかった。トランプ政権がアメリカ政府年金基金による中国投資を禁止しても、意味はなかった。それよりも、アメリカの年金受給者が分散投資や高利回り獲得の機会を失うことになった。アメリカがファーウェイのデジタル備品を禁止し、サプライヤーや同盟国もこれに従うよう圧力をかけたことによって、短期的にはファーウェイの成長は鈍化した。だが中期的にみれば、中国のテック部門の能力は増強されるだろう。ほかの分野と同じく、こうしたところでも、パンデミックによって、グローバリゼーションの新たな重心としての中国の地位は、衰退するというより、むしろ加速してきたのだ。こうした状況は、二〇二〇年、北大西洋のコンテナ輸送がアメリカ・アジア間、ヨーロッパ・アジア間の輸送合計のわずか三分の一であることにも示されている[14]。

　世界の輸出に占める中国のシェアは、二〇二〇年の一年間を通して高水準を維持した[15]。中国はすでに一二四の国にとって最大の貿易相手国である。一方のアメリカは、かなり後ろから背中を追う二位であり、五六カ国に対し最大の供給国となっている[16]。中国は世界の工業製品のおよそ二八%を生産しており、アメリカ、ドイツ、日本の合計額とほぼ同じである[17]。中国の財はその価値の八七%以上が国内で生み出されており、また一四億の消費者が所得増を享受しているので、アメリカによる制裁やパンデミックによる世界貿易の混乱に対して、ほかの経済大国ほど脆弱ではない。こういった国々は国内需要が落ち込み、輸出が成長のより重要な原動力だからだ[18]。二〇〇六年、中国は経済の三六%を輸出に依存していたが、いまではわずか一七%となっている[19]。こうしたことから、二〇一八年、トランプ大統領の仕掛けた貿易戦争で、アメリカに入る中国製品への関税が以前の六倍になったとしても、中国への影響はアメリカほどではなかった。アメリカでは需要減ではなく、価格高騰を引き起こしている[20]。パンデミックの間は、中国の業者こそが、マスクやその他、緊急で必要になった医療用備品の需要急騰から利益を得た。コンピュータやその他の日用品の場合と同じだ。

多くの点で、中国のアメリカ依存より、アメリカの中国依存のほうが大きい。新型コロナからいち早く経済を復活させたことによって、中国の輸出業者はマーケットシェアを拡大し、二〇二〇年、日本では全輸入品の三〇％、ヨーロッパでは四分の一と過去最高を記録した。[21] この間、アメリカの農産物輸出業者は中国市場への依存を高めていて、穀物輸出業者はロックダウンのまっただなか、中国への販売が最高を記録した。

パンデミックがあり、反中国の雰囲気が高まっても、中国との貿易は減らなかった。しかしながら、貿易の転換につながりそうな根本的かつ構造的な要因は強まった。とくに自動化とコスト構造の変化が促された。近年、中国の賃金コストは、経済の急成長、それにともなう労働力需要の増大、さらには異例ともいえる低出生率が重なり、上昇してきた。この低出生率だと毎年約四〇〇万人の中国人労働者が減ることになる。これまでの四〇年間、中国では都会の仕事を求め、地方から七億人以上の人たちが都市に流入した。だが、いまは農村部でも労働力が不足し、地方から都市への移動では労働市場に参入する人々の不足を補うことはできない。

労働コストの上昇が原因で、輸出業者は、ベトナム、カンボジア、エチオピア、メキシコといったより低コストの地域に新たな生産設備を建設するようになった。[22] 米中間の緊張、ひとつのサプライヤーに依存することへの懸念も手伝い、すでに進行中だったこうしたプロセスには、今後拍車がかかるだろう。だが、世界のアメリカ以外の地域では中国製品への需要が高まり、輸入大国としてのアメリカの相対的地位も低下しているなか、アメリカによる行動が世界貿易に占める中国の支配的シェアを脅かすとは考えにくい。

世界の貿易パターンがより国産志向および周辺各国産志向に傾くと、こうした流れが加速されるだろう。多くの企業は「チャイナ・プラスワン」と称される戦略をとっている。つまり、中国のサプライヤーを使い続ける一方、依存度を下げ、別の供給源を用意している。こうして多くの点で、工業製品製造企業は食品企業に追いつきつつある。周知のとおり、多くの食品は予測不可能で気候および天候に由来する変動に影響される。こうした状況に備えるため、食品企業は長期にわたり、さまざまなサプライヤーから調達しようとしてきた(23)。

レジリエンスとサプライチェーン

感染拡大がはっきりしてから数日のうちに、世界市場は不安定化した。中米とエチオピアの村にいるコーヒー生産者の生活には何のつながりもないと思われていただろう。それがつながったのだ。スターバックスが中国における四三〇〇の店舗の半数以上を閉鎖し、ほかのコーヒーチェーンもこれに続くと、両国の村で作られるコーヒーの価格は二〇%以上、急落した(24)。銅とココアも、中国の需要が落ち込み、時を経ずしてほかの国もこれに続くと、ほとんど同じような影響を受けた。石油価格も需要低下で暴落した。多くの国がコロナウイルスに対応するため輸送機関を止め、その後、再生可能エネルギーへの転換計画を加速させたのだから当然の結果だ。その一方、南アフリカやその他の地域の柑橘類生産者は、世界中の人たちがたくさんのオレンジを買うようになり、恩恵を受けた。みな健康のために、ビタミンCの摂取量を増やそうとしたからだ。

新型コロナ禍から中国がいち早く回復すると、これらの価格や需要は安定を取り戻したが、世界全体の成長が回復するには、国際貿易システムのブロック化を避けなければならない。各国ごとのブロックはもちろんだが、地域単位のブロック化もよくない。貿易が南北アメリカ、ヨーロッパ、アジアの各地域でブロック化された場合、アフリカがもっとも大きな打撃を受けるだろう。ほかの地域と違って、アフリカには貿易の中心となる高所得国のハブがないからだ。

パンデミックに対応するため、信頼できて妥当な価格で購入できる医療備品や医薬品を開発するにも、国際貿易システムが必要である。世界貿易機関（ＷＴＯ）は、国境を確実に開放するとともに、国際貿易をつかさどる諸規制がしっかり守られているか監視するうえで、とくに重要な役割を果たさなくてはならない。純正の認証済み医療用備品をすべての人が利用できるようにすることが肝要だ。そうした備品の製造業者が製品を外国に売るのをやめさせるため、国が輸出禁止に打って出る場合もあるので、これも制限しなくてはならない。

グローバリゼーションはあまりにも行きすぎてしまった、情け容赦なく高利益を追求してきたので低コスト地域からの調達ばかりになってしまった、だから外国の影響を受けやすくなってしまった。世界中で多くの人がこう信じている。各国間がどれだけ相互依存の状態にあるか、パンデミックによって明らかになり、こうした懸念がいっそう高まった。

しかしながら、こうした不安には何ら根拠がない。たとえば、ヨーロッパ連合（ＥＵ）の全加盟国で供給されるものに目を向ければ、その九九％は上位四社で占められていて、それらは自国以外のＥＵ加盟国の企業である[25]。新型コロナとの闘いにぜひとも必要な製品の供給についてもそうだ。上位四社にＥＵ域外の企業はない[26]。実際、ＥＵ域外からの供給は域内の供給を補完する役割にある。ＥＵの貿易に関する最近の分析によれば、「域外からの輸入によって、供給源が多様化し、すべてのＥＵ加盟国でレジリエンスが高まる[27]」。九〇〇〇以上の製品について、供給リスクとともに分析したのち、次のように結論づけている。企業にすべてＥＵ域内からの調達を強いれば「コストが増大し、もっとも貧しい国々の市民が直撃される」。さらには、調達先の多様化とレジリエンスが減退すると、ＥＵが保健医療その他における将来のリスクに対処する能力まで低下する。[28]

　ワクチンやマスク、その他の備品の製造能力を持つ国が保護主義に走れば、製造能力を持たない国がニーズを満たすのは非常に難しくなる。[29] 新型コロナのもたらす健康リスクと経済の悲惨な状況を乗り越えようとするなら、ワクチン・ナショナリズムを抑えることがとくに重要だ。

　貿易の基準や規制の観点からすると、「どこで」よりも「どのように」製品を作るかがますます重要になり、アメリカ、ＥＵ、中国がそれぞれ大きく異なった基準を採用するようになっている。これらの基準をすべて満たすのは、不可能とはいわないまでも、ますます難しくなっている。データ保護や環境セーフガード、人権といった基準の頂点を目指して競争がおこなわれたら、すべての人にとって恩恵となるだろう。これは、よりグローバル化した世界がもたらす恩恵だ。世界がそれぞれ異なった貿易ブロックに分断され、各国が勢力圏内に閉じ込められたら、こうした国際基準を引き上げる機会は失われてしまう。

　世界の食料システムはレジリエンスを発揮しており、ほとんどの消費者はスーパーマーケットで品不足をさほど経験していない。そしてパンデミックにもかかわらず、また世界人口の八〇％が何らかのかたちで輸入食料に頼っているという事実にもかかわらず、主要産品の価格は下がっている。[30] 今日、ほとんどの国は、今世紀開始当初よりも輸入依存を高めているが、これによって食料システムのレジリエンスが犠牲になったわけではない。これに一役買ってきたのが、積荷輸送費の低下であり、原油や肥料価格の低下だった。飢餓が広がった地域では、食料がなかったのではなく、収入が激減していたのだ。あるいは、ノーベル賞受賞者のアマルティア・センが指摘したとおり、必要な人に手ごろな価格で食料が届くようにすべきところなのに、政治権力がそれを阻んだのだ。[31]

　食料品の冷蔵やコンテナ輸送も、食料システムがレジリエンスを発揮した要因のひとつである。驚くべきことに、世界のコンテナ輸送はパンデミックの間に利益を出していた。主要航路の八五%を占める大手三社は、燃料価格が下落しているなか、船の数を減らし、料金設定を高く設定したのだ[32]。『エコノミスト』誌によれば、「新型コロナは船会社にとって追い風となった[33]」。市場規模一八〇〇億ドルのこの業界は、パンデミック前、一〇年にわたり貿易が減速するなか、相次ぐ新造船が大きな損失となるなど、輸送能力の過剰に悩まされてきた[34]。とはいえ、一九七〇年代の輸送革命以来、コンテナ輸送は過去五〇年で一〇〇倍の成長を遂げた業界である。グローバリゼーションをずっと先導してきたのだ。

トランプ大統領はアメリカの中国製品依存を減らすよう大号令をかけたが、そんなことはお構いなく、需要は膨らんだ。中国からアメリカへのコンテナ輸送費が二〇二〇年下半期、過去最高の二倍を記録したことからも、それは明らかだ[35]。パンデミックの間に、カリフォルニア・ロングビーチ港は過去最高の繁忙期を迎えていた。二〇二〇年一一月、太平洋を越え北米に渡った中国からの積荷は五二〇億ドルを記録し、一日あたり二〇隻のコンテナ船がロサンゼルス港で荷揚げした[36]。同じようにヨーロッパ・中国間のコンテナ輸送も記録的水準に達し、上海からロッテルダムまでの四〇フィートコンテナの輸送費は、二〇二〇年末には二〇一九年の六倍にまでなった[37]。パンデミックがグローバリゼーションの弔鐘を打ち鳴らすと考える人々がいる。だが、この驚くべきレジリエンス、EU・中国間およびアジア太平洋で展開される新たな貿易・投資取引は、彼らが間違っているというさらなる証拠となる。彼らは、グローバリゼーションのレジリエンスと自己変革能力を見誤っているのだ。この指標となるのが、DHL〔ドイツ本社の国際輸送物流大企業〕による国際連結性指数だ。これは各国間の物財・デジタル取引の密度を測定するものだが、本指数によれば、二〇〇八年の金融危機後に記録したレベルをはるかに上回ったままだ[38]。

世界の旅行および観光はしばらくのあいだ落ち込むだろうが、パンデミックをなんとか抑え込んだ国は、まずは国内観光、その後、国際観光を再開した。中国や東アジア域内の観光は、ほかの地域、とくにアメリカ行きを避けた市民を受け入れ、収入につなげた。アメリカでは危機が深刻化かつ長期化していたし、アジア人お断りの雰囲気も感じられたからである。回復の見込まれる個人旅行と異なり、出張については長期間影響を受けそうで、今後の成長はパンデミック前より低水準で、またゆっくりしたものになりそうである。これによって一兆四〇〇〇億ドルの出張部門に地殻変動が起こるだろう[39]。一部の航空会社にとっては、旅客用から貨物用に機体を改修することが何より必要な生き残り策となり、国際宅配企業には記録的な需要が生まれた。これら企業がワクチンの配送やオンライン発注品の配達において重要な役割を担うにつれて、需要はさらに増大するだろう。

必要とされる規制

グローバリゼーションの恩恵は広く拡散してしまうことが多く、開放的体制や自由貿易をいつでも擁護しようという政治家は少ない。グローバリゼーションがグローバル・エリートの力を高めてきたように思われることもよくある。グローバリゼーションがリスクを高めてきたことも確かだ。リスクは特定の地域に集中することが多い。たとえば、低コスト地域に雇用が奪われると路頭に迷う労働者が多い地域だ。もちろん、リスクが全体に及ぶこともある。パンデミックや金融危機の場合がそうだったし、気候変動や不平等の拡大で明らかなように、世界規模での成長がもたらす意図せざる結果にうまく対処できない場合もそうだ。こうしたリスクはグローバリゼーションの弱点である。これらのリスクへの対処に失敗すれば、グローバリゼーションをますます後退させることになるだろう。

パンデミックは、グローバリゼーションの変化を加速させると同時に、グローバリゼーションに影響し、その姿を変えてしまうような地殻変動を国内政治と地政学にもたらしてきた。いま問題になっているのは、これによって世界の分断がいっそう進み、冷戦期の貿易ブロックの世界に舞い戻るのか、それとも貿易の基準を共有し、協力する機運が高まるのかということだ。

アメリカ、イギリス、ヨーロッパにおける新自由主義時代の終焉とともに、より機動力のある政府への回帰が始まっている。アメリカでは、ビジネスへの積極的介入を進める政府をいまや与野党とも支持している。ヨーロッパでは、政府による企業支援を禁じたルールを新型コロナ以来、一時棚上げし、イギリスでも同じように、保守党政府が企業支援強化を計画中だ。皮肉なことに、共産主義国家の中国こそが、輸出促進のため自由貿易体制の維持にもっとも強い関心を抱いている。バイデン政権はルールにもとづいたＷＴＯ体制に回帰する機会を提供するし、中国やＥＵと協力しながら世界保健機関（ＷＨＯ）に梃入れし、気候変動に対する行動も支援する。

多くの点で新型コロナは、グローバリゼーションを阻止するよりも加速してきた。さらには、グローバリゼーションの姿をますますデジタル化するシステムへと急速に変化させてきた。このシステムは自動化生産プロセスに依拠している。中国が経済と政治の両面でますます大きな役割を担うようになり、パンデミックはグローバリゼーションの新たな局面の到来を早めた。この局面では、米欧主導で作られた古いゲームのルールがなお支配的でありながら、ますます中国的特性が色濃くなっていくだろう。

グローバリゼーションの救済

グローバリゼーションは、大きな進歩だけではなく、大きな害悪の源泉にもなりえる。解決策はグローバリゼーションを止めることではなく、制御しつつ利用することだ。プラスの成果を得ながら、マイナスの影響を削減できるように、ルールを書き換えなくてはならない。

ＷＴＯの前事務局長パスカル・ラミーによれば、パンデミックは、リスクへの感度を高めさせ、政府の姿勢を保護主義から「予防主義（precautionism）」へと変化させることになりそうだ。そうなれば、消費者保護や食品基準への注目がさらに高まるし、サプライヤーが児童労働や強制労働を利用したり環境へのダメージを与えたりすることによって発生する害悪にも、目が向けられるようになるだろう。これは保護主義の隠れ蓑にもなりえるが、世界規模で基準の改善を促す可能性もある。生産過程で大量の炭素を排出する製品の他国への輸出を防ぐため、新たな関税や課税が必要になるのは、ほぼ確実だ。すでに多くの国で導入されているとおりである。カーボンフットプリントを計測するには、自国の排出量だけではなく、輸入製品に含まれる分も算入しなくてはならない。イギリスの場合、この算定方法だと、国内分だけ計算しているよりも、現在の排出量は二倍になる[40]。特定の生産プロセスが気候に与える影響は、どの国で排出されようと同じなので、生産者は、気候に関わるフットプリントであれ、放射性廃棄物やプラスチックのようなほかの汚染物質であれ、別の国に輸出することでそれらから逃れられないようにしなければならない。

フェイクニュースやサイバー犯罪を含め、デジタル情報の規制には、さらに大きな注意が払われなくてはならない。個人や法人への課税において、透明性の担保された明確・共通・対等なルールを構築することも同様だ。グローバル市民は、自分の暮らしているところはもちろん、自らの富を生み出しているすべての領域に対し責任がある。

かつて作家ウィリアム・ギブスンが語ったところによれば、「未来はすでにある。ただ均等には行きわたっていない」[41]。パンデミックは、彼の見立ての妥当性を明らかにした。デジタルの世界で働いていれば、パンデミックに触れることはほとんどなかった。だがそうでない場合、人々は保健医療や経済の緊急事態に無防備のまま向き合うことになった。各国内および各国間で広がる不平等に立ち向かうには、グローバリゼーションをプラグマティックに管理することが必要だ。

パンデミックが明らかにしたように、グローバリゼーションを救済するには、グローバル・ガバナンスを強化し、二一世紀の目標に適したものにする必要がある。より平等で持続可能な世界をつくりだすには、グローバリゼーションは読み書き能力、ジェンダーや人種間の平等、人権尊重といった思想を広める手段とみるべきだ。

グローバリゼーションを貧困削減に結びつけるには、途上国が海外からの投資で利益が得られるようにするとともに、輸出市場が確保されなければならない。デジタルや保健医療における格差の克服は必須だ。グローバリゼーションに求められる重要な役割は、最貧国に対しては資金援助をおこない、教育、保健医療、インフラストラクチャー、そのほか成長に向けた基礎的条件が整えられるようにすることだ。こうしたことによってこそ、グローバリゼーションは世界全体の進歩に向けた力となりうる。だが現在、こういった流れは完全に良好とはいえない。実際、非常に危険なものになる可能性もある。だからこそ、グローバリゼーションがもたらす流れをいますぐ、より良好な管理のもとに置く必要があるのだ。

新型コロナウイルスは、私たちの世界がネットワーク化していることによって拡大した。グローバリゼーションがどれだけ感染拡大の原因になったか、新型コロナによって明らかになり、グローバリゼーションはその真価が問われることとなった。だが脱グローバル化したところで、私たちが直面する脅威を克服し、不平等の少ない世界をつくりだすことはできない。国連事務総長が警鐘を鳴らしているように、「それぞれの国が自己都合で動けば、ウイルスはすべての国に向けて動き出す[42]」。パンデミックは、どの国も単独では止められない。世界の科学者は、過去に例を見ないほど緊密に協力することによってワクチンを開発してきた。私たちは、これを目の当たりにしたわけだが、世界経済が回復するには、ワクチンがすべての国に行きわたるようにしなければならない。今般のパンデミックが私たちに残した教訓があるとすれば、それは、どの国も孤島ではありえず、グローバルな課題には協調して取り組む必要があるということだ。

第12章　気候危機への対応

新型コロナのパンデミックにより、世界は過去数世紀で初めて血流停止に陥ったが、そこで明らかになったのが気候危機への対応能力だ。たった数日で、私たちは行動とライフスタイルを変えた。航空便も通勤電車も大幅に削減され、私たちは炭素排出を減らしただけではなく、きれいな空気や騒音の少ない環境を享受するようになった。政府も自らの力を示してみせた。政府には、ほとんど無限の規制権力と経済権力がある。そして、クリーンで持続可能な仕事を生み出すため、再生可能エネルギーに優先支出して経済を立てなおす能力があることを示したのである。世界的にみれば、高所得国は二〇一五年の気候変動に関するパリ協定での約束に沿って動かなくてはならない。年間一〇〇〇億ドルを途上国に供与し、化石燃料への依存を減らすとともに、気候変動のもたらす悪影響に対処できるようにしなくてはならない[1]。パンデミックが貧困国に破壊的影響を与えたため、援助の増額が必要になっている。援助が増額されれば、雇用を生み出せるし、こちらのほうがはるかに重要だが、炭素排出を減らすという世界の喫緊の課題に取り組める。

人類の健康と地球の健康は、へその緒でつながっているような関係にある。新型コロナによって、この関係の重要性が明確になった。コウモリその他の動物の生息する自然環境に人類が入り込むと、病気やまだ見ぬ感染症につながりかねない。こうした脅威については実証済みだ。温室効果ガスの上昇が気候に与える影響についても、エビデンスが積み上げられている。パンデミックの脅威は一時的だが、気候変動の脅威は永続的だ。すでに気候変動やそれに関係するさまざまな変動が発生し、科学に詳しいコメンテーターは、人類絶滅の危機だと憂慮するようになった[2]。

　ここ数十年、ウイルスが動物からヒトに感染する頻度が増えている。つまり、それだけ人類が野生動物の生息する自然環境に侵入することが多くなり、それを破壊しているということである。私たちが野生動物の住処に侵入し、ますます多くの動物が過度に密集した環境に閉じ込められて食肉処理場や町の市場に送り込まれたら、ウイルスが動物からヒトに移る可能性は高くなる。コウモリには非常に多くのウイルスが寄生しているし、そのコウモリがますます農場に食料を求めざるをえなくなっている。そうなればウイルスは、人間との距離が近く、消費対象でもある家畜に感染するようになる。

　私たちの食肉需要も高リスクのもうひとつの要因だ。毎年八〇〇億頭以上の動物が屠殺され、飽くなき食欲を満たしている[3]。アメリカでは、いまや家畜の九九%以上が工場式農場で育てられ、高リスクにつながっている。動物由来の病気のリスクだけが高まっているのではない。動物は密集した場所に閉じ込められることが多くなるほど病気にかかりやすい。それを抑え込むため、ますます多くの抗生物質が動物に投与される。つまり、抗生物質耐性菌が増えるリスクも高まっている[4]。実際、由々しきリスクが明らかになった。デンマークのミンク農場で、ワクチンの効かない恐れのある新型コロナの危険な変異株が見つかったのだ。このため、一七〇〇万頭すべてのミンクの殺処分が勧奨された[5]。ヒトの健康と動物福祉において劇的な改善を実現するだけではなく、工場的畜産を停止し肉食を減らすことが森林破壊や気候変動に対して良い影響を与えることになるだろう[6]。

パンデミックによって明らかになった可能性

パンデミックを経験し、私たちの多くにとって自然がより身近になった。家で過ごす時間が長くなり、生活の不安定性に対する認識が高まると、自然界への理解を深めるようになった。パンデミックは地球の大気、生態系、生物学的多様性に癒やし効果を与えてさえいる。一部のコメンテーターは、こんなことまで口にしはじめた。

パンデミックによって、大気汚染や温室効果ガスの排出、とくに二酸化炭素、二酸化窒素、微粒子の排出が削減されたのは確かだ[7]。二〇二〇年の六月まで、五カ月にわたりアジア、ヨーロッパ、北米と感染が拡大し、それにともない移動制限をともなうロックダウンが実施されると、その期間、世界の二酸化炭素排出量は、二〇一九年の各月平均と比べて一七％下落した[8]。二〇二〇年全体では排出量が約八％下落し、一〇年前のレベルになった[9]。排出量削減の大きな要因は、工場および発電所の操業、航空機の飛行、渋滞が減ったことだった。自動車交通が突然落ち込んだことで、無秩序に広がる世界中の大都市上空に滞留する二酸化窒素が急減した[10]。リモートワークでは、主に車での移動機会の減少が大きな要因となり、出社勤務と比べ、通勤に要するエネルギーが三分の二、少なくて済むと見積もられている[11]。

こうした改善は一時的であり、確固たる行動がなければ元の木阿弥だろう。実際、中国その他の国では、産業活動とエネルギー消費がパンデミック前のレベルに戻り、上昇軌道を走り続けた。温室効果ガスが永続的に削減されるかどうかは、国・州・地方の政府が次に何をおこなうかによって左右される。

ある調査に答えた四人に三人は、パンデミック後の復興計画策定の際、政府には環境保護を優先してほしいと願っている。[12] 政府は気候変動にもっと注意を払うべきである、気候変動は少なくともパンデミックと同じくらいの脅威となっている。世界中の人々がこう信じているが、中国人の八七％からアメリカ人の六〇％まで、このような考え方への支持には幅がある。おそらくこの違いは、パンデミックの影響と比較し、気候変動への懸念をどの程度ととらえるのかに由来する。[13]

新型コロナは、排出削減と「よりクリーンな再建」に向けた投資の増大に向けた力を生み出している。パンデミック前から、気候変動に立ち向かう行動はすでに課題になっていたが、「未来のための金曜日（Friday for the Future）」、「絶滅への反逆（Extinction Rebellion）」など抗議運動の広がりもあり、さらに盛り上がった。ますます多くの人が「旧常態」に戻るのをためらっている。変化を求めるこうした願いが、グリーン経済拡大計画を進める力となっているのだ。

これまでは、政府に支出増大の余裕はないといわれていたが、パンデミックによって突如、財政支出が大規模拡大し、そんな議論はかき消された。また、人々は他人の利益のために行動を変えることなどできないと信じられてきたが、新しいガイドラインや規制に促され、個人のライフスタイルが一変すると、それも覆った。

各都市の意識高きリーダーは、環境に優しい都市は人の健康にも優しいと理解している。パンデミックにともない、自動車利用の制限、自転車専用レーンと歩行者天国の設置、ライドシェア計画の開始に踏み切る都市が世界中で二十数カ国となった。国際連合は世界自転車デーまで創設し、パンデミック後のより環境に優しい未来を生み出すにあたり、自転車がどれだけ貢献できるかという意識を高めようとした。[14]

環境への意識が高まったことで、ゴミを減らし、より循環的な経済を生み出す行動にもつながっている。中国は、二〇二〇年八月、食品廃棄撲滅運動を展開し、レストランで供される一人前の分量を減らした。また、ファッションが環境に与える影響を意識する消費者も増えた。消費が環境に与える影響への関心が高まっていることを踏まえ、イギリスの百貨店セルフリッジズは、持続可能社会に向けた五カ年計画「プロジェクト・アース」を発表した。これは、顧客にセルフリッジズの古着を販売したり、ルイ・ヴィトンのハンドバッグといった高級アイテムを含め、レンタルサービスを提供（たとえば一〇〇〇ポンドのハンドバッグが四日間一二八ポンドで借りられるように）したりするものだ[15]。

中国は二〇六〇年までにカーボンニュートラルを実現し、いまは世界全体の約四分の一に及ぶ炭素排出量を、遅くとも二〇三〇年からは減少に転じさせることを約束する。二〇二〇年九月、習近平国家主席はこのように宣言し、外交上の得点を稼いだ。中国が世界最大の石油および石炭の輸入国であることを考えれば、この非常に重要な動きによって、ゼロカーボン経済への移行が加速され、化石燃料生産者への圧力が増すことになるだろう。

パンデミックは、石油・化石燃料の終わりの始まりを印象づけている。原油の取引価格は一バレル五五ドル（一バレルは三五英ガロン、一五九リットルに相当する）を下回っており、生産者の大部分は利益を上げられず、化石燃料への新規投資は非常に高リスクとなっている。以前なら、需要の落ち込みによる危機が起これば、原油価格の低迷は減産につながっただろう。原油に関する合法的カルテルである石油輸出国機構（ＯＰＥＣ）の力を借りて、しばらくすれば、需要がふたたび供給を上回り、価格上昇に導くこともできただろう。だが、今回は事情が違った。原油価格への下落圧力は長引きそうだ。

石油への需要はいまやピークを越えた。石油の消費は、減産対応をはるかに超える勢いで下落し続けるだろう。供給に加え、備蓄が記録的水準になっているほか、水圧破砕法によるガス採掘でアメリカがエネルギー輸出に転じるとともに、急速に再生可能エネルギーに注力しているからだ。こうした圧力ばかりではなく、多くの国で政府が石油への補助をついに下げはじめている。産油国がなりふり構わぬ増産競争に走れば、ＯＰＥＣによって維持されているカルテルは、需要が完全に崩れ、消費者が化石燃料を使わないエネルギー源に転換する前に崩壊するだろう。

パリ協定では、地球の気温上昇を産業革命以前から摂氏二度以内に抑えるという大きな目標が掲げられている。二〇一九年には、これを達成するなど、あまりにも高望みと考えられていたが、一年後には達成可能性が高まったようにも思われる。中国は化石燃料の使用を大幅に削減するとし、ジョー・バイデン大統領もヨーロッパ連合（ＥＵ）も、二〇五〇年までの炭素排出量実質ゼロの達成を約束した。アメリカは向こう四年間で二兆ドルを充てる目標を掲げているし、ＥＵも目標の達成に向け、今後一〇年間、毎年三五〇〇億ユーロ（四三〇〇億ドル）を投資する計画だ。主要国政府の力強い後押しに加え、企業にもこうした傾向がみられる。二〇二〇年には、再エネ関連企業の株価が倍増する一方、化石燃料関連企業の株価は四分の一以上も下落した。

パンデミックは、有力産油国の時代の終わりを告げた。産油国が支出に見合う予算をまかなうには一バレル七〇ドル以上でなければならないが、二〇二〇年の石油収入は、二〇一九年水準の約半分に急落した[16]。一〇〇年以上にわたり、石油に対する飽くなき需要がアメリカの外交政策と密接に結びついていた。経済を支えるため、石油への依存が高まるほど、アメリカは産油国との友好な関係が必須となったし、産油国側は石油輸出で開発資金を得てきた。再生可能エネルギー革命は、アメリカ国内におけるシェールオイル生産の拡大と相まって、中東産油国へのこうした依存を断ち切ることになった。それはまた、次のようなことを意味するようになるだろう。すなわち、アメリカはもはや、エネルギー源を確保するため、中東に政治・経済・軍事支援をおこない、介入することを、戦略的必須要件とはみなさなくなるということだ。

　エネルギーが石油と切り離されることは、地政学的に大きな意味がある。それは富と権力を化石燃料に依存してきた国にとどまらず、大きな波紋を呼ぶことになるだろう。新型コロナは、こうした変化を加速した。そして、この歴史的変化の過程で何が問題になるのかを垣間見る機会を与えてきた。産油国が没落する一方、太陽光や風力、そのほか再生可能な電力を安く作れる電気国家が台頭するだろう。それらは未来の新たな発電機の重要輸出国になるだろう。中国はすでに最大の太陽光・風力発電国家であり、太陽光パネル輸出国だが、再エネへの移行は中国にとっての恩恵となるだろう。

　パンデミックの間、アメリカでは過去に例を見ないほど急速に再エネ利用が進んだ。二〇二〇年、新設された発電所の約九〇%は再生可能なエネルギー源を利用するものであり、天然ガスや石炭を利用するものはわずか一〇%だった[17]。世界全体でみると、二〇二〇年までの一〇年間で再エネによる発電能力は五倍になった[18]。太陽光発電は過去一〇年で一五倍に成長し、歴史上、最安値の電力源としての地位を打ち立てた。こうした流れができた結果、いまや再エネは、石炭に取って代わり、二〇二五年までに最大の電力源になると予想されている[19]。

　アメリカでは、二〇二〇年、再エネが新規エネルギー源の五五%以上となった。少々驚くのは、もっとも急速に再エネ転換を進めているのが共和党優勢の諸州ということだ[20]。テキサス、カンザス、オクラホマといった州は、民主党優勢の北東部諸州より風力や太陽光に依存している。日照時間にも、太陽光パネルや風力設備設置のための土地にも恵まれているうえ、人口稠密で裕福な地域での投資を遅らせる「ニンビー（not in my backyard)」的な規制がさほど広まっていないからである。いま、アメリカでは「風力タービン技術者」「ソーラーパネル設置者」がもっとも雇用の伸びている職種だ。テキサス州だけで三万五〇〇〇人以上の雇用が再エネ分野で生み出されている。政治家は、これで新型コロナと原油価格暴落の二重苦に耐えられる仕事を創出し、化石燃料を超えた再エネの好機を見いだせると勢いづいている。[21]

　イギリスでは、オフィスや工場での電力需要が低下したうえ、夏の暑さがそれほどでもなく風にも恵まれたことから、一八八二年、最初に電化された年以来の記録だが、ほとんどの日において化石燃料による発電なしでやりくりできた。[22]再エネ化に熱心ではない一部の国においてさえ、企業からの圧力で再エネへの移行が進みつつある。そうした例を挙げれば、ソニーは、もしも再エネ事業者が増えないようなら工場をほかの国に移転せざるをえないかもしれないと日本政府に警告を発したし、アップル、フェイスブック〔現メタ〕、その他の企業は、自社に装置を収めるサプライヤーに対し、再エネ電力だけを使うよう求めている。リコーのような日本のエレクトロニクス企業も、こうした影響を同じように受けてきた。また化粧品・日用品企業の花王が日本政府に対し、化石燃料から距離をおくよう働きかけているように、消費者からの要望を受け、企業が動くこともある。[23]

注意不足と対応の遅れ

　世界では、パンデミックによって、再生可能燃料への移行速度が上がった地域もあれば、環境保全を進める未来への取り組みが遅れてしまった地域もある。ブラジルでは、ジャイル・ボルソナロ大統領が森林伐採を抑止するための規制を緩和したうえ、残した法律も施行しようとしなかった。これによって、二〇二〇年、アマゾンの森林焼却からの炭素排出量は、過去数年と比べておよそ二〇%上昇した[24]。原住民の権利が侵され、土地の収奪が進んだ。さらに、ドナルド・トランプ大統領の始めた中国との貿易戦争により、中国はアメリカからの大豆輸入を減らし、代わりにブラジルからの輸入を増やした。中国からの追加需要でアマゾンへの浸食がなおいっそう進んでしまった。牛の放牧地が大豆畑に転換され、畜産農家が原生林のさらに奥まで入り込んだからだ。

　世界にはほかにも後ろ向きの兆候がみられる。景気刺激策によって、化石燃料への依存に舞い戻る動きが加速する可能性もそのひとつである。二酸化炭素排出量が下落した直近の事例は、金融危機のときだ。あのときは、建設・インフラストラクチャー向け支出の大幅増をともなう景気刺激策を政府が導入した結果、炭素排出量は一年もたたないうちにふたたび増大した。その後、石油価格が低下したことも、化石燃料から再エネへの転換努力を削ぐことにつながった。

　金融危機後と同じように、景気刺激策が炭素排出増につながりかねない状況があらわれつつある。化石燃料価格の低下も同様だ。カナダでは、石油・ガス産業への公的支援によって増産が促された。航空産業は世界各国で政府の支援を受けているし、数多くの国がインフラ建設に大盤振る舞いする計画だ。たとえば、中国はインフラ支出に三兆五〇〇〇億ドル充てるとしている[25]。中国では、すでに二〇二〇年五月の段階で、炭素排出がパンデミック前のレベルを越えた。北京にいる友人たちは、周りの山の景色を見えなくする灰褐色の大気汚染の再発を目のあたりにした[26]。

　アメリカ、ヨーロッパ、中国には良い方向への変化の兆しもあるが、肝心なのは、パンデミックやそれにともなう経済の緊急事態に対処する政府の姿勢だ。政府には炭素排出量の実質ゼロを達成する長期的責任がある。緊急事態だからといって短期的に排出量の増大をもたらす行動をとり、長期的責任を放棄してはならない。いま現在、五〇〇〇億ドル以上の補助金が航空産業をはじめとする炭素排出部門に投じられている。またすでに、新型コロナからの復興資金として一五一〇億ドルが化石エネルギー会社に振り向けられている。フランスのような注目すべき数少ない例外はある。フランス政府はエールフランスの公的支援に炭素排出量の削減という条件をつけた。だがこうした例外を除けば、各国政府は、公的支援を企業行動の改善に結びつける機会を逸してしまった[27]。富裕国で計画される一二兆ドルに及ぶ景気刺激策のうち、エネルギー転換に充てられるのはたった一％にすぎない。アメリカでは、トランプ大統領による二〇二〇年の景気刺激策のうち、環境関連投資に回ったのは一％に満たない[28]。一八の主要経済国政府がパンデミックの経済的衝撃に対処するため支出した内容は、全体を見ると、環境に対して良い影響よりも悪い影響を与え、炭素排出削減に向けた努力を台無しにするものだった[29]。

新型コロナを気候変動対策行動の加速につなげるには、金融危機のときの過ちを避けなければならない。そして、景気刺激策は新たなグリーン・ニューディールに目標を定め、雇用の創出、成長、炭素排出の削減を実現する必要がある。ＥＵはこうした取り組みの先頭を走り、七五〇〇億ユーロ（六七七〇億ポンド）の景気対策予算のうち、三分の一を環境改善に充ててきた。バイデン大統領も同じように、二兆ドルの環境予算によって、経済の大規模活性化と同時に、炭素排出の削減を図ると表明した。

世界の気候危機に対処するには数多くの行動が必要だが、新型コロナによって、そうした行動に遅れがみられるようになった。二〇二〇年一一月に予定されていた気候変動会議ＣＯＰ26は一年延期され、気温上昇を摂氏二度以内に抑えるというパリ国際協定の強化が遅れた。外交交渉によって生物学的多様性と海洋の保全を進めようとしたが、これも同じように遅れてしまった。二〇二〇年九月に国連総会で「自然のための誓約」が調印されたものの、賛同した国は世界の三分の一にも満たず、米中という二大汚染国が調印しなかった。同じくパンデミックによって、猛威を振るう森林火災、アマゾンで加速する森林破壊、極地における記録的な氷河崩壊など、未曾有の環境災害からも注意が逸らされた[30]。さらにはパンデミックによって、使い捨て手袋や医療用マスク、そのほかリサイクルできない製品の生産が急増したことからマイクロプラスチックが水路に入り込むなど、プラスチック汚染も拡大した[31]。すでに二〇二〇年九月の段階で、イギリスの海辺の三分の一、内陸部の通りの三分の二で、捨てられたプラスチック製の手袋やフェイスマスクが見つかっている[32]。

いますぐ動かないことのコストはますます明確になっている。アメリカでの火災は、二〇二〇年だけで二〇〇億ドル以上の被害をもたらし、三〇〇万ヘクタール以上が焼失したと見積もられている。オーストラリアでは、一八〇〇万ヘクタール以上焼失し、七九〇億ドルと見積もられる被害が出た[33]。世界保健機関（ＷＨＯ）の試算によれば、ヨーロッパでは、大気汚染が病気や死亡の原因となり、年間一兆六〇〇〇億ドルの損失となっている[34]。どの国でも、貧しい人たちが最悪の影響を受けるし、貧困国は気候変動の影響に対してもっとも脆弱だ。海面上昇は、バングラデシュの全人口一億六一〇〇万の半数にも及ぶ人々にとって、生存上の脅威となっている。ほかの低地国家や島嶼国にとっても同様だ[35]。アフリカのサヘル地域に広がる脆弱な土地には人が住めなくなりつつあり、これによって飢餓が蔓延し、難民が急増する恐れも出てくる。

世界では、大気汚染によって毎年四二〇万人以上が亡くなり、それを上回る何百万人もの慢性疾患が問題になっている[36]。パンデミックの間は、交通や産業活動の落ち込みにともない、石炭および石油の燃焼が減少したことによって、汚染が一時的に緩和され、二酸化窒素の排出が四〇％、微粒子を含む排ガスが一〇％減った。これによってヨーロッパでは、たった一カ月のロックダウンで一万一〇〇〇人以上の命が救われたと見積もられている[37]。さらにヨーロッパでは、パンデミックの間、大気汚染が軽減されたことによって、計算上、病休が一三〇万日分少なくなり、ぜんそくの発作を起こす子どもが六〇〇〇人減った。[38]

環境の救済

こうしてパンデミックが環境に配当をもたらしたからといって、すでにある慢性的な問題はひとつも解決されなかった。一時的な救済にはなっても、小さな効果しかもたらさないだろう。しかしパンデミックが私たちに与えた教訓とは、気候変動に立ち向かう行動が必要であるだけではなく、実行可能ということだ。私たちは自分の行動を変えられる。政府は行動できる。私たちの社会から化石燃料を切り離し、雇用とクリーンな環境を創出する大規模グリーン・ニューディールは、いま現在、ただ必要なだけではなく、経済的にも政治的にも実現可能なのだ。

新型コロナで地球が癒やされる。たとえこれがどれだけ人を魅了する考えであったとしても、そうはならなかった。バルセロナの中心にたたずむイノシシ、ウェールズの市街地をわが物顔で闊歩する山羊、パンジャブ州からはっきり見えるヒマラヤ山脈の景色、アクアマリン色にきらめくベニスの運河を撮った写真の数々。二〇二〇年、これらは、まだ見込みがあるという象徴になった。象徴は大いに必要だ。これらの写真は、自然の再生能力が起動したことを物語っていた。

二〇二〇年に温室効果ガスの排出だけでなく、大気汚染、騒音、水質汚染についても緩和されたのは確かだ。しかしながら、世界経済と消費習慣の脱炭素化に向けてラディカルな手段が講じられなければ、パンデミック後の時代にまで、この状況が持続することはないだろう。肉食や旅客・貨物の航空輸送を急減させないかぎり、気候変動の原因となっている温室効果ガスを十分に減らすのは不可能だろう。

環境を守り、仕事を増やすことが景気刺激策の中心目標に据えられれば、雇用創出とクリーンな経済に向け、大きな力となりえる。旧来のダーティーな仕事に戻すのではなく、こうした方向に舵を切ることこそ、経済再生の中心とされるべきなのである。

富裕国が自国経済を守るために用意した一二兆ドルのうち、それ相応の額をグリーン経済への移行促進に回せば、パンデミックによってパリ協定を救えた、となるのかもしれない。そうなるには、投資と行動を劇的に高めるほかない。今後五年間で毎年約一兆四〇〇〇億ドルを要するが、富裕国が新型コロナによる経済の緊急事態に対処するため、二〇二〇年に用意した金額に比べれば、はるかに少なくなるはずだ[39]。今後五年間でクリーンエネルギーへの投資を高め、化石燃料に頼るエネルギーへの投資を削減していけば、気温上昇を摂氏一・五度以内に抑えるというパリ協定の目標堅持に向け、一縷の望みとなる。これがいま、先延ばしされたり、十分な投資がおこなわれなかったりすれば、可能性の窓は永遠に閉ざされることとなろう[40]。

パンデミックは、私たちが毎日、環境とどう向き合うべきかについて、新たな側面から光をあてるとともに、自然と対立するのではなく、共存する方法を身につけるべきことを明らかにした。地域の環境に対する意識が高まり、食料やその他の必需品の国内調達も増加した。だがパンデミックによって、巨大企業の力が増し、小規模企業の衰退が早まった。地元の製品やサービスへの需要が高まれば、地域の小規模企業を助けることになり、こうした大企業の支配力を抑えられるかもしれない。新型コロナによって、外国旅行が打撃を受ける一方、国内の観光およびレジャーが伸びた。近場のレジャースポットへの旅行・滞在を手がける小規模企業にブームをもたらし、航空会社によるガス排出が減った。いまのこの萌芽的成長を持続させなければならない。同時に、公共交通システムがますます苦しくなり、数多くの人が会社から離れたところに引っ越すようになると、多くの国の調査でその現実的危険性が指摘されるとおり、二〇二一年には自家用車の利用がパンデミック前の水準を超える[41]。したがって、再生可能エネルギーの利用、公共交通システムへの投資増大を通じた公共交通車両の完全電化を、これまで以上に急がなければならない。ガソリン車とディーゼル車の廃絶も同様だ。イギリス政府は、二〇三〇年以後、ガソリンやディーゼルでしか動かない車やトラックの新規国内販売を禁止することを発表したが、こうした方向への歓迎すべき一歩といえる。

食料・エネルギーの地産地消に向けた投資を拡大することも必要である。地域における野菜その他の集約的生産だけではなく、たとえば、太陽光や風力といった再生可能電力の地域配電網への投資が考えられる。使われていない駐車場、倉庫、オフィスを、グリーンエネルギーだけ利用する都会の水耕栽培農場に転換できれば、そうした投資は地域の雇用増大とカーボンフットプリントの削減につながるだろう。家屋の断熱性向上と太陽光発電パネル設置に向けて大規模投資を開始すれば、すぐさま雇用を生み出すことができ、同様の効果が期待できそうだ。

デジタル経済は、必ずしもいまよりクリーンな経済というわけではない。インターネットだけで世界の航空産業とほぼ同じ炭素量を排出しているという試算があるし、デジタル経済全体では排出量の一〇％も占めている[42]。リモートワークには通勤や出張の代わりになるという利点がある一方、コンピュータネットワークのエネルギー需要を増大させている。多くの先進国では、これがいまや炭素排出量をもっとも急速に拡大する原因となっている。人類が気候の緊急事態を反転させようとすれば、コンピュータを太陽光・風力・水力発電で動かすようにするとともに、エネルギー効率の高い技術の開発に転換することが決定的に重要となる。

いまを好機として、いっそうのグリーン経済化をラディカルに進めること、再生可能エネルギーに投資すること、野菜中心の食事を増やすこと、化石燃料から脱皮すること、まともで持続可能な雇用を創出すること。本当に地球を癒やし、私たち自身を助けるには、これしかない。政府は地球の緊急事態に対処するための財源を見つけられる。私たちは行動を変えられる。パンデミックはこれを明らかにした。気候変動をもたらす炭素排出をラディカルに減らすことが可能だと、私たちに知らしめた。

ますます多くのリーダーが気候を襲う緊急事態の深刻さを認識し、どうすればパンデミック後の回復策を気候変動にかかわる政策目標の実現に結びつけられるか、模索している。バイデン大統領や習主席、フォン・デア・ライエンEU委員会委員長らがそれを約束してきたほか、多くのリーダーにその姿勢がうかがえる。パンデミックに関し、ほとんどの政府が科学者に従ってきたのも明るい兆しであり、政府は気候変動に関しても、そうしてくれるはずだ。

二〇二〇年、EUは一兆ユーロのグリーン経済移行計画、韓国は一三三〇億ドルの新たなグリーン化政策を発表した。中国は二〇三〇年までに炭素排出を五五%削減すると表明し、バイデン大統領は二兆ドルのグリーン・ニューディールを約束した。これらすべての計画が経済を復興し、雇用を創出するとともに、脱炭素目標を実現するためのものであることは明らかである。[43] コリアン・ニューディールに着手するにあたり、文在寅《ムンジエイン》大統領はそれを「韓国の次なる一〇〇年をにらんだ青写真」と称した。今後数年間で二〇〇万人の雇用を生み出す手段であると同時に、包括的なソーシャル・セーフティネットの構築、デジタル経済、ゼロカーボン経済への移行促進をおこなう計画だ。[44] イギリスでは、首相が自国を再エネ発電所に転換すると大風呂敷を広げてきたし、一方の野党労働党は「若者によるゼロカーボン部隊」の創設を求めてきた。[45] 環境を救おうとすれば、いまや大言壮語より具体的な行動への転換が必要だ。

第13章　グローバル危機の抑止

二〇二〇年一月、すでに新型コロナは広がりつつあった。にもかかわらず、世界経済フォーラムがダボスで発表した『グローバル・リスク報告 二〇二〇』で挙げられたもっとも起こる可能性の高い十大リスクに、世界的規模でのパンデミックは入っていなかった。実際、パンデミックは、世界が直面する十大リスクのうち、起こったとしてもその影響力がもっとも低いものとされていた。こうして、いまだ明確に姿を現さない災難を見定められなかったのは、二〇〇七年と同じだ。その年も『グローバル・リスク報告』の十大リスクに、世界的な金融危機は挙げられていなかった。にもかかわらず、一年もたたないうちに史上最悪の危機が世界経済を襲ったのだ[1]。

世界経済フォーラムが危機を見通せなかったというのは、氷山の一角にすぎない。リスクをランク付けするどのような世界的組織も、パンデミックをいまここにある脅威とみてこなかった。二〇一九年一〇月、アクサとユーラシアグループは、五八カ国から一七二六人の専門家を集め、グローバル・リスクの調査をおこなった。ユーラシアグループは、著名なアナリストのイアン・ブレマーが代表を務めている。この調査では、私たちの直面する十大リスクのランキング中、パンデミックは、やや低めの第八位とされていた。サイバーセキュリティ、社会に蔓延する不満、天然資源管理、人工知能、環境汚染といった、ほかのリスクのほうが上位にランクされていた。[2] リスク分析に通じているとされる何千人もの専門家と数多くの組織がどうして間違ったのだろうか。将来のパンデミックやその他の大規模リスクは予見可能だろうか。予見できたとして、どうすれば食い止められるだろうか。

　リスク分析の専門家は、危険度に応じて信号機の色を変えて見せるような手の込んだモデルを使い、プレゼンテーションをおこなう。だが彼らは、新たな洞察を打ち出すというより、世間一般の考え方をなぞっていることのほうが多い。彼らによるパンデミックのランキングが低いのは、一般市民の関心がそれだけ低いことを示していた。重症急性呼吸器症候群（ＳＡＲＳ）のあと、二〇〇九年に急上昇したものの、パンデミックの脅威が無視できるレベルまで下がったと考えられるようになると、世間の関心はすぐに萎んでしまった。ここ一〇年の間、専門家と一般市民で意見が食い違ったのは、不平等とサイバーセキュリティについてだけだった。市民は不平等を憂慮するようになったが、専門家はさほど関心を示さなかった。逆にサイバーセキュリティについては、市民より専門家のほうが懸念を示した。

　世間一般では、二〇二〇年の新型コロナのパンデミックは「一〇〇年に一度」の出来事ととらえられている。こういう認識だと、リスクの性質が根本的に変化したことは理解できない。最後に世界を襲ったパンデミックが一世紀前の一九一八年におけるスペイン風邪だからといって、次のパンデミックも一〇〇年後というわけではないことも理解できない。残念ながら、パンデミックが発生する頻度や可能性は、ほかのリスクと同じく、はるかに大きくなりつつある。リスクの性質が変化することを理解できていないのだ。ここからわかるのは、実際、リスクマネジメントの専門家が過去の延長で物事を考えがちなこと、彼らはグローバリゼーション、技術変化、人口密度の増大が引き起こした根本的な変化によって、将来どのようなリスクが生まれるかという理路で物事を考えられないことを示している。専門家は、直近に起こった大規模リスク、新聞や雑誌の過去の見出しに影響される。

リスクマネジャーは集団思考の罠に陥りがちとなる。パンデミック、サイバー攻撃、気候災害、そのほか危険に満ちた脅威についての専門家よりも、ほかのリスクマネジャーの見解を切り貼りしたような調査に頼るからだ。そういった調査結果を出してくれる世界経済フォーラムや大手経営コンサルティング会社といった組織の権威は絶対なので、違った考えを持っていても、会議の場で、あるいは上司に対して、ものを言うのは難しく、したがって多数派の意見が広まることになるのだ。ここ数十年で、グローバリゼーションは革命的変化を遂げ、進化の遅い組織など追い越してしまった。そのため、私たちのシステムはますます複雑化しているのに、システムのリスクを管理する方法が追いつかなくなっている。

リスクの専門家は、パンデミックのもたらす危険性を見極められなかった。パンデミックの専門家をはじめ、そのほか多くの人たちが警鐘を鳴らそうと奮闘してきたのとはまったく対照的だ。以前、二〇一四年に出した『バタフライの欠点*[1]』において私が示したのは、パンデミックは不可避であるだけでなく、世界経済を崩壊に導くということだった。その後、毎年、この点を繰り返し指摘してきた。二〇一七年には『新たなルネサンス時代をどう生きるか*[2]』のなかで、五〇〇年前のルネサンス期におけるさまざまなリスクの拡大と現代の状況を比較した。そこで注目したのは、初期のグローバリゼーションでは、発見の航海が繰り広げられたすえ、どのようにして、アメリカ先住民のほとんどを死に至らしめる病を持ち込むとともに、何百万ものヨーロッパ人の命を奪う病を持ち帰ることになったのかということだった。人口密度が高まり、自然界への侵襲が進むと同時に、世界のつながりも強まれば、私が書いたとおり、その後のパンデミックは不可避であり、それが経済の崩壊を引き起こすことになった。不確実なのは、それがいつ起こるかということだけだ。

もしも私たちが意を決して食い止める行動をとらなければ、パンデミックは繰り返し発生するだろうし、ほかにもさまざまな脅威が何度も誘発されることになるだろう。ますます不安定化し複雑化する超連結システムのなかで、私たちが暮らしているからだ。ウイルスに感染した一人の乗客が武漢からミラノに飛べば、パンデミックを引き起こす。ひとつのコンピュータウイルスがインターネット網に入り込めば、世界中のコンピュータが感染する。アメリカ中西部における住宅ローンのデフォルトが世界経済危機のきっかけとなる[3]。各地の拠点空港、光ファイバーケーブル、国際金融センターといったものは、グローバリゼーションの恩恵だけではなく、その害悪をも増幅しながら拡大する。私はこれをグローバリゼーションのもたらす「バタフライの欠点（butterfly defect）」と表現した。現代の超連結世界においてシステミック・リスクが蔓延している状況を指す。そこでは、ある場所での小さな行動が急速に拡大し、世界に影響を与える。これは物理学者エドワード・ローレンツによる有名な分析に依拠した表現だ。彼は、ブラジルで一羽の蝶が羽ばたくと、テキサスで竜巻を引き起こす原因になりえると述べ、これがバタフライ効果（butterfly effect）として知られるようになった。複雑に絡み合ったシステムに内在する不安定性と定義されている。

グローバリゼーションはシステミック・リスクを生み出す。だがグローバリゼーションを止めても、グローバルな脅威は食い止められないだろう。むしろ脅威を増幅するかもしれない。気候変動やパンデミック、その他、将来の大惨事につながりかねないリスクを寄せつけないほど高い壁などありえない。そもそも壁を高くすれば、人類共通のリスクに対処するのに必要な協力の芽を摘むことになる。雇用と高所得につながる投資、貿易、移民、技術進歩。保護主義はこれらすべてを停滞に導く。脱グローバル化は、所得の低下、各国のレジリエンス構築能力の減退をもたらしかねない。解決策としては、対立するのではなく、互いに協力してグローバリゼーションを安全で持続可能なものにするほかない。

グローバリゼーションの負の側面を抑え、その恩恵を引き出すにも、進歩への道が共通の脅威で閉ざされないようにするにも、リーダーシップが必要だ。強力なシステムとするには、もっとも脆弱な部分を強化するしかない。次のパンデミックは、新型コロナをはるかに上回る悪影響をもたらしそうだが、これを食い止めることが最優先とされなければならない。そのためには、世界保健機関（ＷＨＯ）を改革・強化する必要がある。ＷＨＯのガバナンスを整え、必要なスタッフと権能を与えて、世界の保健医療問題に迅速に対応する国際的実働部隊としなければならない。

新型コロナのパンデミックで明らかになったように、どこかで始まった危機は、すぐさま自国の危機になる。パンデミックはどこからでも発生する可能性があり、世界の保健医療を脅かす数多くの感染症が途上国で発生する。したがって、こうした感染症をその発生源で抑え込むためには、いまよりもはるかに大きな努力を払わなくてはならない。これには、たとえば現地の知識や科学・医療の能力の向上を支援することも含まれる。アメリカ疾病管理予防センターは、ＷＨＯやゲイツ財団その他とともに、中国やアフリカも含め、こうした能力向上の中心を担ってきた。だが、緊縮財政によって予算が大幅に削減され、ガバナンスに政治が介入したことによって、近年はその国際的活動の有効性が損なわれてきた。次のパンデミックを食い止め、マラリア、結核、そのほか多くの人を死に至らしめる感染症を克服するには、富裕国がこうした国際的な協力活動への資金提供を増やさなければならない。重視すべきは、致死率の高い病の予防と治療の両方だ。こうした分野への長期的投資は、気候変動に対処するための再生可能エネルギーへの投資や、まともな雇用を生み出し不平等を克服するための投資と同じく、私たちの未来を守るための最善の方法なのである。

問題のネットワークに対処するには解決のネットワークが必要

パンデミック、サイバー犯罪、連鎖する金融危機、抗生物質耐性、気候変動といったネットワークのように絡み合った脅威に対抗するには、システムのすべての部分での変化が必要になる。私たち一人ひとりが行動を変えることから始めなければならない。たとえば、感染症拡大予防に向けたマスクの着用、ファストファッションからの卒業、プラスチックの利用削減、化石燃料や赤身肉の消費制限などだ。

レジリエンスは他人任せにはできない。一人ひとりに責任がある。私たちの社会でどれだけ信頼が醸成され、知識が共有されているか。経済学者のいう「ソーシャルキャピタル」がレジリエンスに大きく影響する。家族、友人、コミュニティ、仲間を信頼できれば、個人のレジリエンスは大きく違ってくるし、同じことは、ご近所、都市、企業についてもいえる。

ビジネスの世界では、レジリエンスを計画的に向上する必要がある。各企業はレジリエンスに向け有効な投資をするため、妥当なレベルの資金を手もとに残しておくべきだ。もちろん負債を最大限まで増やし、切り詰めなければならないほど過剰な資金を抱えろということではない。短期的利益の最大化を狙い、余剰生産能力・資金の削減、「ジャスト・イン・タイム」型管理システムの追求など、無駄のない経営に集中してしまうと、長期的レジリエンスが損なわれる可能性がある。エイヤフィヤトラヨークトルの噴火〔二〇一〇年、アイスランドで起きた火山爆発〕、日本の東北地方の津波、ハリケーン・カトリーナやハリケーン・マリア〔それぞれ二〇〇五年と二〇一七年、北中米を襲ったハリケーン〕、そして現在の新型コロナウイルス。こうした事例から、政府や企業が学び取るべき教訓は、あちこちで無駄を省いてばかりいると、システムの脆弱性を生み出しかねないということだ。現在の金融・情報・貿易その他のシステムは、複雑なネットワークを通じて絡み合っている。それぞれが交差する結節点やハブは、国際金融センターや大規模港、大空港のように、特定の場所に集中している。物流やその他の結節点がこうして一カ所に集まると脆弱になる。中枢を担う人員や情報が本社ビルに集中することも同様だ。レジリエンスは地理的な分散を進めることで増強できる。競争政策やリスクマネジメント戦略では、いまだきちんと評価されていないとはいえ、これの利点は確かにある。

将来を展望する企業では、ますます多くの株主や経営者がシステミック・ショックに直面する事業の耐性を高める意向を示している。政治家も公共部門のレジリエンス向上に関心を寄せている。これを実現するには、正確な因果関係を含め、よりいっそうの分析が必要になる。たとえば、何に対するレジリエンスか、どの程度のレジリエンスかといった分析だ。残念ながら、どれだけ裕福な政府、企業、あるいは個人であっても、想定されうるすべてのショックへの耐性を備えることはできない。

レジリエンスは分権化によっても改善可能である。分権化できれば、個人、企業、国家、地域、都市のそれぞれは、自ら意思決定できるように権限が与えられる。補完性の原理にもとづき、より下位の権力に任せられるものは何でも任せるようにし、この原理がより上位の権力による管理を代替するのではなく、補完するようにすべきなのだ。企業が自らのリスクマネジメントに責任を持つのは当然だが、それは政府の設定する枠組みの範囲内ということになる。

グローバルなシステミック・リスクに対応するには、各国はまた超国家機関に対し、一定の自律性を与えなければならない。ＷＨＯのガイドラインに粘り強く従った国は、ベトナムやモンゴルのように比較的貧しい国であれ、フィンランドやニュージーランドのような富裕国であれ、うまく対処してきた。新型コロナの管理については、各国間で顕著な差がみられる。この差が示しているのは、リスクの封じ込めに向けては、上下さまざまな権力レベルでの取り組みが重要であること、そして国家間で、さらには各国内の全国レベル、地方・地域レベルで、一致団結した力強い行動をとる必要があるということだ。

　多国間条約にもとづく国際機関は、こうした階層的アプローチの最上位に位置づけられるべきである。しかし、どの機関の管轄にも入らない「みなしご」的問題も残っている。気候変動国際パネル（ＩＰＣＣ）はじめ、数多くの国際的組織によって、気候変動に関する分析や情報提供がおこなわれている。だが、協調的対応に向けて法的拘束力を持った意思決定をおこなう国際機関は存在しない。サイバー犯罪をつかさどる大規模な国際機関もない。組織的な国家機関が作ったものであれ、「一匹狼」が作ったものであれ、ワナクライやノットペトヤのような、たったひとつのコンピュータウイルスが世界中に広がり、数日間で何十億ドルもの被害や損害を引き起こしかねないという事実があるにもかかわらずだ。こうした脅威は、極端なイデオロギーや、フェイクニュースによる反民主主義、あるいは反ワクチン接種キャンペーンの動きと同じで、グローバリゼーションの生んだ情報ネットワークに乗って面白おかしく拡散される。気候変動やパンデミック、テロリズムと同じく、これらの脅威は国境を越えていくのに、現在は各国ごとの対応が一般的であり、したがって不適切だ。

　パレートの原理を用いれば、さらに大きな進歩を導ける。数多くの結果についてみると、およそ八〇％はおよそ二〇％の原因から生み出されるとする考え方だが、これに従えば、通常、問題の大部分は最小臨界人数が行動すれば解決するという「八〇対二〇ルール」に行き着く。炭素排出の優に三分の二以上は、ごくわずかな国と企業によるものだ。ニューヨーク州だけで、アフリカの四五カ国以上の炭素を排出している。オックスフォード大学「将来世代のためのマーティン委員会」報告書『これからは長期的な視点で（*Now for the Long Term)*』で論じられたように、二〇の大国、三〇の大国、四〇の大国という具合に重要なプレーヤーを集めた協調関係ができれば、気候変動への対処で大きな違いが出てくるだろう。かつてはオゾン層の破壊停止や後天性免疫不全症候群（ＨＩＶ／エイズ）の蔓延防止に向けて各国が協調し成功を収めた。こうした成功事例をみれば、責任ある市民と企業と国家が同盟することによって違いを生み出し、国際連合や多国間組織の努力を後押しできるんだと、前向きになれるだろう。

パンデミックの抑止

二〇二〇年の惨事のあと、ＷＨＯは将来のパンデミックを予防し、それに備えるため優先すべき五つの行動を定めた[4]。人類とウイルスとの接触機会の低減、早期警戒システムの強化、迅速な感染防止措置の強化、協調体制の構築、国際的研究活動の調整の五つである[5]。こうした行動はいずれもすべてのパンデミックに関連しているわけだから、時間があったにもかかわらず、過去のパンデミックに学び、新型コロナに備えられなかったのは悲劇でしかない。これに関し、天然痘撲滅の最前線にいた感染症学者ラリー・ブリリアントは、二つのシンプルな原則にまとめている。すなわち、「早期発見、早期対応」だ[6]。パンデミックを引き起こしかねないウイルスであれ、核兵器の製造につながる核の遠心分離であれ、グローバルな脅威を早期に発見するには、各国が情報を共有し、互いを信頼している必要がある。地政学的状況が乱れると、早期発見は妨げられる。新型コロナの場合、米中間の緊張が高まっていたことが感染爆発に関する情報共有の遅れ、パンデミックに対する世界的な対応の遅れにつながった。これによって、世界経済の対応とワクチンの配送がうまくいかなかったのだ。

グローバリゼーションは、パンデミックによるシステミック・リスクを増幅するが、予防のきっかけにもなりえる。全人類にとっての健康リスクの増大に対処するには、国際的な合意が必要である。早期発見が欠かせない。感染症やウイルスの管理は、影響を受ける人の数が急増するにつれて難しくなる。病原菌の発生拠点を特定したうえ、そこを隔離し封じ込めることが重要だ。ブリリアント博士が強調したように、「どこにあるかわからないものを治したり防いだりはできない」[7]。インターネットはグローバルな検索エンジンとなり、インターネット上での何百万もの活動をさまざまな言語で一覧するために使える。そうすれば、たとえばティッシュペーパーや咳止め薬への需要を追跡することによって、感染症の拡大を探知できる。こうして、直感的にも経験的にもいえることだが、ＷＨＯのような機関よりもはるかに早く結果にたどり着けるだろう。ＷＨＯは個々人からの報告に依存しているので、データを集めるにも、情報を突き合わせて分析するにも時間がかかる。したがって長いタイムラグが発生するのである。

　ＳＡＲＳ感染のときは、ＷＨＯ自体が、国際公衆衛生情報ネットワーク（ＧＰＨＩＮ）によるオンライン上でのやり取りでこれに気づくという状況だった[8]。こうした活動の支援に市民社会が関わり、必要な技術を確立すれば、パンデミックの正体をとらえ、発生源で封じ込めるためのグローバルな力となる。たとえば、生物病原体センサーを携帯電話と結びつけることで、新たなウイルスを特定したうえ、位置情報を遠隔の専門家に送れるようにすることなどだ。そして、必要とされるスキルや実験室その他の施設を世界中のすべての地域に配備して、パンデミックの芽を監視し特定することもグローバルな力となる。

　新たな技術でこうしたことができるようになっても、国家間で効果的な協力を進めることの代わりにはならない。二〇二〇年には、遺伝子レベルの感染・治療情報が世界の専門家の間で過去に例を見ないほど共有された。これを続けるとともに、ほかの感染症にも広げていく必要がある。薬の発見に関する情報についても同様だ。命を救い、感染症拡大を抑え込むワクチンや薬を可能な限り広範囲で実用化できるようにしなければならない。

いったん危険な感染症が探知されたら、それを早期に隔離するメカニズムをすぐさま利用可能な状態にして起動しなくてはならない。各国、各地域、そしてグローバルなレベルでこうした能力を備えることが決定的に重要だ。長々とした認可手続きなしに、すぐにどこにでも出動できる医療版特殊部隊（ＳＷＡＴ）チームも重要だ。非常に感染力の強いウイルスが田舎から大都会へ、大都会から大空港へ広がってしまえば、元には戻せない。緊急対応は医学的観点が重視されるべきだが、そのもたらす意味は幅広い視点から考える必要もある。たとえば、緊急時には人々が生活の糧や栄養源にしているニワトリや豚をすべて殺処分しなければならないにしても、その影響をこうむった人たちを支援し補償する別のメカニズムがすぐに必要になる。システミック・リスクには、システミックな対応が要る。ＨＩＶ／エイズ、ＳＡＲＳ、エボラウイルス病、新型コロナについて、科学者が国際的に協力したことからわかるように、研究・協力・国際行動が非常に重要な役割を果たす。

パンデミックは国境などお構いなしだ。パンデミックが顕在化するまでには潜伏期間がある。ということは、正体が明らかになる前に国境をすり抜けてしまうかもしれない。こうしたことを前提にすれば、脅威を常に国境内にとどめられると考えるのは非現実的である。病原菌が大規模ハブ空港から運ばれたら、それがいかなるものでも、せいぜい三日もすれば世界に広がるだろう。新型コロナウイルスが最初に影響を与えたのは、中国の外、ミラノ、ロンドン、ニューヨークといった大規模ハブ空港の近隣地域だった。これは偶然ではない。

抗生物質の効能が続くようにしたいのなら、その安易な使用は控えるべきである。処方箋なしで抗生物質の店頭販売をおこなったり、人間以外に投与したりするのは制限されなければならない。抗生物質の半分以上が農場経営での増収目当てに畜産で使われているし、たとえばフジツボの繁殖抑制のため船体を塗る塗料に配合するなど、他用途への利用も広がっているのが現状だ。これでは、私たちが生き延びるため、どうしても抗生物質が必要なとき、必要な場所で、抗生物質が効かなくなるリスクを自ら高めていることになる。

公衆衛生やパンデミック防止に向け、こうした大胆な課題を達成するには、いますぐＷＨＯを改革し、専門的技能と資金力を増強したうえ、権限を拡大する必要がある。ＷＨＯには、前記の職務を達成するために必要な権限、権威、専門性、設備が備わっていなければならないからだ。これにはさほどの金はかからない。新型コロナのパンデミックがもたらす費用のせいぜい一％未満だろう。資金以上に求められるのは、政治的意思だ。政治的意思をもって、多国間システムを私たちの健康や地球に対する脅威に立ち向かうにふさわしいものにしなければならない。パンデミックの予防は、ほかの脅威に対する場合と同じく、不作為のコストに比べれば微々たるものだ。

二一世紀の国際ガバナンス

国境を越える問題に対処する多国間組織は、加盟国の同意があってこそ力を発揮できる[9]。新型コロナ危機に対応する際、国際通貨基金（ＩＭＦ）は手続きを省き、加盟国支援に向けて未曾有の資金を提供した。しかしすべての組織が問題に対処できたわけではなく、途上国はさらなる多角的支援がなんとしても必要な状態にある。ＷＨＯは、世界の保健医療に関して緊急対応する国際組織であるべきなのだが、もっとも必要とされるまさにそのとき、アメリカによって弱体化された。また、国際貿易への後押しがぜひとも必要なとき、世界貿易機関（ＷＴＯ）の機能は、貿易戦争、必須の人事や改革に対する妨害によって麻痺していた。

　アジアインフラ投資銀行、「一帯一路」構想を具体化する二国間協定の束などにみられるように、中国中心の組織はますます重要になりつつある。グローバルな問題を解決するにはさらに多くの力と協力が必要であり、こうした組織と敵対するのではなく、協調することが重要になる。中国の参加抜きにグローバルな問題は解決できない。参加主体の多様化は効率性と正統性の向上にもつながり、関与する主体が拡大すれば、不安よりも強さを生み出すことになる。

　新興勢力が台頭し、より多様な政府の見解を取り込むことが求められているわけだが、それに加え、役割の増す民間企業にも国際的枠組みに入ってもらう必要がある。アマゾン・ウェブサービスやグーグル・クラウドは、システム上、いまや重要な金融インフラとなっている。アマゾン・マーケットプレイスは商品売買に欠かせないし、アリババの個人用防護備品も同様だ。アップルとグーグルは多くの国で接触追跡アプリを提供してきた。またフェイスブック〔現メタ〕は、公衆衛生情報の有力な配信システムとしての地位を築いた。ただ反ワクチン派によるフェイク記事の主要配信源にもなっており、ソーシャルメディア規制のさらなる強化と改革の必要性も際立たせている。

　保険会社にも果たすべき重要な役割がある。企業社会では、スイス・リー、ミュンヘン・リーといった再保険会社、ロンドンのロイズが主導する市場やそこに参集する大手保険会社によって、常にリスクカバーの査定、価格設定、サービス提供がおこなわれている。損失軽減に金を出す余裕のある人は、これによって救われるが、もっともリスクに備えるべき多くの人は、ほとんどカバーしきれない。たとえば、全英ローンテニスクラブは、パンデミックが原因で二〇二〇年のウィンブルドン大会がキャンセルとなり、損失をこうむったが、それを超える一億七四〇〇万ポンドの保険金支払いを受けた[10]。この一回の支払いだけで、世界銀行によるパンデミック保険計画のもと、一五〇の途上国に供された合計金額九九〇〇万ポンドを優に超えている。貧困国や貧困コミュニティのレジリエンス構築には有効かつ手ごろな保険が必要だ。この仕組みをつくることが、国際的なリスクマネジメントの最重要課題のひとつとされなければならない。

いつものことだが、次にやってくる危機は、私たちの古い心象風景のどこにもないものだろう。したがって、新たな情景を認識する人たちと協力関係を築き、これに備えることが肝心だ。しかし民間部門は必ずしも慈悲深くはないので、ますます強くなる超巨大企業をコントロールできる独立の規制機関が必要となる。不意に現れる新たな脅威を前に、金融危機の経験を繰り返さないようにするには、専門家集団を常に刷新することも必要だ。あのときは、専門家も規制主体も、クレジット・デリバティブを理解できていなかった。

黙示録的メタ四騎士との対決

国際機関を改革し、共通の脅威に対処する目的を果たさせるのに、最大の壁となっているものは何だろうか。私たちは、伝染病、戦争、飢餓、死と戦えるし、これまでもそうしてきた。だがいま、そうするには〔未来の苦難を表すものとしてヨハネの黙示録に登場する四騎士の変異体というべき〕メタ四騎士に対峙しなくてはならない。それは、「短期主義」「ナショナリズム」「費用」「組織乗っ取り」だ。

新型コロナで示されたように、意思があれば、メタ四騎士はすべて乗り越えられる。政治家が注意を向ける時間の幅は限られているが、新型コロナに翻弄された選挙民は長期的解決を求める可能性がある。アメリカ、イギリス、スウェーデン、ブラジルその他のリーダーに対しては、彼らのパンデミック対応をめぐって批判が高まった。有権者は備えのなかった政府を二度と許さないだろう。気候変動の惨事を防げなかった世代の政治家を、歴史はけっして許さないだろう。第二次世界大戦を戦いながらも新たな世界秩序を築き上げた構想力あふれる政治家が教えているとおり、短期的課題と長期的課題の両方に、同時に取り組むことは可能なのだ。国際機関の加盟国や民間企業の株主についても、同じことが求められる。

　新型コロナが保健医療や経済にもたらした緊急事態をみれば、世界全体が協調して対処することの必要性がわかる。感染のブーメランを食い止めるには、ワクチンについての国際協調が必要だ。新型コロナのパンデミックに対処するうえで国際協調が必要だったことは、最初に承認されたワクチンがアメリカ企業ファイザーによる資金で、ドイツへのトルコ系移民によって開発され、ベルギーで製造されたという事実からも明らかである。だが、このワクチンは、ほとんどの国にとって高価なうえ、摂氏マイナス七〇度での保管を要するので、広範な利用はかなわなかった。幸いなことに、オックスフォード大学とアストラゼネカが開発したものを含め、ほかのワクチンは冷蔵庫での保管が可能なうえ、ファイザー製ワクチンの二〇分の一の価格ということもあり、利用しやすい。これらが全世界に行きわたるよう、大規模な国際的イニシアティブが必要になる。

　感染症や慢性疾患に対処するための医師および看護師の恒常的不足を克服するためには、移民や、世界中の熟練技能者の自由移動が必要だ。そして、気候変動に対処し、将来の金融危機を抑え込み、貧困を克服するには、グローバリゼーションの弱点をしっかり補正しながら、その利点を生かす必要がある。「バタフライの欠点」というべきシステミック・リスクを食い止められなければ、つながっていることによって危険な感染がもたらされるので、とくにこれは改善を要する。

高所得国には、いまのところ財源がある。ただ政府と選挙民は、シンプルに優先順位を変える必要がある。多くの国は、大惨事をもたらす衝撃として、戦争以上のものを経験していない。おそらく、そうしたことから、世界の政府は、平均して予算の六％を軍事費に充てる一方、パンデミック防止予算は全体の一〇〇分の一に遠く及ばない。国民の身に降りかかる脅威としては、戦争よりもパンデミックのほうがはるかに大きいのに、これが現状なのだ。世界に目を向けると、ＷＨＯ予算はアメリカやヨーロッパの大病院ひとつの予算に及ばない。

新型コロナ危機への対応からわかるとおり、国益が危機に瀕しているとなれば、財源は見つかるものだ。この教訓は今後に生かす必要がある。予防は常に治療より安い。国際的には、マラリア、ＨＩＶ／エイズ、結核その他の疾病のリスク軽減につながる介入政策に、もっと注意が向けられるべきだ。栄養状態を改善したり、心臓疾患や糖尿病といった慢性疾患を減らしたりする介入政策も必要となる。これらは多くの国で死亡や機能障害をもたらす主要原因だからだ。

パンデミックによって新たな可能性が生み出された。それによってヘルスケアに恒久的な変化がもたらされるかもしれない。パンデミックはデータの重要性と遠隔診療の可能性を明らかにした。と同時に、こうした展開によって治療にいたる方法が根本的に変わり、コスト削減も可能となって、これまでよりはるかに多くの診療科の診察が受けられるようになるかもしれない。実際にパンデミックを長期にわたる好結果につなげるには、既存の組織を改革し、社会の長期的ニーズが政策決定者の関心事項の中心に据えられなければならない。

世界金融危機から明らかになったのは、集団思考の生み出すリスクとロビー集団による規制当局の乗っ取りだ。狩猟管理人としての規制当局の責任は金融システムの監視にある。資金力のある金融市場の密猟者は、常にルール破りの方法を模索している。規制当局は、これらより優位な立場でコントロールするだけの知識と独立性を保持しなければならない。これがレジリエントなシステムには不可欠だ。惰性が組織改革を台無しにする。組織のガバナンス、人員、活動を過去ではなく将来のニーズに応えるものにするには、既得権益者による組織の乗っ取りと支配を打破することが必須となる。組織全体を見渡すと、善意にもとづいて練られたものの、一度も実行されたことのない改革だらけになっている。

　多くのリーダーが実践したラディカルな改革に示されるとおり、前進は可能だ。ジョン・Ｆ・ケネディ大統領が率先し成功を収めた「ムーンショット」計画は、野心的目標と資金・技術を結びつけ実現にこぎつけた事例として、多くの研究がおこなわれている。国際機関もラディカルな改革を実現できる。ヨーロッパ石炭鉄鋼共同体（ＥＣＳＣ）は限定的な専門機関であったが、これがヨーロッパ連合（ＥＵ）にまで成長し、国民国家が負ってきた多くの責任を引き受けている。危機が触媒になりえる。本書で論じてきたように、国際連合、ＩＭＦ、世界銀行、マーシャルプラン、イギリスの福祉国家は、すべて第二次世界大戦のさなかに原型が構想されていた。パンデミックの間、ほんの数カ月のうちに、ＩＭＦは、記録的速さで記録的数の融資を、付帯条件を平時より下げ、リモートワークで承認したのだ。各国政府は古いルールブックを破り捨て、労働者や企業を直接支援した。不可能と思われていたことが達成されたのだ。

リスクの崖っぷちからの救済

　私たちは、急激に変化する、かつてないほど重要な時代を生きている。そう信じるべき理由が数多くある。

哲学者のデレク・パーフィットが論じたように、人類の持つ技術力がここまで成長したことによって、いまや私たちは、史上初めて、自分の生活だけではなく、環境、そして将来世代の行く末まで変える力を手にしている。[11]

私たちはいま、歴史の分かれ目、あるいは変曲点にいるという考え方は、イギリス王室天文官のマーティン・リースによって長年にわたり、説得的なかたちで提唱されてきた。宇宙物理学者のリース卿は何十億年というタイムスパンを扱いなれているが、彼が注意を促しているのは、私たちは自らの一生というこの短時間のうちに、生態系を不可逆的に破壊したり、文明を悲惨なほど逆転させたりする力を得たということだ。ますます深刻化するパンデミック、核戦争、抗生物質耐性、気候変動をはじめ、脅威はそこらじゅうに溢れかえっている。とくに気候変動については、多くの人々が私たちの生存にとって最大のリスクと確信している。

もしも私たちがパンデミックの止め方を学べるのなら、協調することも学べるだろうし、ほかの課題にも対処できるようになるだろう。確かなことがひとつある。それは、私たちの選択には、何十億という人々だけではなく、これから何世代も続くほかの生命体の命運を左右する力があるということだ。

全人類が同時に脅威を経験したことなど、かつて一度もなかった。デジタルでつながったため、誰でもどこでも、共通の危機を察知し、科学に救いを求めることになった。砂粒の一万分の一の大きさのウイルスが人類を団結させたということは、私たち一人ひとりの生活がどれだけ原子化されていたかを物語っている。グローバリゼーションは、ウイルスがどこにでも広がる条件を生み出した。だが私たちは、グローバリゼーションによって初めて、人類共通の脅威を意識するようにもなった。歴史上初めて、私たちはどこにいようとも、同じ不安を感じるとともに、よりよき世界、より安全な世界を同じように望むことになった。私たちが相互に依存していることは、感染を恐れる気持ちだけではなく、愛する人や友人を心配する気持ちからもはっきりした。私たちの相互依存性は、ウイルスの世界的拡散と経済の連鎖的崩壊からはっきりした。そしてそれは、遠く離れた実験室で開発された新ワクチンにみなで希望を託すなかでもはっきり示された。グローバリゼーションはウイルスを拡散させたが、科学者が治療法を見いだす道も生み出したのだ。

　これまで数々のパンデミックは、戦争と同じく、政治的・経済的に重要なレガシーを遺し、歴史の進路を変えてきた。一四世紀のヨーロッパで全人口の三分の一以上を死に追いやった腺ペスト、いわゆる「黒死病」は、労働力不足をもたらし、封建制と農奴制の終焉を早めた。一八〇二年の黄熱病によるパンデミックは、ナポレオンの軍隊に損害を与えた。これに乗じて、トゥーサン・ルヴェルチュールの強力なリーダーシップのもと、黄熱病に免疫を持つハイチの奴隷が反乱を起こし、ナポレオン軍を撤退させた。これによって、ナポレオンが新世界におけるフランスの勢力圏を放棄するという非常に重要な結果がもたらされた。ナポレオンはトマス・ジェファソンによる「ルイジアナ購入」に同意し、アメリカの国土は二倍になった[12]。

　新型コロナのパンデミックによって、これらと同じ地殻変動のような影響がもたらされる可能性がある。過去においては、パンデミックの原因も、それがもたらす意味もよくわからず、社会はよろめきながら未来に向かった。だがいまの私たちは、病の原因は何か、それをどう防ぎ、よりよい未来にどうつなげるのかについて、明確に理解している。同じことは、気候変動や私たちが直面するその他の大きな脅威についてもいえる。パンデミックをうまく抑え込んだ国は、こうした脅威が対処可能であることを示してみせた。同じように、一部の国はエビデンスにもとづき、また現代の課題に取り組むという決意を固めて、すでに化石燃料の使用に歯止めをかけている。

　私たちは、自分たちのやり方を変え、歴史の進路を定める力を手にしている。不作為は活火山のもとで生きると決めるのに等しい。ローマ人はベスビオ火山の活動を気にも留められなかった。したがって、紀元七九年、火山噴火によってポンペイとヘラクラネウムが溶岩に埋まったとき、怒れる神の仕業としかいえなかった。今日、私たちは自ら直面する脅威を理解しているわけだから、神のせいにはできない。

知識を増やしたら、社会に対する新たな責任が生じる。私たちはもはや、自らの行動がもたらす結果について、知らないだの、分からないだのと言い張ることはできない。私たちは無知な青年期を終え、成熟の壮年期を迎えたわけで、そこには新たな力とともに責任がついてくる。科学者と専門家が提示するエビデンスや分析が急拡大し、人間行動の原因と結果がますます明確になっている。私たちは積み上がった知恵を頼りに、何をなすべきか、共通の脅威にどう立ち向かうべきか、答えを出せるのだ。パンデミックが解決策のひらめき（a eureka moment）をもたらしたとか、知識が必然的に行動を促すとか、そう信じるとすれば、あまりにも楽観的だ。エビデンスを攻撃するフェイクニュースの蔓延、通常は短期的利益が長期的利益を凌駕するという事実に鑑みれば、とてもそんなことは信じられない。それでもなお、社会的な風潮は実際に変化するものだし、それは、ときに驚くほど急激に変わる。気候変動をどう考えるか、同性婚やセクシャルハラスメント防止をどう評価するかについて、過去数十年、多くの国で起こった変化に示されているとおりだ。

かつて私は祖国である南アフリカを離れ、国外に逃れた。そして二度と帰るまいと考えていた。祖国では血なまぐさい内紛が繰り返されつつあったからだ。しかし一九九四年、暴力的なアパルトヘイト体制は、人種差別のない民主主義に平和裡に移行した。私はそのとき、はっきりわかった。しっかりとした組織と支援があれば、よき理想が勝利を収め、前進できる。二七年間の獄中生活に耐えたネルソン・マンデラ大統領が語ったように、「実現するまでは、いつも不可能に見えるものだ[13]」。

新型コロナが世界を変化させたことは疑いないが、どう変えるかは私たち次第だ。パンデミックによってはっきりしたように、私たちは自分自身が生存するために、社会的な生き物として、また相互依存社会の一員として、思考し、行動する必要がある。自国で起こることを別の場所で起こっていることから切り離すなどできない。同じように、私たちはすべて、別のどこかにいる誰かに影響を与えているし、その人たちから影響を受けて暮らしている。こうして私たちの暮らしが別のどこかの人たちとますます絡み合うことから生じる問題は、市場の力では解決できない。

　環境と未来を形づくる私たちの力は、この数十年で急拡大した。過去五〇年間で世界人口が倍増したので、頭脳も二倍になり、それとともに人類の創造力も二倍になった。私たちの理解力と行動力は、昔とは比べものにならないほど急速に伸びた。教育や相互交流の広がりが人口成長のはるか先を行っていたので、識字率が広範な地域で高まり、知識の蓄積と共有が進んだからだ。こうして新たに知識と力を獲得し、私たちは、とてつもない破壊をもたらす能力だけではなく、解決策を見つけ出し、共有するための未曾有の能力も手にしている。

　私たちは全員がリスクを管理する責任を負っているが、その認識は、一人ひとりの場合も、社会全体としても、個人的リスク管理の理解度に比べれば劣っている。私たちはシートベルトを装着し道路交通ルールに従って、事故とケガのリスクを下げようとする。各種の規制が私たち自身だけではなく、他人を守るためにも設けられてきたと受け入れているからだ。同じように、私たちは、自宅の危険を減らすために火災報知器や防火設備に金を出し、厳しい建築基準を遵守している。私たちはまた、けっして使わないことを願いながらも、事故保険、健康保険、盗難保険、その他に進んで金を投じている。たとえ縁遠いリスクだとしても、戦争に備えるため、政府は多額の予算を軍隊に振り向け、私たちは税金でもってそれを支えている。にもかかわらず、パンデミックや気候の緊急事態がもたらすような、より広範囲に及ぶリスクを考えるときには、リスクを軽減するために金を出すという論理が適用されていないように思われる。比較的少額の投資で、私たちは未来を守り、レジリエンスを確立できる。次のパンデミックを回避し、気候変動その他の由々しき脅威がもたらす問題を乗り越えるには、これが不可欠となる。

もしもパンデミックがシステミック・リスクを管理する触媒を生み出すのだとしたら、それによって、私たち全員にとって、より健康で、より長く、より充実した人生を送れるチャンスが広がるようにしなければならない。こんどばかりは違う。人類の未来は私たちの手にかかっているからだ。私たちは人類の未来を台無しにする可能性もあるし、救済する可能性もある。

結論　未来の救済——グローバル危機から、よりよき世界へ

新型コロナのパンデミックは、悲惨な死、苦しみ、悲しみを生み出してきた。それにもかかわらず、パンデミックは人類を救った出来事として歴史に刻まれる可能性がある。私たちの暮らしと社会を持続可能な道に向けてリセットする、一世代に一度のきっかけをつくったからだ。世界中の調査結果や抗議活動に示されているとおり、新たな思考を切望し、パンデミック前の世界には戻りたくない人々で溢れかえっている。

新型コロナウイルスの前と後で断絶があることからわかるように、市民は必要とあらばすすんで自らの行動を変えられるし、政府は経済の緊縮思考を脱皮することができる。行動しないことの古くさい言い訳は、もはや信用ならない。いまの課題は、保健医療や経済の緊急事態への受け身の対応から、先を見通した政策や行動体系に転換して、包容力のある持続可能な世界を生み出し、共存共栄を実現することだ。パンデミック前なら、こんなことは達成不可能で、理想的にすぎると思われたかもしれない。ところが、実現に一〇年ないしそれ以上を要したかもしれない変化が、ほとんど一夜にして起こったのだ。

自然の重要性、エッセンシャルワーカーの役割、科学者および専門家の貢献、そして支えてくれる家族・友人・仲間を持つことについて理解が深まったことは、前向きの変化だ。しかしパンデミックはまた、国内および国家間の保健医療や経済上の不平等を悪化させ、多くの人の命と暮らしを破壊したし、孤独や精神疾患を大幅に増やしてしまった。主にオンラインで動く世界では、人々の原子化が進み、社会的・政治的なたこつぼ化が強まるかもしれない。パンデミックのもたらす後ろ向きの変化に素早く対応しなければ、それらは長く暗い影を落とすことになるだろう。

　新型コロナが破壊的影響をもたらしたため、日常生活が非常に不安定化し、もっとも深刻な脅威の原因になっているという認識が深く浸透するにいたった。と同時に、新型コロナによって、私たちの変化する能力、変化への期待、変化の必要性も明らかになった。過去と決別し新たな地平に向き合うことを阻んできた心の壁が打ち壊されたのだ。

　社会などというものは存在しない、存在するのは利己的な個人だけという考え方は、いまでは歴史のゴミ箱に放り込むことができる。私たちは、連帯意識がほとばしっている情景を目のあたりにしてきた。とくに、高齢者に対する若者の、他人に対するエッセンシャルワーカーの連帯が注目される。若者は自らの交友関係、教育、仕事を犠牲にし、巨額の負債を負いながら、年長者が新型コロナをうまく乗り切れるよう支えてきた。エッセンシャルワーカーは自らを日々リスクにさらしながら、ケア住宅や病院のスタッフとして働いてくれたし、食料の配達、ゴミの収集、電灯の維持を確実にやってくれた。多くの人が他人のために自らの健康を犠牲にしてくれた。

　個人主義を礼賛し国家を貶める文化、そして緊縮政策は途方もないコストをもたらしたことが誰の目にも明らかになった。イギリスでは、パンデミック前の一〇年で、政府の保健衛生・安全検査予算が三分の二減らされ、現場で働く労働者の三分の一以上が、新型コロナの感染から身を守るものが不十分ななかでの仕事に不安を覚えていた[1]。世界中で何千人もの保健医療従事者が効果的な個人用防護備品の不足によって亡くなった[2]。

私たちの社会は、よりよき未来に向け、献身的に尽くしてくれた人すべてのおかげでいまがある。連帯は、包摂的かつ長期的な目標に重点を置いた政治的目標に落とし込む必要がある。第一次世界大戦を終わらせた休戦協定のあと、イギリス首相デイヴィッド・ロイド・ジョージは、一九一八年の選挙運動で「ヒーローたちが生きるにふさわしい社会」をつくろうと訴えた。私たちは、このまっとうな構想を実現できなかったことから学ぶ必要がある[3]。

二つの世界大戦は、国際政治と国際経済に恒久的な変化をもたらした。ジョン・メイナード・ケインズは「戦争という緊急事態がもたらした機会を逃さず、積極的に社会の改善を図る」必要性を論じた[4]。私が担当したＺｏｏｍ講義のひとつで、ある年配の受講者が思い起こしていたのは、第二次世界大戦後という時代が生み出した「まあなんとかなる」という感覚だった。彼は、自分が結果的に成し遂げたことはすべて、福祉国家の実現という戦後の約束があればこそだったと感じていた。混合経済体制では政府が決定的に重要な役割を演じ、彼に対して教育、無料の保健医療サービス、雇用の保障、年金、手ごろな住宅を提供した。これらはすべて、戦前であれば、彼には利用できなかっただろう。

パンデミックもまた、私たち個々人の優先順位から国際的権力構造にいたるまで、すべてを変えるだろう。すでに私たちの仕事や家庭生活には大きな変化がもたらされている。パンデミックは、個人主義に彩られ、市場と価格が最優先された新自由主義時代の終わりを告げるとともに、政治の振り子が国家介入重視に舞い戻る予兆となっている。ノーベル経済学賞受賞者のアンガス・ディートンが論じているように、「私たちにはいま、簡単には逃れられない数々の問題が一挙に押し寄せている」。それらは社会の構造に脅威を与えているが、「今般のパンデミックは、多くの人たちの苦境を白日のもとにさらけだしたことによって、それらに立ち向かうための、一世代に一度のきっかけ」ももたらしている[5]。

保健医療や経済に対するこうした緊急事態を世界中で引き起こしたのは、グローバリゼーションだ。しかし、この状況に取り組むには、グローバリゼーションの縮小ではなく、さらなる深化が必要になる。私たちは、国際政治の深化なくして、世界に広がるパンデミックを阻止できない。脱グローバルの政治が展開されたら、私たちは、気候変動も、そのほか多くの巨大な脅威も止められない。経済が脱グローバル化に向かえば、世界中の何十億もの人々の貧困はこのまま続くことになるだろう。本来であれば、彼らはグローバリゼーションがもたらす雇用や思想、さまざまな機会の恩恵を受けられるはずなのだ。経済の脱グローバル化が進めば、貧困国の市民は、外国のワクチン、太陽光発電パネル、投資、輸出市場、観光、思想にアクセスできなくなる。これらはみな、国を再建し、共存共栄の未来をつくりだすためにいますぐ必要なものだ。アクセスできない状況がどれだけ悲惨な結果を導くか、世界から孤立して以後の北朝鮮の惨状を見れば明らかである。

自分たちを世界から隔離し、グローバリゼーションを止めることによって、リスクから解放されるのなら、対価を払う価値があるのかもしれない。だが、そんなことをすれば、リスクが下がるどころか、増大してしまう。

歴史をみれば、私たちにとって最大の脅威は内戦あるいは対外戦争だった。いまや脅威は、いかなる国も単独ではコントロールできない力、それゆえ、国家主権の絶対視ではなく国際協調を要する力から生まれる。グローバルな脅威を抑え込むために協力することにこそ、すべての国の国益がある。同様に、いまよりも一体化し安定した社会をつくることこそ、私たち自身の利益になる。

共に汗を流してパンデミックを食い止めることを学んだのなら、協力することを学んだことになるだろう。私たちの暮らしが最貧国を含め、世界中の人々の暮らしと密接につながっているのを学んだことになるだろう。新型コロナは私たちをテストしたのだ。このテストに合格すれば、私たちが気候変動やその他の脅威も抑え込めると証明したことになる。

いまある何事も、当然のものと考えるべきではない。新型コロナウイルスは私たちの可能性や行動だけではなく、私たちの考え方や夢、想像力まで変化させている。ひとつの感情が広がりつつある。すなわち、変化が遅れているというのが時代精神になりつつある。作家のキム・スタンレー・ロビンソンが次のような一文を寄せている。「いままでありえないと感じていたことに思いを馳せられるようになった。私たちは歴史上のいま／ここについて、これまでとは違った感覚を持ちつつある。新たな世界、新たな時代に足を踏み入れつつあることを認知している。……多くの点で、私たちはこうした変化に遅れている。私たちは、自分がいま生きている時代に追いついていないと感じている。……私たちは可処分所得のように自然資本を浪費している。私たちの子孫の修復能力をすぐに超えてしまうようなやり方で唯一無二の家を破壊している[6]」。

すべての危機は機会を生み出す。私たちは希望の兆しを見つけるべきだ[7]。システミック・リスクの重要性を際立たせることによって、パンデミックは、将来のパンデミックや気候変動が引き起こすものを含め、ほかの脅威に対する意識を高めた。さらには、命と未来を守る手段を私たちに与えてくれた。

価値の救済

新型コロナのパンデミックは、私たちの働き方、遊び方、人との付き合い方・つながり方、学び方・教え方、そのすべてを変えた。とりわけ大きく変えたのは、私たちの考え方、私たちがもっとも気にかけるべきものだ。パンデミックは私たちの価値観を変えた。私たちを個人主義から救済し、健全な社会、つまりは「私」よりも「私たち」に価値を置くことによって、より包容力があり、他人を気遣う世界にふたたび私たちを向かわせることになった。[8] 人は誰でも、その命と自由は、ほかの人によってのみ支えられる。こうした考えは、世界の主要な宗教すべてに共通し、教義として長く引き継がれてきた。そして、パンデミックは、この教義に従えば、苦難に沈むのも、それを乗り越えるのもみな一緒ということを悟らせるものとなる。

パンデミックの間、愛する人がケア住宅や病院に隔離されていても、多くの家族はお見舞いのあと、さよならも言えなかった。医師や看護師、ケア従事者、そのほか多くの人々は、自らを危険にさらしながら、私たちのために仕事をしてくれた。

見知らぬ人のためでも自らを危険にさらそうという人の姿は、私たちを利己的な個人の集まりと決めつける考え方では説明がつかない勇気を示している。それと同時に、雇用主や一部の政府が人間の命にいかに低い価値しか与えていないかもはっきりした。医療スタッフだけではなく、社会のためにリスクを引き受けてくれるはずのエッセンシャルワーカーにも、防護備品を供給しなかったからだ。

世界中の市民がケア労働者に対して一斉に拍手をおくったが、こうした賞賛があったからといって、彼らの賃金や労働条件の改善にはつながらなかった。エッセンシャルワーカーを危険かつ低賃金の状況から救済するには、私たちがよりよい条件を提示しなくてはならない。社会のためにリスクを引き受け、最前線で働く労働者と同じ基準を適用すべきときがきている。ほかの職業、たとえばすべての人のために自らを危険にさらす軍人に適用しているような基準だ。

保健医療従事者の（給料はともかく）社会的地位は上昇した。他方、評価が低くなった人もいる。たとえば、化石燃料産業への資金供給や租税回避の手助けに関わっていた人々だ。こうした仕事は、今後ますます、過去に犯した罪とみなされるようになるだろう。科学者と専門家は地位を回復した。しばらくは政治的軽蔑の対象だったが、その後はふたたび、彼らの意見が真剣に取り上げられ、政策に影響を与えている。もちろん、事態が悪化すれば、うまく操られたり、非難の対象になったりするリスクはなおある。

パンデミックは、世界中の国に対し価値観の再考を迫った。命と経済のどちらを取るか、若者と高齢者のどちらを優先するか、深く考えざるをえなくなったのだ。このことがアメリカほど顕著になった国はない。アメリカは、トランプ前大統領のもと、民主主義と人権の擁護を含め、価値の危機に瀕していた。トランプが世界の権威主義的独裁者や専制的支配者のやり方を真似たからだ。彼はまた憲法や政府機関への蔑視を隠そうとせず、連邦捜査局（ＦＢＩ）や法務省、これ以外にも社会的価値を擁護するためのさまざまな機関を骨抜きにした。パンデミックと戦うための機関まで弱体化させた。

ブラック・ライブズ・マターの抗議活動の中心には、警察の暴力、すべての人間に備わる価値の侵害に対する怒りがあった。こうした怒りが溢れかえっていることからもわかるように、かつては容認されたことがもはや許されなくなっている。ここに示された人々の感情は、価値を重視する新たな世界秩序の産みの苦しみを示している。二〇二〇年一一月、バイデン大統領選出も同様だ。バイデン勝利は、アメリカの有権者の過半数が、社会の一体化に関連する価値を支持したことを示していた。

イングランド銀行の前総裁マーク・カーニーは、パンデミックによって、政府、経済、価値に対する人々の考え方にどのような変化が引き起こされたのかを指摘した[9]。「数十年の間、リスクは個人があと払いで背負い続け、いまになって請求書が届いたが、どう支払えばいいか、わからない[10]」。収入や健康に関する不安が蔓延し、借入による消費、自営の体裁をとる単発仕事、過熱する住宅市場に依存する経済モデルへの信頼が揺らいでいる。このモデルでは、ますます多くの人々が苦境から逃れられなくなっている。こうした経済モデルの失敗に示されるように、単に価格と利益だけで示される価値よりも公共的価値のほうが優先されるべきという主張が、パンデミックによって復活する可能性がある[11]。

　哲学者のマイケル・サンデルが長年警鐘を鳴らしてきたように、財とサービスが取り引きされる市場経済から、社会的価値にも価格があるとみなし交換可能としてしまう市場経済に移行するのは危険だ[12]。新自由主義を基礎とする現在の支配的な経済モデルは四〇年にわたり君臨し、不平等の拡大、極度の貧困、環境破壊を生み出してきた。こうとらえる人々が増えるなか、どのようなシステムがよりよい結果を生み出すのか、考えるべきときがきている。

　人権や民主主義という価値をどう評価するかについて、各国の人々の間には埋めがたい溝があり、なかなか克服できそうにない。こうした違いは認識されるべきだし、同意できない領域の存在を否定することなく、互いに議論すべきだ。ただそれでもやはり、私たちは、パンデミックに直面した結果、利益の重なる重要な領域については共通の価値があることを、もういちど主張してもよいのではないだろうか。

　パンデミックは、ウイルスに打ち克つには一体となって行動しなければならないことを私たちに教え込むとともに、アマルティア・センが多くの著書で展開してきたことの重要性を明らかにした。すなわち、一人ひとりが豊かになるためには、鍵となる潜在能力（capabilities）が備わっていなければならない。栄養、健康、教育、表現の自由のほか、仕事と所得が満たされなければならないのである。

新型コロナは政策がどれほど重要かを明らかにした。同じウイルスなのに、与えた影響は国によって大きく違う。社会の一体性と信頼のレベルが高く、優れた公共施設があり、専門家と規制を尊重する姿勢に富んだ国ほど、うまく対処した。新型コロナウイルスを封じ込めるには、効果的で信頼に足るリーダーシップが発揮されるとともに、有能で責任感を持った人々が公的セクターを担わなくてはならない。医師や看護師、規制を運用し検査と接触者追跡作業をおこなう公務員はもちろん、重要物資を確実に配送したり、福祉給付を届けたりする人々まで、公的セクターの担い手は幅広い。

世界的な保健医療・経済危機によって、学際的な専門性が必要になることがはっきりした。行動科学と経済学の役割は、さまざまな対策の費用と便益を比較するうえで、医学的専門性と同じくらい、決定的に重要である。こうした共同作業があってこそ、危機からの回復をより健全で、よりバランスのとれた経済に結びつけることができるし、私たちが直面する数多くの大きな問題に同時対応できるようになる。もっとも大きな成功を収めた政策的介入では、社会科学、人文科学、芸術といった幅広い学問分野にも依拠していた。社会、歴史、文化、行動、経済の諸科学の見地から洞察を得ながら、医学、生物学、工学、さらには物理学・生命科学的な見方を補完していたのだ[13]。

混乱に満ちた時代には、創造性を高め、よりよき世界を構築するため、革新的な解決策と仕事の新たな回し方が求められる。科学の分野では、こうした状況がはっきり見てとれる。二〇二〇年は、科学の進歩における分水嶺の年として歴史に刻まれるだろう。バイオサイエンスの進歩がその中心であるのは明らかだが、そればかりではない。人工知能の飛躍的発展にともない、ディープマインド社は、タンパク質フォールディングに関わる五〇年来の問題を解決できた。これはさまざまな病気の解明や新薬につながる一大発見であり、科学誌『ネイチャー』は「すべてを変える」と予言している[14]。ファイザー／バイオエヌテックとモデルナのワクチン開発の背景には、ゲノム研究の進歩があり、これが医学の新時代につながって、心臓病や癌をはじめ、これまでは手に負えなかった問題に対処できる可能性が高まっている。オープンソース形式の協力が前代未聞の勢いで進んだ結果、これまでに一〇万本以上の論文が世界中で共有されたし、新型コロナの遺伝子配列も世界で二〇万回以上共有された。こうした事情がオックスフォードのワクチン開発だけではなく、接触者の特定・追跡・検査システムの急速な進化にも寄与している[15]。

　前記のどれも、高性能コンピュータとデジタル経済によってもたらされた、とてつもない力がなければ、達成できなかっただろう。しかし人工知能とロボットの進歩を加速させるには、私たち人類が、社会の繁栄に向けて機械ではできないこと、すなわち創造性に自らのエネルギーを注ぐことが必要になる。文化を無理に同化しようとすれば、イノベーションや創造性は息絶える。そうではなくて、一千の花を咲かせるような文化的多様性を育むことが知識経済の繁栄を支えるには必須だ。こうした目的を達成するため、EU委員会のウルズラ・フォン・デア・ライエン委員長は、パンデミックに対応する「新欧州バウハウス」の創設を訴えた[*1]。そこは、建築家、芸術家、学生、エンジニアその他が集い、よりホーリスティックで包容力ある社会をつくるため、ともに汗を流す場となる。パンデミックからの復興に向けたヨーロッパ・グリーンディール計画には、はっきりと、文化的側面重視の姿勢と新たな協力形式が盛り込まれている。その目指すところは、効率性を向上すること、そしてプログラムの策定後ではなく策定前・策定中から、さまざまなグループに対してコミュニティの関与を拡大することだ。

　相互扶助グループの拡大、誰かを助けたい、ボランティア活動に携わりたいという気運の高まりに示されるように、今回のグローバル危機によって、政治とは無縁のコミュニタリアニズム（共同体主義）が勢いづいているのは間違いない。世界中、さまざまなコミュニティが拍手をもって、医療従事者への賞賛と支援の気持ちをあらわしてきた。大惨事に見舞われたとき、これまではボブ・ゲルドフやボノ[*2]のようなセレブが私たちに働きかけたが、今回は、私たちの自発的な思いから、連帯を示す大規模な動きが沸き起こった。コミュニティと公正に対する意識がそれだけ高まっている証しだ。アイデンティティを共有しようという動きは、ジョージ・フロイド殺害のあと、自発的に立ち上げられたブラック・ライブズ・マターの抗議運動が世界中に急拡大したことにも示されている。

　新型コロナのパンデミックは、私たちの人生において、もっとも記憶に残る共通体験だ。アメリカでは、新型コロナによる死者は二一世紀の戦死者合計よりも多いし、失業関連統計は大不況期の数値を上回った。私たちの社会は酷く傷ついたものになるだろう。友人や家族を失い、教育や仕事の見通しは立たず、以前は安泰だった仕事と所得が失われているからだ。私たちはみな、苦しんでいる。いまは傷を癒すことが最優先されなくてはならない。

　このプロセスはゆっくりとしか進まない。何世紀も前の傷が将来にまで長く尾を引くこともある。アジアの多くの国では、いまなお人々は、見知らぬ人と握手をしたり、触れ合ったりするのを避け、お辞儀で挨拶をする。そうしなければ長期間のうちに忘れられてしまう過去のパンデミックから教訓を学び取り、習慣化したからだ。東アジアの人々は、風邪やそのほか呼吸器系の感染症にかかると、フェイスマスクをして他人を守るのを習慣としてきた。以前はこうした習慣がなかった国でも、今後は意識することになるだろう。

　全員が災難に直面し、以前なら想像もつかなかった変化を経験して、誰もが優先順位を再考しはじめている。そして「近接性」がより重視されるようになった。毎日どこに身を置き、誰に声をかけるか、よく考えて決断するうえで、「もっとも近くのもっとも愛すべき（nearest and dearest）」という言葉がパンデミックの間に、頻繁に使われた。今後数年間、人と人との関係は、パンデミックで築き上げられた絆によって決まるだろうし、失われた絆は、その再構築を目指し、努力が続けられることになるだろう。

愛する人から遠く離れて働いていた人々は、パンデミックを経験し長期プランに疑問を感じるようになっているので、外国に出稼ぎに出る人を集めるのは難しくなるだろう。ニュージーランドやアイルランドといった国々では、移民の流れが逆転した。つまり、国を出て自国に来るより、母国に戻る人が多くなり、大使館や移民局は、母国に帰還する移民の急増を目のあたりにしたのだ。[16] 似た状況はほかの地域にもあり、香港などでも出稼ぎ労働者を集めにくくなっている。他方、イギリスやアメリカのように、入国基準を自ら引き上げたところもある。

より多く働き、より多くのものを所有することに意味があると考え、一人ひとりがそればかり追いかけてきた。そうしたなかで、人生における非常に重要な側面が長きにわたり忘れられてきた。パンデミックによって、ワーク・ライフ・バランス、メンタルヘルス、孤独に関する問題が表面化し、それが明確になった。絶えず人目を引くような消費を続ける。手に入れて自分のものにしても、また他人の持っているものが欲しくなる。これの繰り返しだったが、ロックダウンが実施されたことによって、そんな必要性はまったくなくなった。現状の不安定性を一気に際立たせることによって、新型コロナは、期限があるのを忘れていた試験の存在を私たちに思い起こさせるとともに、優先順位の再考を促した。人生により大きな満足と意味を見いだし、未来の危機から私たちのコミュニティと将来世代を救うには、これまでとは違ったルーティーンを確立したうえ、自身の人生にどんな変化を起こすか、どんな変化を望むかについて、より深く考えなければならないだろう。

私たちの人生を再評価するにあたっては、進歩に向けた唯一かつ最善の手段として、経済成長に不健全なほど執着するのはやめるべきだ。[17] 生計の手段なしに、人は元気でいられない。だからこそ、有意義な仕事と所得を求めるすべての人々にそれらを与え、貧困を克服することが、健全な社会の必須の基盤となる。だがいまや、ウェルビーイングについて、新しいホーリスティックな基準を見いださなくてはならない。政府がその基準にもとづき政策を遂行し、成果を狭義の経済的基準を超えたかたちで測れるようにすべきである。政府にとってウェルビーイングに注目することは、政治的にも意味がある。それによって、有権者が何を優先するのか、現政権が再選されるかどうかがより明確に予想できるからだ(18)。ニュージーランドは二〇一九年、「ウェルビーイング予算」を策定した。ブータンは二〇〇八年、「国民総幸福」（ＧＮＨ）を政府の目標とすることについて憲法で規定した。ＧＮＨには心の幸福や生態学的多様性の向上も含まれている。より広義の目標を策定する動きは、フランス、イギリス、アラブ首長国連邦でも進行中だし、中国は二〇二〇年、五カ年計画の重要項目から国内総生産（ＧＤＰ）の年間目標を初めて外した。

ハーバード大学が八〇歳以上の成人についておこなった調査研究で明らかになったように、幸福度を測る最善の指標は所得や寿命ではなく、いざというときに頼れる人の数、そして自分がどれだけコミュニティに溶け込んでいるかである(19)。政府が狭義の経済的基準で政策の優先順位を決めると、どれだけ身体的かつ精神的な健康がないがしろにされ、悲惨な結果がもたらされかねないか、パンデミックによって明らかになった。こうしたアプローチでは、気候変動が大変な事態になっていることも、不平等、貧困、システミック・リスクの蔓延によって危険が高まっていることも無視されてきた。パンデミックは、私たちの人生で何がいちばん大切かをはっきりさせた。いまなすべきことは、これを一人ひとりの優先事項と政府の行動にしっかり反映させることだ。

国連開発計画（ＵＮＤＰ）は、過去三〇年以上にわたり先頭に立ち、人間開発指数を策定し公表してきた。長年、人間開発指数を通じ、政策決定には幅広い判断基準が必要なことを世に訴えてきた。二〇二〇年、この指数のなかに初めて、各国による環境への影響が重要な要素として盛り込まれたが、その結果、多くの富裕国のランキングが全体として著しく下がった。たとえば、ノルウェーは石油輸出に依存していることが原因で一位から一五位に落ちた。また、ルクセンブルクは一三一位にまで降格したが、それは同国内に毎日通勤してくる人々が多く、カーボンフットプリントが著しく増大しているからである。

未来の救済

本書の内容を通じ、私たちが元の状況に戻るべきではないということを読者に納得していただければ、と願っている。私たちなら、次なるパンデミックを防ぎ、共存共栄の未来を築ける。だが、それを実現するには、崖っぷちまで続く道をよろけながら歩くのではなく、方向を大きく変える必要がある。

かつてウィンストン・チャーチルが言ったように、危機がもたらす好機をけっして無駄にしてはならない。ここ数十年、数珠つなぎで襲いかかる金融・サイバー・環境・保健医療の危機が頻度も強度も増す一方、それによってシステミック・リスクの低下につながるほどの変化がもたらされなかったのは、まさに悲劇だ。いまもっとも危険なのは、有効なワクチンが利用可能となり、生活が元に戻るにつれて、私たちがまたもや誤った自信を持ちかねないということだ。これまでは、パンデミックの不安が過ぎてしまえば、そして金融危機が遠のけば、そうなってしまっていた。もしも今回の危機が最終的に政治的な意思と必要な投資を生み出し、将来のパンデミックやその他のシステミックな危機が食い止められるのなら、新型コロナ危機は無駄にはならないだろう。

国際的なリーダーシップが生まれず、保健医療や経済面での対応があまりにも小規模で、あまりにも遅かったことから、新型コロナによって保健医療と経済の複合的緊急事態が発生してしまった。回復には、各国による協調的な経済刺激策とワクチンの国際的配分が必須となる[20]。そうした刺激策は、化石燃料を使わない世界への移行を目的にすべきであるし、気候変動の激化にともなう将来のリスク低減だけではなく、すぐに雇用につながる労働集約的な内容でなければならない。とりわけ、専門的な現場スキルを要する仕事に携わる個人の雇用につなげることが重要となる。というのも、彼らはロックダウンと経済の崩壊によってとくに不利な状況に追い込まれてきたからだ。

世界各国で景気刺激策の一部としてすでに投じられてきた額の五分の一を振り向ければ、世界中のリーダーは、この経済災害を絶好の機会にできるだろう。グリーン経済への移行エンジンを始動するだけではなく、幅広い分野の新規ビジネスを育み、不公平を減らし、途上国を支援するきっかけを生み出せる。そのうえ、信頼できる安価な再生可能エネルギー源がない二〇億人の人たちに、エネルギーを供給するきっかけにもなる[21]。

二〇二〇年のパンデミックについて、著名な歴史家マーガレット・マクミランは「歴史を形づくるいくつもの川が方向を変える」重要な契機と見ている。パンデミックを契機に、各国が過去の失敗をはねのけ、新たな方向を模索する。そのなかで、政治の流れと社会の選好が混沌としたものになり、これらが再編されるとみなしている[22]。過去の戦争や革命と同じく、新型コロナの一大叙事詩のごとき苦難によって、根本的な変化につながる歴史的断絶と好機がもたらされるだろうというのだ[23]。とはいえ、大きな変化への期待は、プラグマティズムと漸進的変化の犠牲になることが多い。

民主政のもとでは、変化は緩慢で、次の選挙を待たなければならない。偉大な構想には偉大な思想家が必要だとすれば、現代のケインズ、ローズヴェルト、チャーチルはどこにいるのか。この決定的に重要なときに必要なリーダーがいない場合、何が起こるのか、マーガレット・マクミランに尋ねてみた。偉大なリーダーは社会の集合的意思に道を開くことはできても、集合的意思を離れて行動することはできないというのが、彼女の答えだった。世界大戦を二度と繰り返さないという決意こそが、一九四二年の新世界秩序創設構想につながった。そして、イギリス人が新秩序の大黒柱ととらえた福祉国家の創設に対し、チャーチルがさほど積極的に支持しなかったとき、無名の労働党首クレメント・アトリーに取って代わられた。「平民クレム」として知られるアトリーは、生活の質の改善を求める幅広い声を巧みに吸い上げることによって、地滑り的勝利を収めた。[24] いまふたたび、ユニバーサル・ベーシックサービス〔生きるために必要な基本的サービスを国民全員が受けられる仕組み〕と、働ける人全員への雇用保障の制度化を新たな社会契約の中心に据えるべきだ。

旧態依然の状況に舞い戻らないようにするには、決意をもって過去を断ち切る必要がある。ラディカルな改革につながる、ある種の断絶が必要なのだ。断絶というと恐ろしく聞こえるかもしれないが、パンデミック、気候変動の加速、不平等の拡大、失業、不安定の日常化が不可避的にもたらす恐ろしさよりは、ましだ。ラディカルな改革は、より見通しが立ち安定した世界を生み出すだけではない。ラディカルといっても、二〇二〇年、私たちの生活のありとあらゆる場面で生じた分断に比べれば、混乱は少なくて済む。

二〇二〇年一月なら革命的とみなされただろう多くの考え方が、いまや主流の位置にある。そして私たちがいま、革命的とみなす考え方の多くは、以前は主流だった。たとえば一九七〇年代までは、ヨーロッパでも、アメリカでも、イギリスでも、最高税率は九〇％を超え、国有の銀行、公共交通機関、発電所があった。コミュニティ組織や労働団体はほとんどの地域にあり、しかもただ存在していただけではなく、政府の政策協議において重要な役割を果たしていた。実際、ドイツを含め、多くのヨーロッパ諸国では、こうした協議形式がいまも普通だ。

パンデミックまでは、政府の赤字をファイナンスするために中央銀行がマネーを創出できるなどという考えは異端だった。しかし最初の数週間で、中央銀行による財政ファイナンスがあまりにも弱腰だとして批判されるようになっていた。かつて異端派の提唱していた考え方が突如、檜舞台に上がったのだ[25]。これがきっかけとなり、成長を回復させるだけではなく、雇用の創出、不平等の克服、ゼロカーボン経済への移行という緊急課題に対処する計画が始動することとなった。社会的孤立を防ぎ、コミュニティを基本とする発展を土台に据え、人々のニーズを満たすとともに、環境面も持続可能なものとする。これを実現するには、昔ながらのやり方で成長を目指すのではなく、未来に向けた戦略のなかに、ウェルビーイングに関する幅広い観点を取り入れる必要がある。

『フィナンシャル・タイムズ』は自紙を「グローバル・ビジネスに関し世界をリードする出版物」と称しているが、「すべての人のために機能する世界をつくりだすには、ラディカルな改革が必要」と主張するようになった[26]。経済政策の総本山ともいうべき国際通貨基金（ＩＭＦ）が気候変動に対し、政府がさらに大きな借金をしてでも介入を深め、より迅速な行動をとるよう求めたとき、同紙はそれを「経済思想新時代の夜明け」と歓迎した[27]。

ラディカルな改革という考え方を全員が歓迎することはなさそうだ。世界経済フォーラムの主宰者クラウス・シュワブは自著『グレート・リセット[*3]』のなかで、パンデミックのもたらす破壊的な意味と改革の必要性を明らかにしているが、富の再分配に与える結果について詳しく述べることはない。富の再分配には、毎年開催されるダボス会議に集まるビリオネアの多くが反対するのは間違いない。パンデミックの間に、世界のたった一〇人のビリオネアが五四〇〇億ドルもの追加資産を獲得したのが現実だ[28]。『パンデミック後の世界一〇の教訓[*4]』の著者でジャーナリストのファリード・ザカリアは、「私たちは何が足りないかわかっているし、それに対処する方法もわかっている」と述べ、ラディカルな考え方に警鐘を鳴らしている。[29] だが、これは楽観的な見方だ。ほとんどの国、ほとんどの専門家・リーダーは、失敗したことも解決の方法についても、十分理解しているとはいえない。しかしながら、十分な意思があれば、解決策が見つかる可能性はある。[30]

パンデミックであるがゆえに、政治家は選挙民に問うことなく、内緒で大きな力を振るえた。いまや、パンデミックでおこなった緊急対応を、一般市民から支持される戦略的政策課題に転換することが必要になっている。

パンデミックの間に、多くの面で社会契約の書き換えがおこなわれた。私たちの自由は制限され、個人の期待は変化した。だがお互いに期待すること、政府に期待することも変化した。変化を求める声は、どこでも高まっている。

物事が急展開しているときには、私たちの認識も急展開させるべきだ。変化への期待を政策や政治につなげるのが次のステップになる。パンデミックの教訓として、協力をさらに進めることを学ぶべきなのだが、歴史が示しているとおり、不況期の政治では保護主義を求める声が高まる。一九三〇年代には、大不況によって保護主義とファシズムが台頭し、悲惨な結果がもたらされた。最近の例では、まさに世界金融危機によってもたらされたのが、イギリスのブレグジット、トランプの大統領選出、イタリア、ギリシャ、スペインにおけるポピュリスト体制であり、最悪の被害をこうむった国々におけるナショナリズムと保護主義の勃興だ。今回、事態が違ったものになるかどうか、その大部分は、私たちが誰に投票し、何をリーダーに求めるかにかかっている。

『オックスフォード英語辞典』によれば、「respair」という言葉は、名詞としても、動詞としても使う。絶望（despair）のあと、希望に戻るという意味を持っている。文書での記録としては一五世紀に遡るが、ルネサンス以後は、さほど一般的には使われてこなかった。だが、パンデミックはよりよき世界を生み出す可能性があるという新たな楽観論を表す言葉として、いまこそよみがえらせるべきだ。

多くの民主主義国がパンデミックへの対処に失敗したことと相まって、私たちの多く、とくに若者たちの前途は荒涼としているが、幸いなことに、有権者はまだ政治的に冷めきってはいない[31]。それどころか、二〇二〇年に実施されたアメリカ大統領選挙の投票者数の記録は、政治活動が活発になっているという、世界的にみられる調査結果を裏づけている。

世論調査が示しているとおり、全世界において一〇人中、九人は「新型コロナのパンデミック前の状況に戻るよりも変化を望み、その思いは深く、広く浸透している[32]」。ロシアとコロンビアでは、世界が「大きく変わり、より持続可能で公平になるべき」との項目について九四%の人が同意し、二七の調査国中、首位に立っている。この項目については、両国と同様、ペルー、メキシコ、マレーシア、南アフリカ、ブラジルで強く支持されている[33]。イギリスでは回答者の八七%が変化に賛成し、ヨーロッパのほとんどの国民も、同じように変化を望んでいる。アメリカでは、調査した一〇人中、八人がパンデミック前の状況に戻るよりも大きな変化への期待を表明している[34]。

変化の中身についてみると、ニューヨーク大学国際協力センターの研究が明らかにしたように、回答者自身への恩恵のあるなしにかかわらず、不平等の是正を目的とした再分配政策への支持が広がっている。ヨーロッパでは、もっとも弱い人々への配慮がイギリス人とドイツ人の間で最優先事項になっており、スペイン人の七三%がこうした人々に対するベーシックインカムを支持している[35]。カナダでは、全人口の八〇%以上が政府に対し、ホテルの空き部屋をホームレスのために活用するよう求めている[36]。コロンビアでは、回答者の九七%がもっとも弱い人々に対し、政府が直接、経済的支援を与えることに賛成した[37]。パキスタンでは、九一％の人が政府による現金給付計画を支持している（「愚策」ととらえているのはわずか四％にすぎない）。この計画から実際にわずかでも支援を得られる人は、たった七％しかいないのに、こうした結果となっている。[38] ケニア人がもっとも有効と考える社会政策は、貧しい人々に対する直接的現金給付だ。[39] アルゼンチンでは、八一％が非正規労働者に対する補助金給付に賛成し、バングラデシュ人は、貧しい人々が食べる余裕もないならば、新型コロナ対応策は成功とはいえないと述べている。[40]

　変化を望む声があるのは確かだ。いまのうちに変化を現実のものとしなければならない。パンデミックの衝撃が消え去り、私たちが喜んでパンデミック前の日常に戻って満足してしまってからでは遅い。新たな世界に向けた構想の立ち上げが、第二次世界大戦の恐怖の後ではなく、そのただなかのことであり、戦争の傷跡が癒されるよりもずっと前だったのは、単なる偶然ではない。私たちの最大のリスクは、過去に思いを馳せるあまり、よりよき世界への切なる願いが弱まることだ。戦争と違い、パンデミックの間は、全人類が見えざる共通の敵と戦ってきた。それでも一致団結して頑張れないのであれば、これから先、何が起こっても協力などできないだろう。

　救済は、よりよき世界を確実に保証しないが、その可能性を広げる。とてつもない運命から救済された難民がよりよき未来を思い描けるようになるのと同じく、私たちはいま、よりよき世界をつくりだす可能性を手にしている。だが、まずは、どちらとも定まらないなかを歩かなければならない。私たちはパンデミック前の古い世界を離れつつあるが、まだ新しい世界に足を踏み入れたわけではない。不安になり、慣れ親しんだ場所に戻りたいと思うのも当然だろう。だが、これがもっとも危険なのだ。スコット・フィッツジェラルドの作品『グレート・ギャツビー』におけるジェイ・ギャツビーの言葉が思い起こされる。「過去は繰り返せないって？　なんでだよ、もちろん繰り返せるさ」[41]。ジャズと狂騒の一九二〇年代は、一九一八年の衝撃的なパンデミックと第一次世界大戦に続く繁栄の時代として描かれた。いまこれが繰り返されることも十分ありえる。人と交わりたい、消費したいという欲求がたまりにたまっているので、それによって狂騒の二〇二〇年代がもたらされるからだ。ただ一〇〇年前の狂騒は、大不況、ファシズムの台頭、第二次世界大戦と続き、悲嘆の涙で終わった。

私たちの前途では、人生に一度の機会が窓を開けて待っている。この機会をつかめば、悪化し続けるグローバル危機の悪循環から逃れられる。私たちは、パンデミック後、日常を取り戻す様子を祝いつつも、この機会をとらえなくてはならない。これまで以上の努力を積み重ね、そうしなければリスクの不可避的エスカレーションにいたるであろう事態を断ち切らなくてはならないのだ。

自分には何もできないと感じていたら、ほかの人を助けられない。家のなかにも、地域にも、孤独と絶望の危機からいますぐ逃れなければならない人がいる。私たち一人ひとりは、それぞれのやり方で、よりよき、そしてより幸せな社会づくりに貢献できる。心躍るボランティア集団の一員になれる。カーボンフットプリントを減らせるし、公正な納税をおこなうこともできる。

激しい思想闘争が繰り広げられるなか、私たちはそれに加わらなくてはならない。無関心と個人主義は、社会の変化にとって敵であり、ポピュリストや過激主義者、フェイクニュース、邪悪な思想による政治とメディアの乗っ取りを助長してしまう。

パンデミックによって、各国の強さと弱さだけではなく、何が重要か、何ができるかが明らかになった[42]。リーダーシップと政府がもたらす力の重要性、国際機関の重要性が浮き彫りになった。研究が命運を左右するのに、資金不足であることが判明した。データをタイムリーに利用できなければならないこと、にもかかわらず、データの分析が政治家や事情通と称される連中に邪魔されがちなこともはっきりした。

大国の呪文は力を失った。もっとも高度な専門知識に恵まれた、もっとも豊かな国がウイルスに翻弄される一方、専門知識の不足する、はるかに貧しい国がウイルスになんとか抵抗できたからだ。自然科学を補うには人文・社会科学の専門知識が必要なことは、いろいろな場面で明らかになった。人間の行動について、パンデミックならびに多方面で必要となる回復策が広範囲に及ぼす影響について、学際的視点をもって理解することが危機に対処するうえできわめて重要になった。それと同時に、わずか一年以内という記録的スピードでのワクチン開発は、重要な世界的課題に対処する人類を支えるべく、自然科学の共同作業と新たな技術が功を奏した証しでもある。

パンデミックは、人を抑え込んできたタブーを破壊した。私たちは一個人として行動を変えやすくなったし、ワーク・ライフ・バランスを議論し、精神疾患や孤独に関する問題に目を向けやすくなった。政府は緊縮政策の呪縛を解く手段を見いだし、迅速かつ強力な行動によって、助けを必要とする労働者や企業を支えた。

私たちの社会では、これまでにないほどの連帯が生まれた。若者は高齢者の犠牲になり、エッセンシャルワーカーは自らを危険にさらした。二〇二〇年、イギリスの国民健康保険制度（ＮＨＳ）のボランティアに参加した人々が募集人数の三倍になったことにも示されているとおり、ボランティア精神も溢れかえっていた。

だが、連帯には限界があることも露呈した。パンデミックによって、各国内および各国間の不平等が明らかになっただけではなく、それが悪化したのだ。こうして拡大した亀裂は、すぐにでも是正されなくてはならない。世界的危機を乗り越え、持続可能な世界を築き上げるには、人々の結集力を高めた、より包容力のある社会が不可欠だ。

世界中の貧しい人々が人生で最大の開発危機に直面しているというのに、二〇二〇年の援助はパンデミック前より低下し、世界の反応はまったく不適切なものだった。高所得国は援助拡大に向けてさらなる行動が必要であり、国際機関を増強し開発援助を大幅に増やして、全人類の繁栄を支えなければならない。ワクチンの国際的配分が遅れれば遅れるほど、新型コロナウイルスの変異リスクは大きくなり、保健医療と経済の回復は遅くなる。より包容力があり、持続可能な世界を構築するのは簡単ではない。だが新型コロナによって、変化の必要性、変化を求める声が明らかになった。市井の人々と地球を最優先するときがきたのだ。

パンデミックによって、いままさに猛威を振るっている危機に対処するよりも、危機を予防するほうがはるかに安くつくことが明らかになった。二〇二〇年、各国政府はわずか一日で、過去一〇年、パンデミック防止に振り向けた以上の金をパンデミック対応に充てた。パンデミックが必然的にやってきて、私たちは防ぐことも備えることもできなかったという事実は、たしかに最大限の音量で目覚まし時計が鳴らされたことを意味している。結果的にこれで目覚めるのなら、新型コロナは人類を救済し、よりよき未来への扉を開けてくれたことになる。新たな、よりよき世界にしっかり向き合うのか、それとも、相変わらず危険な道を歩き続けるのか、私たちはいま歴史的な選択を迫られている。

潜在的リスクは、かつてないほど高くなっている。何世代にもわたって鳴っていた目覚ましに、私たちが反応する番なのだ。いまでなければ、いつやるのか。私たちでなければ、誰がやるのか。

謝辞

本書は、これまで私が著してきた書物のなかで、テーマの緊急性、締め切りまでの時間という点で、もっとも神経を集中しなければならないものだった。それゆえ、周りの人のサポートがこれまで以上に必要不可欠だった。カロリナ・サットンは、新型コロナ禍で憂鬱な気分が頂点に達していたとき、この企画に取り組むよう最初に示唆してくれた。おかげで、よりよい未来を構想する気になれた。こんなにも献身的で才能あふれるガイドに導かれ、私は本当に恵まれている。彼女が二〇二〇年を代表する著作権代理人（literary agent）と認められたのも当然のことだ[*1]。

ジュリエット・ブルックは、今回担当してくれたセプター社の優秀な編集者で、本書最大の貢献者だ。すべてのページに、彼女の非常に鋭いコメント、的を射た指示、完成に向けた建設的な関与と編集能力が反映されている。優れた原稿編集で支えてくれたジャッキー・ルイス、草稿に丹念に目を通し改善につなげてくれたゾーイ・パスケットにも感謝したい。アレックス・コープステイクとフィオナ・カスパークは、リサーチアシスタントとしてタイムリーな働きを見せてくれた。

　無条件の愛と支援を捧げてくれた妻のテス・ウェバー・ゴールディンには、とりわけ感謝したい。テスは本書のタイトルを考え、原稿の改善に尽力してくれたうえ、ウェルビーイングの重要性に対する私の意識を高めてくれた。メンタルヘルスの章については、精神科医である彼女のきょうだいイアンとともに、専門的アドバイスをしてくれた。わが子のオリヴィアとアレックス、きょうだいのジャッキーは、私の心と知識の及ぶ地平を絶えず広げてくれた。アレックスは草稿に対し、思慮深いコメントをくれた。本書執筆中、私は多くのビジネスリーダーや保健医療の専門家に面会し、さまざまな経験を持つ二十数人にインタビューした。彼らが自らの経験を惜しげもなく伝えようとしてくれたおかげで、私は多くの情報を得られ、本書の内容が充実したものになった。自身の困難を克服した力を、他人の取り組みに展望を与えるため使ってくれたのだ。サラ・クリフには、エッセンシャルワーカーに関する情報提供でとくにお世話になった。科学技術と新型コロナの関係についてはビットリオ・コラオ、歴史的教訓についてはマーガレット・マクミラン、気候変動と新型コロナの関係についてはニック・スターン、芸術についてはタスミン・リトルに助けてもらった。所属するＶＣジェリコ・サイクリンググループは、状況が許す限り、私に必要なエクササイズの機会を与えてくれた。またラッセル・ブリムローは、新型コロナウイルス関連の法律整備について、私に教えてくれた。本書の内容を良くするため多くの人が支援してくれたが、本書の内容については、誰も責任を問われることはない。なお残る誤りや脱漏の責任は、すべて私にある。

　オックスフォード大学マーティン・スクールは、アイデアを育む絶好の環境を与えてくれた。スクール内においてパンデミックやワクチンに関する専門的知見が積み上げられてきたおかげで、私はこれら以外でも、さまざまな分野の最先端に立つ学者に接することができた。マックス・ローザーと「アワ・ワールド・イン・データ（Our World in Data）」のチームは比類のない情報源になったし、ベリオール・カレッジや全オックスフォード大学の同僚にも同じく助けられた。シティの調査部長アンドリュー・ピットにはとくに感謝したい。彼は「仕事の未来」と「技術変化と経済変化」に関するオックスフォード大学マーティン・スクールのプログラムを支援し、私が研究課題を追求するうえで必要不可欠な資力を授けてくれた。

　本書は、私が担当したBBCのラジオ番組「世界を変えたパンデミック」でおこなったインタビューに依拠している。ラリー・ブリリアント、ピーター・ピオット、ンゴジ・オコンジョ＝イウェアラ、クリスタリナ・ゲオルギエヴァ、アチム・スタイナー、アルンダティ・ロイ、クレア・ウェナム、ザニー・ミントン＝ベドーズ、ジョー・スティグリッツの豊富な視点によって、本書の基礎となる論点ができあがった。

　本書の扱っている内容が同時代に進行中の事柄ということで、私はいつも以上に、ニュース・時事問題を扱う情報源と解説に頼ることになった。新聞・雑誌等の記者や寄稿者にはたいへんお世話になり、深く感謝したい。『フィナンシャル・タイムズ』『エコノミスト』『ガーディアン』『ニューヨーク・タイムズ』の各紙誌、BBC、そのほか広範囲にわたる刊行物、ブログやソーシャルメディアの投稿から、私は毎日、つぎつぎと新たな視点やデータを手に入れた。おかげで思考が研ぎ澄まされ、刺激を受けることができた。以前投稿した論文の一部利用を許諾してくれた『ファイナンス・アンド・ディベロップメント』誌の編集者のみなさんにも感謝する。

　パンデミックを引き起こし、不平等と苦難を深刻化させている現在の国家システムとグローバル・システムには、大きな欠陥が内在している。本書執筆時、私が願っていたのは、この本がそうした欠陥を世に知らしめることに貢献できればということだった。いままでどおりのやり方に戻るというのは危険な考えであり、よりよき世界を築くために二倍の汗をかく必要があると読者になんとか納得していただけたなら、本書の願パンデミックの生み出したすべての苦難を無駄にしないためには、これしか道がない。

訳者あとがき

本書は、Ian Goldin, *Rescue: From Global Crisis to a Better World*（London: Sceptre, 2021）の全訳である。邦題については、原題および原著の端的な内容・主張をくみ取り、『未来救済宣言——グローバル危機を越えて』とした。

原著者のイアン・ゴールディンは一九五五年、南アフリカで生まれ、母国のケープタウン大学で学んだのち、ロンドン・スクール・オブ・エコノミクス（ＬＳＥ）で修士号、オックスフォード大学で修士号と博士号を取得している。オックスフォード大学マーティン・スクール（ジェームズ・マーティン二一世紀研究院）の創設を主導し、二〇〇六年から二〇一六年まで研究院長を務めた（マーティン・スクールは、地球規模での課題に関する学際的な研究機関であり、ここの調査・研究にもとづいて公開されるOur World in Data は世界中で利用されている）。

現在、ゴールディンはオックスフォード大学教授（グローバリゼーション／開発学）であり、マーティン・スクールにおいて「技術変化と経済変化」「仕事の未来」「開発の未来」といった研究プログラムを主宰している。また伝統あるベリオール・カレッジの要職（Professorial Fellow）にもある。

マーティン・スクール創設に関わるまでは、欧州復興開発銀行で主任エコノミスト、経済協力開発機構（ＯＥＣＤ）開発センターで、貿易、環境、持続可能な開発などに関する研究責任者を務めたほか、一九九六年から二〇〇一年までは南部アフリカ開発銀行総裁、南アフリカのネルソン・マンデラ大統領顧問、その後、世界銀行開発政策ディレクター（二〇〇一～二〇〇三年）、世銀副総裁（二〇〇三～二〇〇六年）を歴任した。

ゴールディンは数多くの著作を発表しているが、オックスフォード大学出版局のA Very Short Introductionシリーズの一冊、『開発（*Development*）』は世界中で、長きにわたり幅広い読者を獲得している。日本では新聞各紙・経済誌への寄稿・インタビュー記事で名が知られているほか、クリス・クターナとの共著『新たなルネサンス時代をどう生きるか——開花する天才と増大する危機』（桐谷知未訳、国書刊行会、二〇一七年）が出版されているが、単著については本書『未来救済宣言』が初邦訳である。

原著刊行に際しては、ゴールディンの経歴と幅広い人脈を反映し、マイケル・サンデル（ハーバード大学教授／政治哲学者）をはじめ、エドムンド・フェルプス（ノーベル経済学賞受賞者）、クリスタリナ・ゲオルギエヴァ（ＩＭＦ専務理事）、ゴードン・ブラウン（元イギリス首相）、アリアナ・ハフィントン（ハフィントン・ポスト〔現ハフポスト〕創設者）、アン＝マリー・スローター（ニューアメリカ財団ＣＥＯ）らが推薦の言葉を寄せている。

具体的事例や数値データが豊富な本書を一読いただければ分かるように、主張は明解である。人類史的危機というべき新型コロナウイルス感染症（ＣＯＶＩＤ-19）のパンデミックをきっかけとして、「いままでどおりの日常に戻る」のではなく、「ラディカルに舵を切る」べきだと訴えている。

新型コロナのパンデミックは、気候変動や格差、人種差別など、これまでやり過ごしていたさまざまなリスクと社会の構造的脆弱性を露わにした。もはや一部の批評家や政治家、ビジネスパーソンが暢気に期待しているように「いままでどおりの日常に戻る」ことなどできない。それほどグローバル危機が高まっている。だからといって、悲観すべきことばかりでもない。リスクや脆弱性だけでなく連帯と協調の可能性がこれまで以上に明らかになったのだから、パンデミックへの緊急対応を機に、システムを「ラディカル」に変えることができれば、「よりよき世界」を創るチャンスが生まれる。

新型コロナのパンデミックは、世界が抱える深刻な問題だけではなく、対抗するための手段や方策を可視化するとともに、いままでは緩慢にしか進まなかった変化を加速した。パンデミックに見舞われている現在は、歴史上の分水嶺である。今後の大きな流れは私たちの意思によって決まる。政府・企業・市民の負うべき役割はそれぞれ大きく、国際協調も求められる。

本書においてゴールディンは、実務経験者らしく、現実的な根拠をもとに、私たちの未来を救済するための諸課題と解決策を提示した。本書では「ラディカル」という言葉が随所に見られるが、それは過去四〇年間、主要各国・国際機関の政策の基軸に据えられてきた「新自由主義（neoliberalism）」からの転換を意味する。ゴールディン自身は、資本主義の可能性を信じ、より包容力のあるグローバリゼーションを主張する穏健なリベラル派と言ってよいだろう。

歴史的分水嶺を生み出した新型コロナ禍そのものは、いまだ終息せず、状況は時々刻々変わっている。取り上げられている事例、言及される数値は原著出版時点のものであり、なかにはアップデートが必要なものもあるが、本書は、確かな時間軸と空間軸に支えられた非常に興味深い啓蒙書、政策提言の書となっている。

一定の期間内ではあれ、パンデミックに見舞われた世界を鳥の目で見渡し、時に虫の目で観察する優れた社会評論にもなっている。

新型コロナ対策でけっこう頑張ったと胸を張りたい日本人からすれば、本書における日本への言及は意外に少ないように思われるかもしれない。著者の関心によるのだろうが、あらゆる場面で、世界における日本のプレゼンスが低下していることの証しと言えなくもない。

さて原著出版後、一年が経過した二〇二二年の世界と日本。感染が収まったわけではないのに、いまや多くの国でロックダウンが解除され、行動規制が緩和されている。ゴールディンが危惧したとおり、「いままでどおりの日常に戻る」力学が強まり、グローバル危機の解決に向けた「ラディカルな改革」が遠のいている感がある。さらには、二月にロシアがウクライナに侵攻するという暴挙に走り、多角的協調がますます困難になっている。

二〇一〇年代から米中対立、自国第一主義やポピュリズムの台頭など、分断の兆しは高まっていたが、ウクライナ戦争は対立の構図を決定的なものにしそうである。こうした世界情勢を前に、「未来救済」に向けたゴールディンの「宣言」を「きれいごと」で片づけるのは簡単だ。だが人類は、二度にわたる世界大戦をはじめ、これまでの歴史のなかで多くの犠牲を払いながら、「きれいごと」を少しずつでも形にすること、制度化することの重要性を学んできたはずである。それがスローダウンしたり、バックラッシュに見舞われたりすることもあるだろう。しかしながら、「きれいごと」と揶揄し、対立を深めたところで問題は何も解決しない。

いまだからこそ、ゴールディンの「未来救済宣言」に、まずは真摯に耳を傾けるべきではないだろうか。気候変動やパンデミック、核の脅威をはじめ、喫緊の課題解決に向けて多国間の協調が必要なとき、分かりやすい「敵」をこしらえて戦争などやっている場合ではない。訳者としては、本書がほんの少しでも、決定的対立を阻止するアンカー、協調に向けた道標としての役割を果たしてくれたらと期待している。

今回の翻訳は、フリーの編集者である勝康裕氏の発案により実現した。早いもので彼とは三〇年ほどの付き合いになる。自著を含め、いくつもの企画をともにしてきたが、毎回、楽しく仕事をさせてもらうと同時に、多くのことを学ばせてもらった。今回も然りである。

勝さんには、このたび白水社の竹園公一朗氏に引き合わせていただいた。骨太の良書をつぎつぎ世に送り出している優秀な編集者と初めて仕事をご一緒することができ、還暦を過ぎた身だが、もうひと踏ん張りする気持ちが高まった。

私の学部ゼミの第二九期生・川端俊也氏（現在、一橋大学大学院経営管理研究科在籍）には、大学卒業前の忙しいさなか、翻訳草稿に丁寧に目を通してもらい、いくつかの適切なアドバイスをいただいた。彼のおかげで思わぬ誤りや脱漏を未然に防げた点が多々ある。

拙訳が多少なりとも読みやすくなったとすれば、お三方のおかげである。心から感謝申し上げる。

なお残る誤訳や誤解があるとすれば、その責任は訳者にある。そうした点については、読者諸賢のご指摘ご叱正を賜りたい。

二〇二二年盛夏、老母の米寿を前に

矢野 修一

*

mal",' *The Guardian*, 15 November 2020.

(42) El-Erian, 'The COVID Silver Linings Playbook.'

訳　注

〔1〕バウハウス――バウハウスは 1919 年，ヴァイマル共和政期のドイツで設立された美術・建築に関する総合的教育施設。

〔2〕ボブ・ゲルドフ，ボノ――いずれも，1980 年代以来，数次にわたるアフリカ支援や債務帳消しを訴えてきたミュージシャン。

〔3〕原著は，ティエリ・マルレとの共著。Klaus Schwab and Thierry Malleret, *Covid–19: The Great Reset*（Geneva: Forum Publishing, 2020）〔クラウス・シュワブ，ティエリ・マルレ／藤田正美・チャールズ清水・安納令奈訳『グレート・リセット――ダボス会議で語られるアフターコロナの世界』日経ナショナルジオグラフィック社，2020 年〕.

〔4〕原著は，Fareed Zakaria, *Ten Lessons for a Post-Pandemic World*（London: Allen Lane, 2020）〔ファリード・ザカリア／上原裕美子訳『パンデミック後の世界 10 の教訓』日経 BP 日本経済新聞出版本部，2021 年〕。

謝　辞

訳　注

〔1〕カロリナ・サットン――サットンは，イギリスで本のアカデミー賞といわれる「ブリティッシュ・ブック・アワード」の著作権代理人賞を獲得した。

vember 2020.

(18) George Ward, 'Is happiness a predictor of election results?' CEP Discussion Paper, LSE, 2015.

(19) Liz Mineo, 'Good genes are nice, but joy is better,' *The Harvard Gazette*, 11 April 2017.

(20) 'Africa Summit, Getting Africa Back to Business,' *Financial Times*, 12 October 2020.

(21) Cameron Hepburn et al., 'Will COVID–19 fiscal recovery packages accelerate or retard progress on climate change?' *Oxford Review of Economic Policy*, vol. 36, issue 1, 4 May 2020.

(22) 'Talking about a revolution?' Gavin Kelly's blog, 29 July 2020.

(23) Ibid.

(24) John Bew, *Citizen Clem: A biography of Attlee* (London: Riverrun, 2016).

(25) 'Coronavirus: the moment for helicopter money,' *Financial Times*, 20 March 2020.

(26) 'Virus lays bare the frailty of the social contract,' *Financial Times*, 3 April 2020.

(27) 'Dawn breaks on a new age of economic thinking,' *Financial Times*, 11 October 2020.

(28) Esmé Berkhout et al., *The Inequality Virus: Bringing together a world torn apart by coronavirus through a fair, just and sustainable economy*, Oxfam, Oxford, January 2021.

(29) 'The pandemic upended the present. But it's given us a chance to remake the future,' *The Washington Post*, 6 October 2020.

(30) Ibid.

(31) 'Talking about a revolution?' Gavin Kelly's blog, 29 July 2020.

(32) 'Around the world, people yearn for significant change rather than a return to a "pre-COVID normal",' IPSOS, 16 September 2020.

(33) Ibid.

(34) Ibid.

(35) 'El Pais: Estudio sobre la crisis del coronavirus II,' 40dB, April 2020; *COVID–19 Opinion Tracker*, KEKST CNC, May 2020.

(36) Survey on Stronger Measures Covid–19, IPSOS, April 2020.

(37) Leah Zamore, and Ben Phillips, 'Covid–19 and Public Support for Radical Policies,' Centre for International Policies, New York University, 25 June 2020.

(38) Ibid.

(39) *Final Report: The Covid–19 Global Pandemic in Nairobi's Low-Income Areas: Health, Socio-Economic and Governance Aspects*, TIFA Research, 11 May 2020.

(40) Tariq Omar Ali et al., 'Trust, Institutions, and Collective Action: Raid Study of Community Responses to COVID–19 in Bangladesh,' BIGD Policy Brief, 29 April 2020; 'Encuesta: crece la imagen positive de Alberto Fernández en medio de la pandemia,' *PERFIL*, 26 March 2020.

(41) F. Scott Fitzgerald, *The Great Gatsby* (London: Chatto & Windus, 1925), chapter 6〔スコット・フィッツジェラルド／村上春樹訳『グレート・ギャツビー』中央公論新社，2006 年〕. 以下からの引用。John Harris, 'The dream of going "back to nor-

〔2〕クリス・クターナ（Christopher Kutarna）との共著。原題は，*Age of Discovery: Navigating the Storms of Our Second Renaissance*。

結　論　未来の救済――グローバル危機から，よりよき世界へ

（1）Lindsay Judge, and Hannah Slaughter, 'Failed safe? Enforcing workplace health and safety in the age of Covid–19,' Resolution Foundation, 2 November 2020.

（2）Ibid.

（3）The speech: David Lloyd George, 23 November 1918, *The Scotsman*, 23 November 2007. 以下からの引用。Mark Carney in 'How the economy must yield to human values,' *The Economist*, 16 April 2020.

（4）John Maynard Keynes, *How to pay for the war: A radical plan for the chancellor of the exchequer* ［London: Macmillan, 1940］, in Elizabeth Johnson and Donald Moggridge (eds), *The Collected Writings of John Maynard Keynes* (Cambridge: Cambridge University Press, 1978)〔ジョン・メイナード・ケインズ／中内恒夫訳「戦費調達論――大蔵大臣に対するラディカルな計画案」宮崎義一・伊東光晴責任編集『ケインズ；ハロッド』中央公論社，1971 年〕. 以下からの引用。'The pandemic will leave the rich world deep in debt, and force some hard choices,' *The Economist*, 23 April 2020.

（5）*The IFS Deaton Review of Inequalities*, 5 January 2021; 'UK "cannot duck" post-Covid inequalities,' BBC News, 5 January 2021.

（6）'The Coronavirus is rewriting our imaginations,' *The New Yorker*, 1 May 2020.

（7）Mohamed A. El-Erian, 'The COVID Silver Linings Playbook,' Project Syndicate, 15 September 2020.

（8）Paul Collier, and John Kay, *Greed is Dead: Politics After Individualism* (London: Penguin, 2020).

（9）Mark Carney, 'How the economy must yield to human values,' *The Economist*, 16 April 2020.

（10）Ibid.

（11）Ibid.

（12）Michael J. Sandel, 'What Isn't for Sale?' *The Atlantic*, April 2012.

（13）Molly Morgan Jones, Dominic Abrams, and Aditi Lahiri, 'Shape the Future: how the social sciences, humanities and the arts can SHAPE a positive, post-pandemic future for peoples, economies and environments,' *Journal of the British Academy*, vol. 8, 2 October 2020.

（14）'It will change everything,' *Nature*, 30 November 2020.

（15）COVID–19 Primer, Primer.

（16）'"I just want to go home" – how Covid–19 changed expat life,' *Financial Times*, 2 October 2020.

（17）'UNDP Future of Development High Level Strategy Lab: COVID–10,' UNDP, 11 No-

(42) 'Just because it's digital doesn't mean it's green,' *Financial Times*, 6 March 2019; Raynold Wonder Alorse et al., 'The Digital Economy and the Green Economy: Compatible Agendas?' PGI Working Paper, October 2019.

(43) Nathanial Gronewold, 'E.U.'s Coronavirus Recovery Plan Also Aims to Fight Climate Change,' *Scientific American*, 28 May 2020; Sam Kim, 'South Korea Doubles Spending Plan for "New Deal" to Reshape Economy,' *Bloomberg News*, 14 July 2020.

(44) Troy Stangarone, 'South Korea's Green New Deal: Moon's vision for a post-COVID economy includes a new commitment to reducing emissions,' *The Diplomat*, 29 May 2020.

(45) 'Labour to plan green economic rescue from coronavirus crisis,' *The Guardian*, 17 May 2020.

第13章　グローバル危機の抑止

(1) *The Global Risks Report 2020*, World Economic Forum, 2020.

(2) *Future Risks Report*, AXA & Eurasia Group, October 2020.

(3) Ian Goldin, 'Rethinking Global Resilience,' *Finance & Development*, IMF, September 2020.

(4) Ibid.

(5) Ian Goldin, and Mike Mariathasan, *The Butterfly Defect: How Globalization Creates Systemic Risks, and What to Do About It* (Princeton, NJ: Princeton University Press, 2014), chapter 6.

(6) Larry Brilliant, 'My wish: Help me stop pandemics,' TED Talk, February 2006.

(7) Ibid.

(8) Jie Zhao, Peiquan Jin, and Guori Hang, 'A Survey on Detecting Public Emergencies from Web Pages,' *Advances on Information Sciences and Service Science*, 2011.

(9) Ian Goldin, *Divided Nations: Why Global Governance is Failing, and What We can Do About It* (Oxford: Oxford University Press, 2013); Goldin, 'Rethinking Global Resilience.'

(10) ' £174 million reimbursement: Wimbledon and the insurance coup,' *Tennis Net*, 14 November 2020.

(11) 'Are we living at the "hinge of history"?' *BBC Future*, 24 September 2020.

(12) 'How pandemics change history,' *The New Yorker*, 3 March 2020; Sudhir Hazareesingh, *Black Spartacus: The Epic Life of Toussaint Louverture* (London: Allen Lane, 2020), pp. 93–94.

(13) Nelson Mandela, Speech, 2001.

訳　注

〔1〕マイク・マリアタサン（Mike Mariathasan）との共著。原題は，*The Butterfly Defect: How Globalization Creates Systemic Risks, and What to Do About It*。

13 October 2020.

(19) *Renewables 2020: Analysis and forecast to 2025.*

(20) ‘A renewable-energy boom is changing the politics of global warming,’ *The Economist*, 14 March 2020.

(21) Ibid.

(22) ‘UK renewables prove a shining success during pandemic,’ *Financial Times*, 17 May 2020.

(23) ‘Sony warns it could move factories over Japanese energy policy,’ *Financial Times*, 27 November 2020.

(24) *Observatorio do clima*, 2020.

(25) ‘The epidemic provides a change to do good by the climate,’ *The Economist*, 26 March 2020.

(26) ‘China’s plan to launch the world’s largest carbon trading scheme by 2025,’ World Economic Forum, 12 November 2020.

(27) Seb Henbest et al., *New Energy Outlook 2020*, BloombergNEF, 2020.

(28) ‘Revealed: Covid recovery plans threaten global climate hopes,’ *The Guardian*, 9 November 2020.

(29) Ibid.

(30) Rhett A. Butler, ‘14 straight months of rising Amazon deforestation in Brazil,’ Mongabay, 12 June 2020.

(31) Oluniyi Fadare, and Elvis Okoffo, ‘Covid–19 ace masks: A potential source of microplastic fibers in the environment,’ *The Science of the Total Environment*, 16 June 2020.

(32) ‘Face masks and gloves found on 30% of UK beaches in clean-up,’ *The Guardian*, 6 November 2020.

(33) Timothy Rooks, ‘West Coast fires will cost US economy dearly,’ Deutsche Welle, 17 September 2020.　2000年12月18日のBBCニュース「オーストラリア火災（Australia fires）」も参照せよ。

(34) ‘Air pollution costs European economies US$ 1.6 trillion a year in diseases and deaths, new WHO study says,’ WHO Europe, 28 April 2015.

(35) Goldin and Muggah, *Terra Incognita*, pp. 338–41.

(36) ‘Air pollution,’ World Health Organization, 2020.

(37) Lauri Myllyvirta, and Hubert Thieriot, ‘10,000 air pollution-related deaths avoided in Europe as coal, oil consumption plummet,’ Centre for Research on Energy and Clean Air, 30 April 2020.

(38) Ibid.

(39) Marina Andrijevic et al., ‘COVID–19 recovery funds dwarf clean energy investment needs,’ *Science*, 16 October 2020.

(40) ‘How the global coronavirus stimulus could put Paris Agreement on track,’ World Economic Forum, 20 October 2020.

(41) ‘Globalism Survey Results,’ YouGov-Cambridge Centre, 2020.

(41) William Gibson, 'The future is already here – it's just not evenly distributed,' *The Economist*, 4 December 2003.

(42) António Guterres Address to the Opening of the General Debate, United Nations General Assembly, 22 September 2020.

第 12 章　気候危機への対応

(1) 'Experts support UN Secretary General's call for major effort in 2021 to achieve the $100-billion climate finance goal,' United Nations, 11 December 2020.

(2) 'What is a 'mass extinction' and are we in one now?' *The Conversation*, 12 November 2019.

(3) Ian Goldin, and Robert Muggah, *Terra Incognita: 100 Maps to Survive the Next 100 Years* (London: Century, 2020), pp. 341–7.

(4) 'The real scandal isn't what China did to us. It's what we did to ourselves,' *The Washington Post*, 7 May 2020.

(5) 'SARS–CoV–2 mink-associated variant strain – Denmark,' World Health Organization, 6 November 2020; 'Is a dangerous new coronavirus strain circulating in farmed mink?' *New Scientist*, 6 November 2020.

(6) 'Eat less meat: UN climate-change report calls for change to human diet,' *Nature*, 8 August 2019.

(7) Corinne Le Quéré et al., 'Temporary reduction in daily global CO2 emissions during the COVID–19 forced confinement,' *Nature Climate Change*, vol. 10, 19 May 2020.

(8) 'COVID–19 crisis causes 17 per cent drop in global carbon emissions,' University of East Anglia, 19 May 2020.

(9) Secretary General Statement, 'Border Carbon Adjustment: What shape in the post-COVID geopolitical and economic landscape?' OECD, 20 October 2020.

(10) Esprit Smith, 'New NASA Research Projects Probe COVID–10 Impacts,' NASA's Earth Science News, 27 July 2020.

(11) Andrew Hook et al., 'A systematic review of the energy and climate impacts of teleworking,' *Environmental Research Letters*, 19 August 2020.

(12) 'Majority of people expect government to make environment a priority in post COVID–19 recovery: Emerging markets top of the list when it comes to call for action and threat to health,' IPSOS, 5 June 2020.

(13) Jessica Long, Lizzie Gordon, and Ruth Townend, *Now what? Climate change & coronavirus*, IPSOS, June 2020.

(14) 'Why celebrate the bicycle?' United Nations, 3 June 2020.

(15) 'Shopping for Fashion, Six months on,' *The New York Times*, 18 September 2020.

(16) 'Is it the end of the oil age?' *The Economist*, 17 September 2020.

(17) *Renewables 2020: Analysis and forecast to 2025*, IEA, November 2020.

(18) Simon Evans, 'Solar is now "cheapest electricity in history", confirms IEA,' CarbonBrief,

ジアの世紀——接続性の未来』上・下，原書房，2019 年〕.

(17) 'China's prodigious exporters have some new tricks,' *The Economist*, 25 June 2020.

(18) Ibid.

(19) 'Exports of goods and services (% of GDP),' The World Bank, 2020.

(20) 'Covid–19's blow to world trade is a heavy one,' *The Economist*, 14 May 2020.

(21) 'China's prodigious exporters have some new tricks,' *The Economist*, 25 June 2020.

(22) 'The great uncoupling: one supply chain for China, one for everywhere else,' *Financial Times*, 6 October 2020.

(23) 'Covid–19's blow to world trade is a heavy one,' *The Economist*, 14 May 2020.

(24) 'Why coffee has been caught up in the coronavirus sell-off,' *Financial Times*, 5 February 2020.

(25) Oscar Guinea, 'Globalization Comes to the Rescue: How Dependency Makes Us More resilient,' ECIPE, September 2020.

(26) Ibid.

(27) Ibid.

(28) Ibid.

(29) Richard Baldwin, and Simon Evenetti, 'COVID–19 and Trade Policy: Why Turning Inward Won't Work,' VoxEU & CEPR, 29 April 2020.

(30) 'The world's food system has so far weathered the challenge of Covid–19,' *The Economist*, 9 May 2020.

(31) Amartya Sen, 'Property and Hunger,' *Economics and Philosophy*, vol. 4, no.1, December 1988 (published online by Cambridge University Press, 5 December 2008).

(32) 'Coronavirus and globalisation: the surprising resilience of container shipping,' *Financial Times*, 17 September 2020.

(33) 'How Covid–19 put wind in shipping companies' sails,' *The Economist*, 10 October 2020.

(34) 'Coronavirus and globalisation: the surprising resilience of container shipping,' *Financial Times*, 17 September 2020.

(35) 'How Covid–19 put wind in shipping companies' sails,' *The Economist*, 10 October 2020; 'Demand for Chinese Goods Is So Strong There's a Container Shortage,' *Bloomberg News*, 7 January 2021.

(36) Ibid.; Parag Khanna, 'The next wave of globalization: Asia in the cockpit,' *Nikkei Asia*, 13 January 2021.

(37) 'Demand for Chinese Goods Is So Strong There's a Container Shortage,' *Bloomberg News*, 7 January 2021.

(38) Steven Altman, and Philip Bastian, *DHL Global Connectedness Index 2020: The State of Globalization in a Distancing World*, DHL, December 2020.

(39) 'The death of the business trip?' *Financial Times*, 25 September 2020.

(40) 'Half UK's true carbon footprint created abroad, research finds,' *The Guardian*, 16 April 2020.

(33) 'Young people's attitudes toward protests should worry Republicans,' *The Washington Post*, 12 June 2020.
(34) 'The New Normal?' More in Common, 2020.
(35) 'A better society can emerge from the lockdowns,' *Financial Times*, 15 April 2020.
(36) Daniel Susskind, 'The Pandemic's Economic Lessons,' *The Atlantic*, 6 April 2020.

訳　注

〔1〕マンガの「ルーニー・テューンズ」の番組中，ワイリー・コヨーテは野鳥のロード・ランナーを生け捕りにするため，毎回工夫を凝らすが，毎回失敗し，痛い目に遭っている。

第11章　包容力のあるグローバリゼーション

(1) 'How deglobalization is hurting the world's emerging economies,' World Economic Forum, 29 September 2020.
(2) Ibid.
(3) 'World Economic Situation and Prospects: September 2020 Briefing,' no. 141, UN Department of Economic and Social Affairs, 1 September 2020; 'World Bank Predicts Sharpest Decline of Remittances in Recent History,' World Bank, 22 April 2020.
(4) 'Risk, resilience, and rebalancing in global value chains,' McKinsey Global Institute, 6 August 2020.
(5) Nicole Longo, 'Setting up a pharmaceutical manufacturing supply chain is a complex and lengthy process,' Catalyst, 14 May 2020.
(6) 'The reasons behind America's new wave of lay-offs,' *The Economist*, 8 October 2020.
(7) 'Turning hope into reality,' *OECD Economic Outlook*, vol. 2020, issue 2, OECD, December 2020.
(8) Ray Chou et al., *Global Asset Managers in China – Riding the waves of reform*, Oliver Wyman, 2018.
(9) 'Is Wall Street winning in China?' *The Economist*, 3 September 2020.
(10) Ibid.
(11) 'Beijing and Wall Street deepen ties despite geopolitical rivalry,' *Financial Times*, 27 October 2020.
(12) Ibid.
(13) 'Beijing's first bond offer to US investors draws record demand,' *Financial Times*, 15 October 2020.
(14) *Review of Maritime Transport 2020*, UNCTAD, 2020.
(15) 'The great uncoupling: one supply chain for China, one for everywhere else,' *Financial Times*, 6 October 2020.
(16) Parag Khanna, *The Future is Asian: Commerce, Conflict, and Culture in the Twenty-First Century* (London: Simon & Schuster, 2019)〔パラグ・カンナ／尼丁千津子訳『ア

(11) 'The Coronavirus is rewriting our imagination,' *The New Yorker*, 1 May 2020.

(12) Johannes Eichstaedt, 'How Trump Won the Unhappiness Vote,' HAI Stanford University, 18 September 2020.

(13) 'As Trump equivocates on White Supremacy, the FBI Warns of Right-Wing Terror,' *The Nation*, 30 September 2020.

(14) 'U.S. firearms sales: 2020 year-to-date sales set new high,' *Small Arms Analytics*, 3 October 2020; 'Americans have bought record 17m guns in year of unrest, analysis finds,' *The Guardian*, 30 October 2020.

(15) Nancy Birdsall, 'The Curse of Falling Expectations,' Project Syndicate, 25 September 2020.

(16) '"I can't breathe": why George Floyd's words reverberate around the world,' *The Guardian*, 8 June 2020.

(17) 'Six months after mass protests began, what is the future of BLM?' *The Economist*, 12 December 2020.

(18) Eric Lonergan, and Mark Blyth, *Angrynomics* (New York: Columbia University Press, 2020).

(19) 'Would-be autocrats are using covid-19 as an excuse to grab more power,' *The Economist*, 23 April 2020.

(20) Ibid.; 'Azerbaijan: Unlawful Strikes in Nagorno-Karabakh,' Human Rights Watch, 11 December 2020.

(21) Molly Morgan Jones, Dominic Abrams, and Aditi Lahiri, 'Shape the Future: how the social sciences, humanities and the arts can SHAPE a positive, post-pandemic future for peoples, economies and environments,' *Journal of the British Academy*, vol. 8, 2 October 2020.

(22) 'Why Covid is bad for global democracy,' *Financial Times*, 2 October 2020.

(23) Sarah Repucci, and Amy Slipowitz, *Special Report: Democracy under Lockdown: The Impact of COVID-19 on the Global Struggle for Freedom*, Freedom House, 2020.

(24) 'The pandemic has eroded democracy and respect for human rights,' *The Economist*, 17 October 2020.

(25) 'Boris Johnson and Priti Patel "should apologise for lawyer attacks",' BBC News, 26 October 2020.

(26) 'Have countries led by women coped better with Covid-19?' *Financial Times*, 2 December 2020.

(27) Bertrand Badré, and Aurélie Jean, 'The Post-Pandemic Recovery's Missing Link,' Project Syndicate, 18 September 2020.

(28) Sarah Cliffe, 4 October 2020.

(29) 'Building back better requires systemic shifts,' *Financial Times*, 30 July 2020.

(30) 'Vacancy: rule-breakers for post-Covid politics,' *Financial Times*, 17 September 2020.

(31) Ibid.; 'The New Normal?' More in Common, 2020.

(32) Ibid.; Ibid.

ing and Analysis,' *World Happiness Report 2020*, chapter 3, World Happiness Report, 20 March 2020.

(46) 'Half of child psychiatrists surveyed say patients have environment anxiety,' *The Guardian*, 20 November 2020.

(47) 'The pandemic may be encouraging people to live in larger groups,' *The Economist*, 5 December 2020.

(48) Ibid.

(49) 'Nearly half of NHS critical care staff report PTSD, depression or anxiety,' *The Guardian*, 13 January 2021.

(50) 'Governor Cuomo Commends Mental Health Professionals Working as Volunteers to Address Mental Health Needs Related to Coronavirus,' Governor New York State, 25 March 2020.

訳　注

〔1〕原著は，Noreena Hertz, *The Lonely Century: Coming Together in a World that's Pulling Apart*（London: Sceptre, 2020）〔ノリーナ・ハーツ／藤原朝子訳『THE LONELY CENTURY——なぜ私たちは「孤独」なのか』ダイヤモンド社，2021年〕。

第10章　政治とパワーシフト

(1) 'Throughout history, pandemics have had profound economic effects,' *The Economist*, 14 March 2020.

(2) 'China–US rivalry and threats to globalisation recall ominous past,' *Financial Times*, 26 May 2020.

(3) Serving the Country and Contributing to the World: China's diplomacy［...］, Address by H. E. Wang Yi, Ministry of Foreign Affairs of the People's Republic of China, 11 December 2020.

(4) Ian Goldin, and Robert Muggah, *Terra Incognita: 100 Maps to Survive the Next 100 Years*（London: Century, 2020）, p. 436.

(5) 'European support for populist beliefs falls, YouGov survey suggests,' *The Guardian*, 26 October 2020.

(6) 'Southern Europe's millennials suffer two huge crises by their mid-30s,' *The Economist*, 18 April 2020.

(7) Ibid.

(8) Ibid.

(9) Laura Gardiner et al., *An intergenerational audit for the UK: 2020*, Resolution Foundation, 7 October 2020.

(10) 'Covid–19 drives 50% of students in UK to become "more political",' *The Guardian*, 12 December 2020.

(24) Carmen Moreno et al., 'How mental health care should change as a consequence of the COVID–19 pandemic,' *The Lancet Psychiatry*, 16 July 2020.

(25) Sher, 'The impact of the COVID–19 pandemic on suicide rates.'

(26) Jia Ru et al., 'Mental health in the UK during the COVID–19 pandemic: cross-sectional analyses from a community cohort study,' *BMJ Open*, 25 August 2020.

(27) Mark É. Czeisler et al., 'Mental Health, Substance Use, and Suicidal Ideation During the COVID–19 Pandemic – United States, June 24–30, 2020,' *Morbidity and Mortality Weekly Report*, vol. 69, no. 32, Centre for Disease Control and Prevention, 14 August 2020.

(28) 'Co-SPACE study early results – increase in mental health difficulties among children during COVID–19 Lockdown'; Pearcey et al., *Report 04: Changes in children and young people's emotional and behavioural difficulties through lockdown.*

(29) 'Coronavirus: The divergence of mental health experiences during the pandemic,' Mental Health Foundation, 2 July 2020.

(30) 'Job losses in white and blue collar workers,' Centre for Monitoring Indian Economy, 14 September 2020; *Financial Times*, 6 October 2020.

(31) 'Depression to suicide,' *Business Standard*, 13 September 2020; Balvinder Kumar, 'Increasing Rate of Suicides Indicates Youth At Grave Risk of Losing Mental Equilibrium,' *Outlook*, 10 September 2020.

(32) Suicide cases rise by 57% in Malawi-Police, Helpline Malawi, 15 September 2020.

(33) 'COVID–19 disrupting mental health services in most countries, WHO survey,' World Health Organization, 5 October 2020.

(34) Ibid.

(35) Ibid.

(36) Ibid.

(37) 'COVID–19 Continuing to Impact Behavioural Health Organizations In Need of Relief,' National Council for Behavioural Research, 1 September 2020.

(38) Ibid.

(39) Maxime Taquet et al., 'Bidirectional associations between COVID–19 and psychiatric disorder: retrospective cohort of 62354 COVID–19 cases in the USA,' *The Lancet Psychiatry*, 9 November 2020; 'Antidepressant use in England soars as pandemic cuts counselling access,' *The Guardian*, 1 January 2021.

(40) 'Covid could cause "tsunami of cancelled NHS operations",' BBC News, 5 October 2020.

(41) Ibid.

(42) 'In Covid's shadow, another UK health crisis looms,' *Financial Times*, 6 November 2020.

(43) Ibid.

(44) Ibid.

(45) Jan-Emmanuel De Neve, and Christian Krekel, 'Cities and Happiness: A Global Rank-

(4) 'A majority of young adults in the U.S. live with their parents for the first time since the Great Depression,' Pew Research Center, 4 September 2020.

(5) 'The pandemic and the parent trap,' *Financial Times*, 16 September 2020.

(6) Katherine Hill et al., 'Young adults living with their parents in low to middle income families,' Centre for Research in Social Policy Loughborough University, September 2020. '"Boomerang trend" of young adults living with their parents is rising study says,' *The Guardian*, 18 October 2020.

(7) Asli Atay et al., *What next? Priorities for Britain. From Renew Normal: The People's Commission on Life After Covid-19*, DEMOS, September 2020.

(8) Ibid.

(9) 'Universal credit: "I felt guilty claiming benefits for the first time",' *The Guardian*, 15 December 2020.

(10) 'Coronavirus: Domestic violence "increases globally during lockdown",' BBC News, 17 August 2020.

(11) '"The worst year": domestic violence soars in Australia during Covid-19,' *The Guardian*, 30 November 2020.

(12) 'Domestic abuse surged in lockdown Panorama investigation finds,' *The Guardian*, 17 August 2020.

(13) Ofsted Chief Inspector Amanda Spielman at NCASC 2020, National Children and Adult Services Conference, 6 November 2020; '"Toxic lockdown" sees huge rise in babies harmed or killed,' BBC News, 6 November 2020.

(14) 'Divorce Lawyer to the wealthy: "The pandemic has been a real wake-up call",' *Financial Times*, 12 October 2020.

(15) 'The decline of the office romance,' *The Economist*, 15 August 2020.

(16) 'Virtual dating on the rise as users seek lockdown love, says Match chief,' *Financial Times*, 18 June 2020.

(17) Ibid.

(18) Socrates, *Respectfully Quoted: A dictionary of quotations*, edited by Suzy Platt (Washington, DC: G.P.O., 1989).

(19) 'Co-SPACE study early results – increase in mental health difficulties among children during COVID-19 Lockdown,' NHS, 24 June 2020; Samantha Pearcey et al., *Report 04: Changes in children and young people's emotional and behavioural difficulties through lockdown*, Co-SPACE study, 16 June 2020.

(20) 'How covid-19 exacerbates inequality,' *The Economist*, 26 March 2020.

(21) 'Care homes in England had greatest increase in excess deaths at height of the COVID-19 pandemic,' University of Stirling, 30 August 2020.

(22) 'How will humans, by nature social animals, fare when isolated?' *The Economist*, 4 April 2020.

(23) Leo Sher, 'The impact of the COVID-19 pandemic on suicide rates,' *QJM: An International Journal of Medicine*, vol. 113, issue 10, October 2020.

tober 2020.

(74) ‘Why the urban poor will be forced to leave big cities,’ *Financial Times*, 22 October 2020.

(75) Edward Glaeser, and Matthew Resseger, ‘The Complementarity Between Cities and Skills,’ National Bureau of Economic Research Working Paper, June 2009.

(76) Patricia Melo, Daniel Graham, and Robert Noland, ‘A Meta-Analysis of Estimates of Urban Agglomeration Economies,’ *Regional Science and Urban Economics*, vol. 39, issue 3, May 2009.

(77) Jorge De la Roca, Diego Puga, ‘Learning by Working in Big Cities,’ *Review of Economic Studies*, 2017.

(78) ‘Cities are too resilient to be killed by Covid,’ *Financial Times*, 29 September 2020.

(79) ‘The Multiplier Effect of Innovation Jobs,’ *MIT Sloan Management Review*, 6 June 2012.

(80) ‘It’s ‘back to the 50s’ as day trips replace the UK rail commute,’ *The Guardian*, 18 September 2020.

(81) ‘What will be the new normal for offices?’ *The Economist*, 9 May 2020.

(82) ‘City of London seeks to “reinvent itself” after pandemic,’ *Financial Times*, 19 October 2020.

(83) ‘High streets can be resurrected if communities are empowered,’ *Financial Times*, 12 December 2020.

(84) Matthew Keegan, ‘Why cities are not as bad for you as you think,’ BBC Future, 2 December 2020.

訳 注

〔1〕ピンタレスト——アメリカ・サンフランシスコに本社を構える画像共有サービス会社。

〔2〕カーブサイド・コレクション——カーブサイド・ピックアップともいう。オンラインで購入した品をドライブスルーのように店舗で受け取るサービス。ターゲットは「ドライブアップ」として展開。

〔3〕ポップアップ型キッチン——空き店舗を利用するなどして不定期・期間限定で展開されるレストラン・販売店。

第9章　メンタルヘルスの改善

(1) ‘The family unit has shaped people’s experience of Covid-19,’ *The Economist*, 4 June 2020.

(2) Esteban Ortiz-Ospina, ‘Is there a loneliness epidemic?’ Our World in Data, 11 December 2019.

(3) ‘“I’m stuck in limbo”: will the Covid generation of young people face long-term fallout?’ *The Guardian*, 30 May 2020.

(51) ‘Landlords slash rents by up to 20% as tenants quit city centres in pandemic,’ *The Guardian*, 20 September 2020.

(52) ‘Manhattan Empties, Brooklyn Hangs on as Renters Prioritize Space, Amenities Over Commute in Pandemic Economy,’ *The City*, 12 November 2020.

(53) ‘Escape to the country: how Covid is driving an exodus from Britain’s cities,’ *The Guardian*, 26 September 2020; ‘How coronavirus has shaped the home of tomorrow,’ *Financial Times*, 1 January 2021.

(54) Ibid.

(55) ‘Cities count cost of lasting exodus from offices,’ *Financial Times*, 14 September 2020; ‘House prices rise as Covid sparks rural relocation,’ BBC News, 18 November 2020.

(56) 2020年10月13日におこなった不動産コンサルティング会社サヴィルズへのインタビューによる。

(57) ‘Covid–19 has forced a radical shift in working habits,’ *The Economist*, 12 September 2020.

(58) ‘Londoners look to properties beyond suburbs,’ *Financial Times*, 18 September 2020.

(59) ‘Booming house prices spell more trouble for the social contract,’ *The Economist*, 3 October 2020.

(60) ‘Housing Boom: Sales of Million-Dollar Homes Double,’ *NPR*, 22 October 2020.

(61) Ibid.

(62) Ibid.

(63) George Bangham et al., *An intergenerational audit for the UK: 2019*, Resolution Foundation, 20 June 2019.

(64) Anne Case, and Angus Deaton, *Deaths of Despair and the Future of Capitalism* (Princeton, NJ: Princeton University Press, 2020)〔アン・ケース，アンガス・ディートン／松本裕訳『絶望死のアメリカ——資本主義がめざすべきもの』みすず書房，2021年〕.

(65) ‘Unemployment Problem Includes Public Transportation That Separates Poor From Jobs,’ *Huffington Post*, 7 November 2012.

(66) ‘Britain’s experiment in radical rail privatisation is over,’ *The Economist*, 26 September 2020.

(67) ‘Sadiq Khan and Boris Johnson strike London transport rescue deal,’ *Financial Times*, 1 November 2020.

(68) ‘Boris Johnson blames London mayor for TfL “bankruptcy” before Covid–19,’ BBC News, 21 October 2020.

(69) ‘America’s biggest transit system is in trouble,’ *The Economist*, 3 September 2020.

(70) Ibid.

(71) Ibid.

(72) ‘Why the pandemic is pushing city dwellers towards cars,’ *Financial Times*, 4 August 2020.

(73) ‘UK lockdown measures drive used car prices to record growth,’ *Financial Times*, 2 Oc-

(27) 2020年10月17日におこなったラッセル・ブリムロー（Russell Brimelow）へのインタビューによる。

(28) 'Goodbye to the "Pret economy" and good luck to whatever replaces it,' *Financial Times*, 1 September 2020.

(29) 'Coronavirus drives shop closures to new record,' BBC News, 20 October 2020; 'Store Openings and Closures – 2020,' PricewaterhouseCoopers, 20 October 2020.

(30) 'Nearly 60% of West End shop rents left unpaid,' *The Guardian*, 25 September 2020.

(31) 'Cities count cost of lasting exodus from offices,' *Financial Times*, 14 September 2020.

(32) Ibid.

(33) 'What It Might Mean If We All Work From Home?' *Forbes*, 10 September 2020.

(34) 'DiNapoli: Restaurant Industry Critical to New York City's Economy: Pandemic Threatens Future of Thousands of Restaurants and Bars,' New York State Comptroller, 1 October 2020; 'New York could lose 159,000 restaurant jobs due to pandemic,' *Financial Times*, 1 October 2020.

(35) 'More Than 14,500 Stores are Closing In 2020 So Far – A Number That Will Surely Rise,' *Forbes*, 6 July 2020.

(36) 'Shopping for Fashion, Six Months On,' *The New York Times*, 18 September 2020.

(37) 'A nation of shopkeepers shaken by the shift online,' *Financial Times*, 15 August 2020.

(38) Ibid.

(39) 'Sainsbury's to cut 3,500 jobs and close 420 Argos stores,' BBC News, 5 November 2020.

(40) 'Co-op gears up for retail expansion with £130m autumn stores surge,' *Talking Retail*, 4 September 2020; 'M&S job cuts: How many job losses are there and will there be store closures?' *Heart*, 20 July 2020.

(41) 'Convenience stores may benefit from covid–19 – if they adapt,' *The Economist*, 17 October 2020.

(42) 'Shopping malls need to travel back to the future,' *Financial Times*, 13 November 2020.

(43) 'Ode to the shopping mall,' *The Economist*, 9 May 2020.

(44) 'From peak city to ghost town: the urban centres hit hardest by Covid–19,' *Financial Times*, 15 October 2020.

(45) 'Is investors' love affair with commercial property ending?' *The Economist*, 25 June 2020.

(46) 'Britain's coming commercial property slump,' *The Economist*, 24 September 2020.

(47) Ibid.

(48) 'From peak city to ghost town: the urban centres hit hardest by Covid–19,' *Financial Times*, 15 October 2020.

(49) 'Is investors' love affair with commercial property ending?' *The Economist*, 25 June 2020; 'British Land collects less than half of rent,' *Financial Times*, 11 January 2021.

(50) Carl Benedikt Frey et al., 'Technology at Work v5.0: A New World of Remote Work,' Citi GPS: Global Perspectives & Resolutions, Oxford Martin School, 22 June 2020.

第８章　都市の未来像

（１）‘Working life has entered a new era,’ *The Economist*, 30 May 2020.

（２）Ibid.

（３）‘Long-term trends in UK employment: 1861 to 2018,’ Office for National Statistics, 29 April 2019.

（４）‘The Future is Flexible: Employees want greater ownership and choice in the new world of work,’ Cisco, 14 October 2020.

（５）‘Is the office finished?’ *The Economist*, 12 September 2020.

（６）Ibid.

（７）Ibid.; Jonathan Dingel, and Brent Neiman, ‘How Many Jobs Can be Done at Home?’ National Bureau of Economic Research Working Paper, June 2020.

（８）Ian Goldin et al., ‘Migration and the Economy: Economic Realities, Social Impacts and Political Choices,’ Citi-Oxford Martin School, 9 September 2020.

（９）‘Is the office finished?’ *The Economist*, 12 September 2020.

（10）Ibid.

（11）‘Home-working here to stay, new IoD figures suggest,’ Institute of Directors, 5 October 2020.

（12）Chris Herd, Twitter, 5 October 2020.

（13）‘Rewiring how we work: building a new employee experience for a digital first world,’ Slack, 17 October 2020.

（14）‘Is the office finished?’ *The Economist*, 12 September 2020.

（15）‘Cities count cost of lasting exodus from offices,’ *Financial Times*, 14 September 2020.

（16）‘Why workers in some countries are returning to the office,’ *Financial Times*, 24 August 2020.

（17）‘City of London suffers crushing blow from second lockdown,’ *Financial Times*, 6 November 2020; ‘London property: Out of office,’ *Financial Times*, 4 January 2021.

（18）‘Traders set to don virtual reality headset in their home offices,’ *Financial Times*, 18 September 2020.

（19）‘What will be the new normal for offices?’ *The Economist*, 9 May 2020; ‘Law firms ditch trophy office moves as pandemic reshapes City,’ *Financial Times*, 4 January 2021.

（20）‘Is flexible working here to stay? We asked 6 companies how to make it work,’ World Economic Forum, 26 August 2020.

（21）‘What will be the new normal for offices?’ *The Economist*, 9 May 2020.

（22）‘Is the office finished?’ *The Economist*, 12 September 2020.

（23）‘Stanford research provides a snapshot of a new working-from-home economy,’ Stanford News, 29 July 2020.

（24）Chris Herd, Twitter, 5 October 2020.

（25）Ibid.

（26）‘What It Might Mean If We All Work From Home?’ *Forbes*, 10 September 2020.

2020.

訳 注

〔1〕スピンクラス――トレーナー指導のもと，エアロバイクを使っておこなわれる有酸素運動教室。

〔2〕S&P500――S&P500では時価総額の大きい銘柄順に組入比率が決まるためFAANGなどが上位を占める。選出される500社は定期的に見直されるが，一社で複数の銘柄が組み込まれることがあり，その場合は銘柄数が500を超えることがある。

〔3〕伝統的銀行に対し，デジタルバンキング，フィンテックが伸長しつつある。モンゾ，レボリュート，スターリングは，イギリスの「チャレンジャーバンク」，タイドは「ネオバンク」である。前者は銀行免許を保有し，金融プラットフォームを展開する。後者は，自らは免許を保有せず，既存銀行システムを利用し金融サービスを展開する。

〔4〕Bチーム――よりよい資本主義社会の構築を目指し，ヴァージン・グループ率いるリチャード・ブランソンとプーマ会長ヨッヘン・ザイツが立ち上げた非営利団体。

第7章 奉仕する政府

（1）'Fiscal Monitor Database of Country Fiscal Measures in Response to the COVID-19 Pandemic,' IMF, October 2020.

（2）Isabel Stockton, 'Outlook for the public finances,' Institute for Fiscal Studies, 13 October 2020; 'Rishi Sunak: Read the Chancellor's Keynote Speech in full,' Conservatives, 5 October 2020.

（3）'Verbatim of the remarks made by Mario Draghi,' European Central Bank, 26 July 2020.

（4）'Rich countries try radical economic policies to counter Covid-19,' *The Economist*, 26 March 2020.

（5）Ibid.

（6）'Government handouts threaten Europe's single market,' *The Economist*, 28 May 2020.

（7）'EU recovery deal to "alter permanently" bloc's crisis-fighting approach,' *Financial Times*, 11 December 2020.

（8）'EU reveals plan to regulate Big Tech,' BBC News, 15 December 2020.

（9）Oscar Jorda, Sanjay Singh, and Alan Taylor, 'Longer-Run Economic Consequences of Pandemics,' Federal Reserve Bank of San Francisco Working Paper Series, June 2020.

（10）Julian Kozlowski, Laura Veldkamp, and Venky Venkateswaran, 'Scarring Body and Mind: The Long-Term Belief-Scarring Effect of Covid-19,' FRB St. Louis Working Paper, April 2020.

（11）'Ranking the effectiveness of worldwide COVID-19 government interventions,' *Nature Human Behaviour*, 16 November 2020.

(42) ‘Epic S&P 500 Rally Is Powered by Assets You Can’t See or Touch,’ *Bloomberg News*, 21 October 2020.
(43) ‘Corporate dealmakers emerge from pandemic hibernation,’ *The Economist*, 25 July 2020. ‘Global banks generate record $125bn fee haul in 2020,’ *Financial Times*, 29 December 2020.
(44) ‘The pandemic bankruptcy wave has been delayed, not avoided,’ *Financial Times*, 3 December 2020.
(45) ‘The number of new businesses in America is booming,’ *The Economist*, 10 October 2020.
(46) ‘The pandemic shock will make big, powerful firms even mightier,’ *The Economist*, 26 March 2020.
(47) ‘Pandemic seals dominance of UK’s biggest banks,’ *Financial Times*, 9 August 2020.
(48) Ibid.
(49) ‘The virus has crushed the challenger bank dream,’ *Financial Times*, 2 November 2020.
(50) ‘America’s two-track economy: the small business crunch,’ *Financial Times*, 14 December 2020.
(51) Ibid.
(52) Ian Goldin et al., ‘The Productivity Paradox: reconciling rapid technological change and stagnating productivity,’ Oxford Martin School Programme on Technological and Economic Change, May 2019.
(53) Ricard Hausmann, ‘The Coming Equity Shortage,’ Project Syndicate, 9 October 2020.
(54) ‘Larry Ellison hosts Trump fundraiser, but has contributed to both sides,’ *The Desert Sun*, 19 February 2020.
(55) Discussion with David Craig, CEO Refinitiv, 11 November 2020.
(56) ‘50 years later, Milton Friedman’s shareholder doctrine is dead,’ *Fortune*, 13 September 2020.
(57) ‘Letter: Rules must change on pursuit of quick profits,’ *Financial Times*, 11 December 2020.
(58) ‘The Corporate Response To COVID–19 And Inequality: A Big Data Analysis,’ *Forbes*, 23 September 2020.
(59) Ibid.
(60) ‘Council of Institutional Investors Responds to Business Roundtable Statement on Corporate Purpose,’ Council of Institutional Investors, 19 August 2019.
(61) Colin Mayer, Leo E. Strine Jr., and Jaap Winter, ‘50 years later, Milton Friedman’s shareholder doctrine is dead,’ *Fortune*, 13 September 2020.
(62) ‘The new social contract,’ *Financial Times*, 6 July 2020.
(63) Missing Profits of Nations, Missingprofits.org. 〈https://missingprofits.world〉
(64) Martin Wolf, ‘Milton Friedman was wrong on the corporation,’ *Financial Times*, 8 December 2020.
(65) ‘Opioid maker Purdue Pharma agrees $8bn US settlement,’ *Financial Times*, 21 October

(18) Robert S. Kaplan, ‘Economic Conditions and the Path of Monetary Policy,’ Federal Reserve Bank of Dallas, 29 September 2020.

(19) ‘Is Google Advertising Revenue 70%, 80%, or 90% of Alphabet’s Total Revenue?’ *Forbes*, 24 December 2019; ‘Revenue of Alphabet from 1st quarter 2014 to 3rd quarter 2020,’ Statista Statistics, 12 December 2020.

(20) ‘Covid recovery will stem from digital business,’ *Financial Times*, 4 October 2020.

(21) ‘CSIRO scientists publish new research on SARS–COV–2 virus “survivability”,’ CSIRO, 12 October 2020; Shane Riddell et al., ‘The effect of temperature on persistence of SAS–CoV–2 on common surfaces,’ *Virology Journal*, 7 October 2020.

(22) ‘How the digital surge will reshape finance,’ *The Economist*, 8 October 2020.

(23) Ibid. ‘Could coronavirus hasten the death of cash?’ *Financial Times*, 13 October 2020.

(24) Ibid.

(25) Ibid.

(26) Ibid.

(27) ‘Flower power: Covid restrictions fuel boom in plant and bulb sales,’ *The Guardian*, 31 October 2020.

(28) Ibid.

(29) ‘Pandemic sets off a scramble to snap up outdoor heaters,’ *Financial Times*, 4 November 2020.

(30) ‘The pandemic shock will make big, powerful firms even mightier,’ *The Economist*, 26 March 2020.

(31) ‘WeWork’s valuation has fallen from $47 billion last year to $2.9 billion,’ *Business Insider*, 18 May 2020.

(32) ‘The sharing economy will have to change,’ *The Economist*, 4 June 2020.

(33) ‘The post-Covid consumer: is back-to-basics shopping here to stay?’ *Financial Times*, 1 November 2020.

(34) ‘Why reinsurance is booming after pandemic disaster,’ *Financial Times*, 14 August 2020.

(35) Ibid.

(36) ‘Private jets take off as wealthy flyers seek to avoid virus,’ *Financial Times*, 25 October 2020.

(37) ‘Which sectors are likely to win or lose from the pandemic?’ *Financial Times*, 3 November 2020.

(38) 2020年10月10日におこなったP・アンドリュー（P. Andrew）へのインタビューによる。

(39) ‘The pandemic shock will make big, powerful firms even mightier,’ *The Economist*, 26 March 2020.

(40) Marco Pagano, Christian Wagner, and Josef Zechner, ‘Disaster Resilience and Asset Prices,’ CEPR Discussion Paper, 28 May 2020.

(41) ‘Bubble-hunting has become more art than science,’ *The Economist*, 19 August 2020.

訳　注

〔1〕カーボンフットプリント――商品・サービスの原材料調達から生産・流通・販売・廃棄・リサイクルなどに至るライフサイクル全体でどれだけの温室効果ガスが排出されたかを把握するための概念。

第6章　よりよきビジネス

(1) Edmund S. Phelps, 'The Economic Case for Biden,' Project Syndicate, 21 September 2020.

(2) 'Watchdog criticises government over awarding of £17bn Covid contracts,' *Financial Times*, 18 November 2020; 'The magnifying glass: how Covid revealed the truth about our world,' *The Guardian*, 11 December 2020.

(3) 'Vast sums spent, no one knows why: COVID reveals why UK transparency law must change,' Open Democracy, 13 July 2020.

(4) 'Government Procurement Scandal Continues with £43.8 Million PPE Contract for dormant firm,' Byline Times, 2 September 2020; 'UK government paid £1.7bn to private groups for coronavirus contracts,' *Financial Times*, 4 June 2020.

(5) 'How much do US presidential elections cost in 2020?' TRT World, 3 November 2020.

(6) 'Lobbying Data Summary,' Open Secrets.org, 23 October 2020; 'How much does it cost to become president?' Investopedia, 6 November 2020.

(7) 'Covid–19 Is Dividing the American Worker,' *The Wall Street Journal*, 22 August 2020.

(8) '16.6 Million UK jobs at risk if entrepreneurs and SMEs cannot sustain their businesses,' King's Business School, 25 October 2020; 'Covid leaves 6m UK small businesses and 16m jobs in "precarious position",' *The Guardian*, 26 October 2020.

(9) 'Is it Insane to Start a Business During Coronavirus? Millions of Americans Don't Think So,' *The Wall Street Journal*, 26 September 2020.

(10) 'Jeff Bezos is now twice as rich as Mark Zuckerberg,' *Business Insider*, 29 August 2020; 'Jeff Bezos Becomes The First Person Ever Worth $200 Billion,' *Forbes*, 26 August 2020.

(11) 'Many Companies Won't Survive the Pandemic: Amazon Will Emerge Stronger Than Ever,' *Time*, 28 July 2020.

(12) 'Can Amazon keep growing like a youthful startup?' *The Economist*, 18 June 2020.

(13) 'Apple is valued at $2 trillion as investor confidence grows,' World Economic Forum, 20 August 2020.

(14) 'New technological behaviours will outlast the pandemic,' *The Economist*, 16 November 2020.

(15) 'Pandemic boosts automation and robotics,' *Financial Times*, 20 October 2020.

(16) 'Peloton will rally another 18% as profits trounce expectations over next year, Bank of America says,' *Business Insider*, 9 September 2020.

(17) 'Covid recovery will stem from digital business,' *Financial Times*, 4 October 2020.

(4) Ibid.

(5) David Cutler, and Lawrence Summers, 'The COVID-19 Pandemic and the $16 Trillion Virus,' Jama Network, 12 October 2020.

(6) 'Universal basic income gains momentum in America,' *The Economist*, 8 August 2020.

(7) Arindrajit Dube, *Impacts of minimum wages: review of the international evidence*, HM Treasury & Department for Business, Energy & Industrial Strategy, 5 November 2019.

(8) 'Housing was the business cycle,' *The Economist*, 18 July 2020.

(9) Marley Morris, *Building a post-Brexit immigration system for the economic recovery*, IPPR, 3 November 2020.

(10) 'Be bold like FDR and create jobs directly,' *Financial Times*, 29 September 2020.

(11) *World Economic Outlook, October 2020: A Long and Difficult Assent*, IMF, October 2020.

(12) 'Public Investment for the Recovery,' IMF Blog, 5 October 2020.

(13) 'Are there $1.6 trillion in tax loopholes?' Committee for a Responsible Federal Budget, 10 July 2019.

(14) Nicholas Shaxson, 'Tackling Tax Havens,' *Finance & Development*, IMF, September 2020.

(15) Ibid.

(16) Chuck Collins, and Frank Clemente, 'Opinion: It is time to levy a one-time pandemic wealth tax on billionaires' windfall gains,' Market Watch, 20 August 2020.

(17) 'Call for windfall tax on PPE firms to fund £500 bonus for frontline staff,' *The Guardian*, 6 December 2020.

(18) Samuel Bowles, and Wendy Carlin, 'The coming battle for the COVID-19 narrative,' VoxEU & CEPR, 10 April 2020.

(19) Franklin D. Roosevelt. Second Inaugural Address, Inaugural Addresses of the Presidents of the United States（1989）.

(20) 'Reweaving the social fabric after the crisis,' *Financial Times*, 24 April 2020.

(21) Ibid.

(22) Raghuram Rajan, *The Third Pillar*（London: William Collins, 2020）〔ラグラム・ラジャン／月谷真紀訳『第三の支柱――コミュニティ再生の経済学』みすず書房，2021 年〕.

(23) 'Volunteers Rushed to help New York hospital. They found a bottleneck,' *The New York Times*, 8 April 2020.

(24) '"A devastating loss of funds": UK Charities Count the Cost of Covid,' *The Guardian*, 12 November 2020.

(25) 'Which is the best market model?' *The Economist*, 12 September 2020.

(26) 'Austerity – COVID's little helper,' British Medical Association, 8 October 2020.

(27) Ibid.

(28) 'Boris Johnson: PM lays out vision of post-Covid UK,' BBC News, 6 October 2020.

(59) ITV News, 6 October 2020.

(60) 'Photographer "devastated" by government-backed "Fatima" dancer advert,' BBC News, 15 October 2020.

(61) *Contribution of the arts and culture industry to the UK economy: Report for Arts Council England*, Centre for Economics and Business Research, 17 April 2019.

(62) Ibid.

(63) Louise McMullan, 'Equity Deputy Secretary General communication with Andy de la Tour,' 2 November 2020.

(64) 'More calls for help for arts freelancers who "face using food banks",' BBC News, 5 November 2020.

(65) 'Financial services firms look to a future that balances remote and in-office work,' PricewaterhouseCoopers, June 2020.

(66) 'The view from outside the echo chamber: Working from home isn't working,' *City A.M.*, 3 November 2020.

(67) Ibid.

(68) 'How to make the hybrid workforce model work,' *Financial Times*, 12 October 2020.

(69) *The enterprise guide to closing the skills gap: Strategies for building and maintaining a skilled workforce*, IBM Institute for Business Value, 2019.

(70) Ibid.

(71) ティム・バーナーズ＝リー卿（Sir Tim Berners-Lee）とのディスカッション（2020年11月26日，オックスフォード大学マーティン・スクールにて）による。

(72) Nicholas Bloom, Steven Davis, and Yulia Zhestkova, 'COVID–19 Shifted Patent Applications Toward Technologies that Support Working from Home,' University of Chicago, Becker Friedman Institute for Economics Working Paper, 22 September 2020.

(73) Sabina Dewan, and Ekkehard Ernst, 'Rethinking the World of Work,' *Finance & Development*, IMF, Winter 2020.

(74) Sir Tim Berners-Lee, Oxford Martin School, 26 November 2020.

(75) 'The lockdown in our minds will be the last restriction to be lifted,' *The Guardian*, 28 April 2020.

訳　注

〔1〕ティム・バーナーズ＝リー卿——ハイパーテキストシステム開発者のひとり。URL，HTTP，HTML を最初に設計した人物。

第5章　共存共栄の経済

(1) 'The threat of long economic Covid looms,' *Financial Times*, 20 October 2020.

(2) *Fiscal Monitor: Policies for the Recovery*, IMF, October 2020, pp. 31, 40.

(3) Ibid.

the Nature of Work,' National Bureau of Economic Research Working Paper, 4 August 2020.

（36） Nicholas Bloom et al., 'Does working from home work? Evidence from a Chinese experiment,' National Bureau of Economic Research Working Paper, 2014.

（37） 'Covid–19 has forced a radical shift in working habits,' *The Economist*, 12 September 2020; Bonnie Gariety, and Sherrill Shafer, 'Wage differentials associated with working at home,' *Monthly Labor Review*, U.S. Bureau of Labor Statistics, March 2007.

（38） Jose Maria Barrero, Nick Bloom, and Steven Davis, '60 Million Fewer Commuting Hours Per Day: How Americans Use Time Saved by Working from Home,' BFI Working Paper, 18 September 2020.

（39） Ibid.

（40） Interview AP, 10 October 2020; 'Where's the spark? How lockdown caused a creativity crisis,' *Financial Times*, 18 January 2021.

（41） Matthew Claudel et al., 'An exploration of collaborative scientific production at MIT through spatial organization and institutional affiliation,' *PLoS ONE*, 22 June 2017.

（42） Frey et al., 'Technology at Work v5.0. - A New World of Remote Work,' Oxford Martin School, 22 June 2020.

（43） Ibid.

（44） 'The reasons behind America's new wave of lay-offs,' *The Economist*, 8 October 2020.

（45） 'Millions of Americans Have Lost Jobs in the Pandemic – And Robots and AI are Replacing Them Faster Than Ever,' *Time*, 6 August 2020.

（46） Ibid.

（47） Ibid.

（48） Ian Goldin, and Robert Muggah, *Terra Incognita: 100 Maps to Survive the Next 100 Years*（London: Century, 2020）.

（49） 'Millions of Americans Have Lost Jobs in the Pandemic,' *Time*, 6 August 2020.

（50） 'Britain's call centres are overwhelmed and overhauling how they work,' *The Economist*, 4 April 2020.

（51） Ibid.

（52） 'Coronavirus: will call centre workers lose their 'voice' to AI?' *Financial Times*, 23 April 2020.

（53） 'Millions of Americans Have Lost Jobs in the Pandemic,' *Time*, 6 August 2020.

（54） *The Future of Jobs Reports 2020*, World Economic Forum, 20 October 2020.

（55） 'Don't fear AI. It will lead to long-term job growth,' World Economic Forum, 26 October 2020.

（56） Gwilym Owen, Dave O'Brien, and Mark Taylor, 'A jobs crisis in the cultural and creative industries,' Creative Industries Policy & Evidence Centre, 10 December 2020.

（57） 'Covid–19 is forcing the arts in Europe back into the arms of government,' *The Economist*, 29 October 2020.

（58） Ibid.

る方法』朝日新聞出版，2017 年〕.

（19） Richard Baldwin, *The Globotics Upheaval: Globalisation, Robotics and the Future of Work*（London: W&N, 2019）〔リチャード・ボールドウィン／高遠裕子訳『Globotics——グローバル化＋ロボット化がもたらす大激変』日本経済新聞出版社，2019 年〕.

（20） Jamie Woodcock, and Mark Graham, *The Gig Economy: A Critical Introduction*（Cambridge: Polity, 2019）.

（21） 'Do not let homeworking become digital piecework for the poor,' *Financial Times*, 15 September 2020.

（22） Kotaro Hara et al., 'A Data-Driven Analysis of Workers' Earnings on Amazon Mechanical Turk,' CoRR, 28 December 2017.

（23） 'Blue-collar openings recover faster than office jobs in UK,' *Financial Times*, 9 September 2020; KPMG and REC, *UK report on jobs*, KPMG & REC, 9 September 2020.

（24） Alexander Bartik et al., 'Measuring the labor market at the onset of the COVID–19 crisis,' BFI Working Paper, 3 August 2020; Iona Elena Marinescu, Daphne Skandalis, and Daniel Zhao, 'Job Search, Job Posting and Unemployment Insurance During the COVID–19 Crisis,' SSRN, 30 July 2020.

（25） Dana Scott et al., 'Employment Effects of Unemployment Insurance Generosity During the Pandemic,' Yale University, 14 July 2020.

（26） Corina Boar, and Simon Mongey, 'Dynamic Trade-offs and Labor Supply under the CARES Act,' BFI Working Paper, 19 August 2020.

（27） '1m more British workers set to lose jobs this year, warn economists,' *Financial Times*, 25 September 2020; 'Young and minorities hardest hit after UK job support schemes end,' *Financial Times*, 27 October 2020; Mike Brewer et al., 'Jobs, jobs, jobs: Evaluating the effects of the current economic crisis on the UK labour market,' Resolution Foundation, 27 October 2020.

（28） *New Food Foundation Survey: Three million Britons are going hungry just three weeks into lockdown*, The Food Foundation, April 2020; Rachel Loopstra, 'Vulnerability to food insecurity since the COVID–19 lockdown: Preliminary report,' King's College London, 14 April 2020.

（29） 'New report reveals how coronavirus has affected food bank use,' Trussell Trust, 14 September 2020.

（30） *UK Poverty: Causes, Costs, and Solutions*, Joseph Rowntree Foundation, 29 May 2020.

（31） Ibid.

（32） 'On Notice: Estimating the impact on redundancies of the Covid–19 crisis,' Institute for Employment Studies, September 2020; 'Unemployment: Planned redundancies twice the rate of last recession,' BBC News, 13 September 2020.

（33） Benefits in unemployment, share of previous income, OECD, 2020.

（34） 'Mass unemployment threatens Britain,' *The Economist*, 20 August 2020.

（35） Evan DeFilippis et al., 'Collaborating During Coronavirus: The Impact of Covid–19 on

Six months into the crisis,' Centre for Economic Performance, November 2020.

(3) *Non-standard employment around the world: Understanding challenges, shaping prospects*, International Labor Organization, 2016; 'COVID–19 and the New Leadership Agenda,' Boston Consulting Group, 2020〔ボストン・コンサルティング・グループ「コロナ危機と新たなリーダーシップ・アジェンダ」https://www.bcg.com/ja-jp/featured-insights/coronavirus, 2022年3月1日アクセス〕.

(4) Neele Balke, and Thibaut Lamadon, 'Productivity Shocks, Long-Term Contracts and Earnings Dynamics,' BFI Working Paper, 9 November 2020; Jose Maria Barrero, Nicholas Bloom, and Steven Davis, 'COVID–19 is also a reallocation shock,' National Bureau of Economic Research Working Paper, May 2020.

(5) Nye Cominetti, and Laura Gardiner, 'Earnings Outlook Q1 2020: What we know about how employee earnings have fared in the current crisis,' Resolution Foundation, 16 July 2020.

(6) 'Unemployment down but so is pace of job gains,' Jared Bernstein Blog, 4 September 2020.

(7) Robert Joyce, and Xiaowei Xu, 'Sector shutdowns during the coronavirus crisis: which workers are most exposed?' Institute for Fiscal Studies, 6 April 2020.

(8) 'The Richest Neighbourhoods Emptied Out Most as Coronavirus hit New York City,' *The New York Times*, 15 May 2020.

(9) 'Covid–19: Record traffic around Paris as second French lockdown begins,' BBC News, 30 October 2020.

(10) Torsten Bell, 'An unprecedented but essential pledge to underwrite wages and strengthen the safety net,' Resolution Foundation, 20 March 2020.

(11) Carl Benedikt Frey et al., 'Technology at Work v5.0: A New World of Remote Work,' Citi GPS: Global Perspectives & Resolutions, Oxford Martin School, 22 June 2020.

(12) Laura Gardiner, and Hannah Slaughter, 'The effects of the coronavirus crisis on workers: Flash findings from the Resolution Foundation's coronavirus survey,' Resolution Foundation, 16 May 2020.

(13) 'Ability to work from home: evidence from two surveys and implications for the labor market in the COVID–19 pandemic,' *Monthly Labor Review*, U.S. Bureau of Labor Statistics, June 2020.

(14) Santo Milasi et al., 'The potential for teleworking in Europe and the risk of a new digital divide,' VoxEU & CEPR, 14 August 2020.

(15) Ibid.

(16) Ibid.

(17) 'Stanford research provides a snapshot of a new working-from-home economy,' Stanford University, 29 June 2020.

(18) Richard Susskind, and Daniel Susskind, *The Future of the Professions* (Oxford: Oxford University Press, 2017)〔リチャード・サスカインド，ダニエル・サスカインド／小林啓倫訳『プロフェッショナルの未来——AI，IoT時代に専門家が生き残

2020.

（15）'Africa's debt crisis hampers its fight against covid–19,' *The Economist*, 11 April 2020.

（16）'Developing nations squeezed as virus fuels public spending,' *Financial Times*, 20 July 2020.

（17）'Heavily Indebted Poor Countries（HIPC）Initiative and Multilateral Debt Relief Initiative（MDRI）– Statistical Update,' International Monetary Fund & World Bank, 6 August 2019.

（18）'Africa's debt crisis hampers its fight against covid–19,' *The Economist*, 11 April 2020.

（19）'G20 readies limited extension of debt relief for poorest nations,' *Financial Times*, 13 October 2020; 'Defusing Debt: Creating comprehensive solutions,' The World Bank, 13 October 2020.

（20）Ibid.

（21）'Zambia resists Chinese pressure on arrears,' *Financial Times*, 13 October 2020.

（22）'African governments face a wall of debt repayments,' *The Economist*, 6 June 2020.

（23）Reversing the Inequality Pandemic: Speech by World Bank Group President David Malpass, The World Bank, 5 October 2020.

（24）'Emerging economies plead for more ambitious debt relief programmes,' *Financial Times*, 12 October 2020.

（25）'Why the Covid economic crisis has hit poorer countries less deeply than feared,' *The Guardian*, 14 December 2020.

（26）'Which emerging markets are in most financial peril?' *The Economist*, 2 May 2020.

（27）'Borrow to fight economic impact of pandemic, says World Bank's chief economist,' *Financial Times*, 8 October 2020; 'How can governments recover faster from insolvency?' *The Economist*, 21 November 2020.

（28）'Fiscal Monitor – Policies for the Recovery,' IMF, October 2020; Daniel Munevar, 'Arrested Development: International Monetary Fund lending and austerity post Covid–19,' Eurodad, 6 October 2020.

（29）Ibid.

（30）Valentin Lang, David Mihalyi, and Andrea Presbitero, 'Borrowing costs after debt relief,' VoxEU & CEPR, 14 October 2020.

（31）'How a UK aid budget cut will hollow out a world reeling from COVID–19,' Thompson Reuters Foundation News, 20 November 2020.

（32）'Please Spend as Much as You Can, but Keep the Receipts,' Globsec, 15 June 2020.

（33）'From Catastrophe to Catalyst,' Oxfam, 4 December 2020.

第4章　すべての人々への仕事の保障

（1）'ILO Monitor: COVID–19 and the world of work,' Fifth edition, International Labour Organization, 30 June 2020.

（2）Jack Blundell, Stephen Machin, and Maria Venura, 'Covid–19 and the self-employed:

(46) ‘Coronavirus puts the squeeze on retirement hopes,’ *Financial Times*, 12 June 2020; ‘Britain’s over-50s rethink plans as virus takes toll on retirement,’ *Financial Times*, 30 September 2020; Rowena Crawford, and Heidi Karjalainen, ‘The coronavirus pandemic and older workers,’ Institute for Fiscal Studies, 30 September 2020.

(47) Ibid.

(48) Ibid.

(49) ‘Youth organisations in England face wholesale closure,’ *The Guardian*, 3 January 2021.

(50) ‘Vocation, vocation should be UK middle class’s new mantra,’ *Financial Times*, 2 October 2020; Evan Cunningham, ‘Profession certifications and occupational licenses: evidence from the Current Population Survey,’ *Monthly Labor Review*, U.S. Bureau of Labor Statistics, June 2019.

(51) ‘Another promise to improve vocational education in Britain,’ *The Economist*, 3 October 2020.

(52) Ibid.

第3章　世界規模の貧困克服

(1) ‘COVID–19 to Add as Many as 150 Million Extreme Poor,’ The World Bank, 7 October 2020.

(2) Reversing the Inequality Pandemic: Speech by World Bank Group President David Malpass, The World Bank, 5 October 2020.

(3) ‘COVID–19, Informal Workers and WIEGO’s Work during the Crisis,’ WIEGO, 2020.

(4) Shania Bhalotia, Swati Dhingra, and Fjolla Kondirolli, ‘City of dreams no more: The impact of Covid–19 on urban workers in India,’ CEP LSE, September 2020; ‘How coronavirus piled misery on India’s workers,’ *The Guardian*, 6 September 2020.

(5) Ibid.

(6) *The impact of COVID–19: An opportunity to reaffirm the central role of migrants’ human rights in sustainable development*, Economic Council for Latin America and the Caribbean, November 2020.

(7) ‘China’s poorest pay the price of coronavirus outbreak,’ *Financial Times*, 15 March 2020.

(8) *NIDS-CRAM Wave 1 & 2 reports*, CRAM, 2020.

(9) Ibid.

(10) Ibid.

(11) Ibid.

(12) ‘Data analysis: How the poorest countries are losing out on Covid–19 relief funds,’ *New Statesman*, 21 September 2020.

(13) ‘Official Development Assistance（ODA）spending for 2020: First Secretary of State’s letter,’ UK Government, 22 July 2020.

(14) ‘How Does COVID–19 Pandemic Affect Emerging Market Currencies?’ FXCM, June

ber 2020.

(29) 'Covid: How Marcus Rashford Campaign changed free school meals,' BBC News, 9 November 2020.

(30) The Food Foundation.

(31) Marcus Rashford, Twitter, 21 October 2020.

(32) 'Marcus Rashford in "despair" as MPs reject free school meal plan,' *The Guardian*, 21 October 2020. 'Marcus Rashford welcomes school holiday support climbdown,' BBC News, 8 November 2020.

(33) Reversing the Inequality Pandemic: Speech by World Bank Group President David Malpass, World Bank Group, 5 October 2020.

(34) '150 million additional children plunged into poverty due to COVID–19, UNICEF Save the Children say,' UNICEF, 17 September 2020.

(35) 'Measuring poverty in the midst of America's covid–19 epidemic,' *The Economist*, 3 October 2020.

(36) 'The end of $600 stimulus checks has left unemployed Americans facing financial ruin,' CNN Business, 3 November 2020.

(37) 'UNICEF Executive Director Henrietta Fore's remarks at a press conference on new updated guidance on school-related public health measures in the context of COVID–19,' UNICEF, 15 September 2020.

(38) 'The risks of keeping schools closed far outweigh the benefits,' *The Economist*, 18 July 2020.

(39) *Progress on drinking-water, sanitation and hygiene in schools: Special Focus on COVID–19*, World Health Organization, 13 August 2020.

(40) 'UNICEF Executive Director Henrietta Fore's remarks at a press conference on new updated guidance on school-related public health measures in the context of COVID–19,' UNICEF, 15 September 2020; 'As Covid–19 Closes Schools, the World's Children Go to Work,' *The New York Times*, 8 October 2020; *Save our Education: Protect every child's right to learn in the COVID–19 response and recovery*, Save the Children, 13 July 2020.

(41) *The Global Girlhood Report 2020: How COVID–19 is putting progress in peril*, Save the Children, 1 October 2020.

(42) Ibid.

(43) *Simulating the Potential Impacts of the COVID–19 School Closures on Schooling and Learning Outcomes: A set of Global Estimates*, The World Bank, 18 June 2020.

(44) Lawrence H. Summers, 'The Age of Secular Stagnation,' *Foreign Affairs*, Mar/Apr, Council on Foreign Relations, 15 February 2016〔ローレンス・サマーズ「長期停滞にどう向き合うか――金融政策の限界と財政政策の役割」『フォーリン・アフェアーズ・リポート』2016年3月号〕.

(45) Antoine Bozio, Rowena Crawford, and Gemma Tetlow, 'The history of state pensions in the UK: 1948 to 2010,' Institute for Fiscal Studies, 2010.

(7) 'Generation Covid' hit hard by the pandemic, research reveals,' BBC News, 26 October 2020.

(8) '"I'm stuck in limbo": will the Covid generation of young people face long-term fall-out?' *The Guardian*, 30 May 2020.

(9) 'Coronavirus lays bare the trauma of losing your job,' *The Conversation*, 24 March 2020.

(10) 'Nasty politics returns to Spain,' *The Economist*, 16 April 2020.

(11) Laura Gardiner et al., *An intergenerational audit for the UK: 2020*, Resolution Foundation, 7 October 2020.

(12) 'Covid–19 will blight the prospects of a generation,' *Financial Times*, 19 May 2020.

(13) Ibid.

(14) Ibid.; 'The pandemic tests a new generation of graduate trainees,' *Financial Times*, 18 January 2021.

(15) 'Pandemic highlights "the aspiration gap" as young people lose hope,' Prince's Trust, 29 September 2020.

(16) Zang Zhijie, and Du Guodong, 'Out of School Out of Job,' *China Report*, 1 August 2020.

(17) Kathleen Henehan, 'Class of 2020: Education leavers in the current crisis,' Resolution Foundation, May 2020.

(18) 'She Spent Her Last Month of College Lifting Bodies in a Morgue,' *The New York Times*, 19 May 2020.

(19) 2020年9月から10月まで，デリバールーをはじめとするオンライン注文の配達員や就職活動中の若者におこなった筆者のインタビューによる。

(20) *Youth & COVID–19: impacts on jobs, education, rights and mental well-being*, International Labour Organization, 11 August 2020.

(21) George Bangham et al., *An intergenerational audit for the UK: 2019*, Resolution Foundation, 20 June 2019.

(22) Ibid.

(23) 'Universal credit: "I felt guilty claiming benefits for the first time",' BBC News, 15 December 2020.

(24) 'Wall Street will soon have to take millennial investors seriously,' *The Economist*, 20 October 2020.

(25) 'The risks of keeping schools closed far outweigh the benefits,' *The Economist*, 18 July 2020

(26) 'Ofsted: Children hardest hit by COVID–19 pandemic are regressing in basic skills and learning,' Office for Standards in Education, Children's Services and Skills, 10 November 2020.

(27) Elisabeth Grewenig et al., 'COVID–19 school closures hit low-achieving students particularly hard,' VoxEU & CEPR, 15 November 2020.

(28) '"Generation Covid" hit hard by the pandemic, research reveals,' BBC News, 26 Octo-

(83) Robert Reich, Twitter, 16 November 2020.

(84) Max Roser, and Esteban Ortiz-Ospina, 'Income Inequality,' Our World in Data, October 2016.

(85) Ibid.

(86) Christopher Ingraham, Twitter, 10 September 2020.

(87) 'Bolsa Família: Brazil's Quiet Revolution,' The World Bank, 4 November 2013.

(88) Bolsa Família in Brazil, Centre for Public Impact, 2 September 2019.

(89) 'Bolsa Família: Changing the Lives of Millions,' The World Bank, 2019.

(90) 'Conditional Cash Transfers in Brazil, Chile and Mexico: Impacts upon Inequality,' International Poverty Centre, April 2007.

(91) Marcelo Medeiros, 'Income Inequality in Brazil: new evidence from combined tax and survey data,' *World Social Science Report 2016: Challenging Inequalities: Pathways to a Just World*, International Social Science Council (ISSC) & UNESCO, 2016.

(92) 世界銀行が推計したジニ係数による（The World Bank, 2018）。

(93) 'These countries are doing the most to reduce inequality,' World Economic Forum, 10 October 2018; Max Lawson, and Matthew Martin, 'The Commitment to Reducing Inequality Index 2018: A global ranking of governments based on what they are doing to tackle the gap between rich and poor,' Development Finance International and Oxfam Report, 8 October 2018; Rebecca Simson, 'Mapping recent inequality trends in developing countries,' LSE, May 2018.

(94) 'Georgetown Study: Wealth, Not Ability, The Biggest Predictor of Future Success,' WNPR, 15 May 2019.

訳　注

〔1〕ウェルビーイング（well-being）――「健康状態」を示す言葉として国際保健機関（WHO）憲章の前文にもみられる。「ある人にとって，身体的にも精神的にも社会的にも満たされた状態」を指す。近年では，働き方改革や福祉政策，SDGsで実現すべき目標に関連して言及されることも多い。

第2章　若者と老人の連帯

(1) 'To inform, not persuade,' Winton Centre for Risk and Evidence Communication, University of Cambridge, 2020.

(2) 'The peril and the promise,' *The Economist*, 8 October 2020.

(3) Maja Gustafsson, 'Young workers in the coronavirus crisis: Findings from the Resolution Foundation's coronavirus survey,' Resolution Foundation, 19 May 2020.

(4) Ibid.

(5) Ibid.

(6) 'The magnifying glass: How Covid revealed the truth about our world,' *The Guardian*, 11 December 2020.

(58) 'Millionaires to reap 80% of benefit from tax change in US coronavirus stimulus,' *The Guardian*, 15 April 2020.

(59) Chuck Collins, Omar Ocampo, and Sophia Paslaski, 'Billionaire Bonanza 2020: Wealth windfalls, tumbling taxes, and pandemic profiteers,' Institute for Policy Studies, 23 April 2020.

(60) Ibid.

(61) Robert Reich, Twitter, 29 November 2020.

(62) 'Batchelder: Tax the Rich and their Heirs,' TaxProf, 26 June 2020.

(63) Lily Bachfelder, 'Leveling the Playing Field between Inherited Income and Income from Work through an Inheritance Tax,' The Hamilton Project, 28 January 2020.

(64) Dedrick Asante-Muhammed, and Chuck Collins, 'The Pandemic is Accelerating the Racial Wealth Divide. Here's How We Turn It Around,' Institute for Policy Studies, 27 June 2020.

(65) Arun Advani et al., *A Wealth Tax for the UK*, Wealth Tax Commission, London School of Economics, 9 December 2020; 'A wealth tax packs a powerful fiscal punch,' *Financial Times*, 10 December 2020. 計算は筆者による。

(66) Advani et al., *A Wealth Tax for the UK*.

(67) Ibid.

(68) Gabriel Zucman, Twitter, 7 December 2020.

(69) 本節の内容は，Ian Goldin, and Robert Muggah, *Terra Incognita: 100 Maps to Survive the Next 100 Years*（London: Century, 2020）に依拠している。

(70) Christine Lagarde, Twitter, 17 June 2015.

(71) 'Seven charts that show how the developed world is losing its edge,' *Financial Times*, 19 July 2017.

(72) Lifting the Small Boats Speech by Christine Lagarde, IMF, 17 June 2015.

(73) 'How Fair is the World? Social Inequality and Economic Growth,' ifo Institut, 2018.

(74) 'The economic origins of the populist surge,' *Financial Times*, 27 June 2017.

(75) Anthony Atkinson, *Inequality: What Can Be Done?*（Cambridge, Mass.: Harvard University Press, 2015）〔アンソニー・B・アトキンソン／山形浩生・森本正史訳『21 世紀の不平等』東洋経済新報社，2015 年〕.

(76) Ibid.

(77) *Annual Results Report 2017 Education*, UNICEF, January 2018.

(78) 'Oxbridge uncovered: More elitist than we thought,' BBC News, 20 October 2017.

(79) *Elitist Britain 2019: The educational backgrounds of Britain's leading people*, The Sutton Trust, 2019.

(80) たとえば，'The productivity and equality nexus,' OECD, 2016 をみよ。

(81) Manuel Funke, Moritz Schularick, and Christoph Trebesch, 'The political aftermath of financial crises: going to extremes,' VoxEU & CEPR, 21 November 2015.

(82) 'What is Human Development?' *Human Development Report 2020: The Next Frontier - Human Development and the Anthropocene*, UNDP, 2020.

lockdown?' Institute for Fiscal Studies, 27 May 2020; 'UK school closures mean mothers take twice as much unpaid leave as fathers,' *The Guardian*, 8 January 2021.

(35) '2 in 5 working mums face childcare crisis when new term starts – TUC poll,' Trades Union Congress, 3 September 2020.

(36) 'Why the pandemic is forcing women out of the workforce,' *The New Yorker*, 23 October 2020.

(37) 'Reopening UK offices risks excluding women and minorities, says business chief,' *The Guardian*, 13 September 2020.

(38) 'CMI chief: Return to office could create two-tier workforce,' *Personnel Today*, 14 September 2020.

(39) 'Pandemic boost to tech and digital industries worsens gender job divide,' *Financial Times*, 22 November 2020.

(40) Ibid.

(41) 'Worldwide covid–19 is causing a new form of collective trauma,' *The Economist*, 29 August 2020.

(42) 'Northern lockdowns shine a light on Britain's landscape of inequality,' *The Conversation*, 14 October 2020.

(43) 'One-in-three jobs in parts of Britain at risk due to Covid–19 – local data reveals,' RSA House, 26 April 2020.

(44) 'New Child Poverty Data Reveals True Extent of Levelling Up Challenge,' End Child Poverty, 14 October 2020.

(45) Ibid.

(46) 'State of the North 2020/21: Power up, level up, rise up,' IPPR, 7 December 2020.

(47) 'The land that time forgot: months of lockdown grate in northern England,' *The Guardian*, 2 October 2020.

(48) 'How covid–19 exacerbates inequality,' *The Economist*, 26 March 2020.

(49) Ibid.

(50) 'Asia's migrant workers are having a rough time under covid–19,' *The Economist*, 19 September 2020.

(51) 'Riding the storm, Billionaires insights 2020,' *UBS*, October 2020.

(52) 'Updates: Billionaire Wealth, U.S. Job Losses and Pandemic Profiteers,' Inequality.org, 9 December 2020.

(53) 'US Billionaires added $1 trillion to their collective wealth since the start of the pandemic,' *Forbes*, 27 November 2020; 'Updates: Billionaire Wealth, U.S. Job Losses and Pandemic Profiteers,' Inequality.org, 9 December 2020

(54) Ibid.

(55) 'Billionaire Bounceback: 10 Tycoons Gained $126 Billion Over the Past Month,' *Forbes*, 25 April 2020.

(56) Our World in Data と世界銀行の統計を用いた筆者の計算による。

(57) Report by Joint Committee on Taxation, Congress of the United States, 9 April 2020.

(13) 'COVID–19: The risk to BAME doctors,' British Medical Association, 13 November 2020.

(14) 'COVID–19 has shone a light on racial disparities in health,' *The Economist*, 21 November 2020.

(15) 'Total household wealth by ethnicity of household reference person, Great Britain, July 2010 to June 2016,' Office for National Statistics, 28 September 2018.

(16) Rodney A. Brooks, 'More than half of Black-owned businesses may not survive COVID–19,' *National Geographic*, 17 July 2020.

(17) 'Pandemic aid is exacerbating US inequality,' *Financial Times*, 6 August 2020.

(18) Ibid.

(19) Claire Kramer Mills, and Jessica Battisto, 'Double Jeopardy: COVID–19's concentrated health and wealth effects in black communities,' Federal Reserve Bank of New York, August 2020.

(20) Ian Goldin, *Development: A Very Short Introduction* (Oxford: Oxford University Press, 2018).

(21) *The Global Gender Gap Report 2018*, World Economic Forum, 2018.

(22) 'The narrowing, but persistent, gender gap in pay,' Pew Research Center, 22 March 2019.

(23) *The Global Gender Gap Report 2018*.

(24) 'Whose time to care: Unpaid care and domestic work during COVID–19,' UN Women, 25 November 2020.

(25) 'Downturns tend to reduce gender inequality. Not under Covid–19,' *The Economist*, 4 June 2020; 'The US economy lost 140,00 jobs in December. All of them were held by women,' *CNN Business*, 9 January 2021.

(26) 'Sector shutdowns during the coronavirus crisis: which workers are most exposed?' Institute for Fiscal Studies, 6 April 2020.

(27) Abi Adams-Prassl et al., 'Inequality in the Impact of the Coronavirus Shock: Evidence from Real Time Surveys,' IZA Discussion Papers, Institute of Labor Economics (IZA), April 2020.

(28) Daniela Del Boca et al., 'Women's work, housework, and childcare before and during COVID–19,' VoxEU & CEPR, 19 June 2020.

(29) 'Challenges stack up for Italian women,' *Financial Times*, 7 October 2020.

(30) *Global Gender Gap Report 2020*, World Economic Forum, 2020.

(31) Ghazala Azmat, Lena Hensvik, and Olof Rosenqvist, 'Presenteeism at work and gender inequality,' VoxEU & CEPR, 4 October 2020.

(32) Almudena Sevilla, and Sarah Smith, 'Baby Steps: The Gender Division of Childcare During the Covid–19 Pandemic,' IZA Discussion Paper, June 2020.

(33) Alison Andrew et al., 'Parents, especially mothers, paying heavy price for lockdown,' Institute for Fiscal Studies, 27 May 2020.

(34) Alison Andrew et al., 'How are mothers and fathers balancing work and family under

注　記

序　論　危機をチャンスに

（1）Statement by Franklin D. Roosevelt welcoming participants at the Bretton Woods Monetary Conference. Department of State, *United Nations Monetary and Financial Conference: Bretton Woods, Final act and related Documents*, 29 June 1944.

第1章　不平等の縮小

（1）Walter Scheidel, *The Great Leveler*（Princeton, NJ: Princeton University Press, 2017）〔ウォルター・シャイデル／鬼澤忍・塩原通緒訳『暴力と不平等の人類史――戦争・革命・崩壊・疫病』東洋経済新報社，2019年〕.

（2）Thomas Piketty, *Capital in the Twenty-First Century*（Cambridge, Mass.: Harvard University Press, 2014）〔トマ・ピケティ／山形浩生・守岡桜・森本正史訳『21世紀の資本』みすず書房，2014年〕.

（3）*How to Fix Economic Inequality?: An Overview of Policies for the United States and Other High-Income Economies*, Peterson Institute for International Economics, 2020.

（4）'A new look at the declining labor share of income in the United States,' McKinsey Global Institute, May 2019.

（5）'Italy's informal workers fall back on charity,' *The Economist*, 6 June 2020.

（6）'Protect a Generation: The impact of COVID–19 on children's lives,' Save the Children, 10 September 2020.

（7）Juan Palomino, Juan Rodriguez, and Raquel Sebastian, 'Wage inequality and poverty effects of lockdown and social distancing in Europe,' *European Economic Review*, October 2020.

（8）'America's huge stimulus is having surprising effects on the poor,' *The Economist*, 6 July 2020.

（9）'Falling through the cracks,' New Economics Foundation, 30 November 2020.

（10）'Build Back Fairer: The COVID–19 Marmot Review,' *Institute of Health Equity*, 15 December 2020.

（11）'COVID–19 has shone a light on racial disparities in health,' *The Economist*, 21 November 2020.

（12）Ibid.

ティア・セン／石塚雅彦訳『自由と経済開発』日本経済新聞社，2000 年〕.
Sen, Amartya. *The Idea of Justice*（London: Allen Lane, 2009）〔アマルティア・セン／池本幸生訳『正義のアイデア』明石書店，2011 年〕.
Susskind, Daniel, and Richard Susskind. *The Future of the Professions*（Oxford: Oxford University Press, 2017）〔リチャード・サスカインド，ダニエル・サスカインド／小林啓倫訳『プロフェッショナルの未来——AI，IoT 時代に専門家が生き残る方法』朝日新聞出版，2017 年〕.
Woodcock, Jamie, and Mark Graham. *The Gig Economy: A Critical Introduction*（London: Polity, 2019）.
Zakaria, Fareed. *Ten Lessons for a Post-Pandemic World*（London: Allen Lane, 2020）〔ファリード・ザカリア／上原裕美子訳『パンデミック後の世界 10 の教訓』日経 BP 日本経済新聞出版本部，2021 年〕.

接続性の未来』上・下，原書房，2019 年〕.

Krastev, Ivan. *Is It Tomorrow Yet?*（London: Allen Lane, 2020）〔イワン・クラステフ／山田文訳『コロナ・ショックは世界をどう変えるか――政治・経済・社会を襲う危機』中央公論新社，2020 年〕.

Lonergan, Eric, and Mark Blyth. *Angrynomics*（New York: Columbia University Press, 2020）.

Mahbubani, Kishore. *Has the West Lost It?: A Provocation*（London: Penguin, 2018）.

Mahbubani, Kishore. *Has China Won?: The Chinese Challenge to American Primacy*（New York: Public Affairs, 2020）.

Mazzucato, Mariana. *The Entrepreneurial State: Debunking Public vs Private Sector Myths*（London: Penguin, 2018）〔マリアナ・マッツカート／大村昭人訳『企業家としての国家――イノベーション力で官は民に劣るという神話』薬事日報社，2015 年〕.

Micklethwait, John, and Adrian Wooldridge. *The Wake-Up Call: Why the Pandemic has Exposed the Weakness of the West – and How to Fix it*（London: Short Books, 2020）.

Piketty, Thomas. *Capital in the Twenty-First Century*（Cambridge, Mass.: Harvard University Press, 2014）〔トマ・ピケティ／山形浩生・守岡桜・森本正史訳『21 世紀の資本』みすず書房，2014 年〕.

Pope Francis. *Let Us Dream: The Path to a Better Future*（London: Simon & Schuster, 2020）〔教皇フランシスコ／早野依子訳『教皇フランシスコ　コロナの世界を生きる』PHP 研究所，2021 年〕.

Putnam, Robert, and Shaylyn Romney Garrett. *The Upswing: How We Came Together a Century Ago and How We Can Do it Again*（London: Simon & Schuster, 2020）.

Rajan, Raghuram. *The Third Pillar: The Rival of Community in a Polarised World*（London: Penguin, 2020）〔ラグラム・ラジャン／月谷真紀訳『第三の支柱――コミュニティ再生の経済学』みすず書房，2021 年〕.

Rawls, John. *A Theory of Justice*（Cambridge, Mass.: Harvard University Press, 2017）〔ジョン・ロールズ／川本隆史・福間聡・神島裕子訳『正義論』改訂版，紀伊國屋書店，2010 年〕.

Sandel, Michael J. *The Tyranny of Merit: What's Become of the Common Good?*（London: Allen Lane, 2020）〔マイケル・サンデル／鬼澤忍訳『実力も運のうち――能力主義は正義か？』早川書房，2021 年〕.

Scheidel, Walter. *The Great Leveler: Violence and the History of Inequality from the Stone Age to the Twenty-First Century*（Princeton, NJ: Princeton University Press, 2017）〔ウォルター・シャイデル／鬼澤忍・塩原通緒訳『暴力と不平等の人類史――戦争・革命・崩壊・疫病』東洋経済新報社，2019 年〕.

Schwab, Klaus, and Thierry Malleret. *Covid–19: The Great Reset*（Geneva: Forum Publishing, 2020）〔クラウス・シュワブ，ティエリ・マルレ／藤田正美・チャールズ清水・安納令奈訳『グレート・リセット――ダボス会議で語られるアフターコロナの世界』日経ナショナルジオグラフィック社，2020 年〕.

Sen, Amartya. *Development as Freedom*（Oxford: Oxford University Press, 1999）〔アマル

文献抄録

Atkinson, Anthony. *Public Economics in an Age of Austerity*（London: Routledge, 2014）.

Atkinson, Anthony. *Inequality: What Can Be Done?*（Cambridge, Mass.: Harvard University Press, 2015）〔アンソニー・B・アトキンソン／山形浩生・森本正史訳『21 世紀の不平等』東洋経済新報社，2015 年〕.

Baldwin, Richard. *The Globotics Upheaval: Globalisation, Robotics and the Future of Work*（London: W&N, 2019）〔リチャード・ボールドウィン／高遠裕子訳『Globotics――グローバル化＋ロボット化がもたらす大激変』日本経済新聞出版社，2019 年〕.

Bew, John. *Citizen Clem: A Biography of Attlee*（London: Riverrun, 2016）.

Case, Anne, and Angus Deaton. *Deaths of Despair and the Future of Capitalism*（Princeton, NJ: Princeton University Press, 2020）〔アン・ケース，アンガス・ディートン／松本裕訳『絶望死のアメリカ――資本主義がめざすべきもの』みすず書房，2021 年〕.

Collier, Paul, and John Kay. *Greed is Dead: Politics After Individualism*（London: Penguin, 2020）.

Fitzgerald, F. Scott. *The Great Gatsby*（London: Chatto & Windus, 1925）〔スコット・フィッツジェラルド／村上春樹訳『グレート・ギャツビー』中央公論新社，2006 年〕.

Goldin, Ian, and Mike Mariathasan. *The Butterfly Defect: How Globalization Creates Systemic Risks, and What to Do About It*（Princeton, NJ: Princeton University Press, 2014）.

Goldin, Ian, and Christopher Kutarna. *Age of Discovery: Navigating the Storms of Our Second Renaissance*（London: Bloomsbury, 2018）〔イアン・ゴールディン，クリス・クターナ／桐谷知未訳『新たなルネサンス時代をどう生きるか――開花する天才と増大する危険』国書刊行会，2017 年〕.

Goldin, Ian, and Robert Muggah. *Terra Incognita: 100 Maps to Survive the Next 100 Years*（London: Century, 2020）.

Hazareesingh, Sudhir. *Black Spartacus: The Epic Life of Toussaint Louverture*（London: Allen Lane, 2020）.

Hertz, Noreena. *The Lonely Century: Coming Together in a World that's Pulling Apart*（London: Sceptre, 2020）〔ノリーナ・ハーツ／藤原朝子訳『THE LONELY CENTURY――なぜ私たちは「孤独」なのか』ダイヤモンド社，2021 年〕.

Khanna, Parag. *The Future is Asian: Commerce, Conflict, and Culture in the Twenty-First Century*（London: W&N, 2019）〔パラグ・カンナ／尼丁千津子訳『アジアの世紀――

【マ　行】

【ヤ　行】

索　　引

訳者略歴

矢野修一（やの しゅういち）

一九六〇年生まれ。京都大学経済学部卒、同大学院経済学研究科博士後期課程中退。京都大学博士（経済学）。現在、高崎経済大学経済学部教授。専攻は、世界経済論、開発経済論、アジア経済論。単著に『可能性の政治経済学――ハーシュマン研究序説』（法政大学出版局、二〇〇四年）、主な共・編著に、『現代経済学』（岩波書店、二〇〇八年）、『アジア経済論』（文眞堂、二〇二一年）、翻訳に、A・ハーシュマン『離脱・発言・忠誠』（ミネルヴァ書房、二〇〇五年）、E・ヘライナー『国家とグローバル金融』（共訳、法政大学出版局、二〇一五年）など。

未来救済宣言
グローバル危機を越えて

二〇二二年 八 月一五日 印刷
二〇二二年 九 月 五 日 発行

著者 イアン・ゴールディン
訳者 © 矢野修一
編集 勝康裕
装丁 コバヤシタケシ
発行者 及川直志
印刷所 株式会社 理想社
発行所 株式会社 白水社

東京都千代田区神田小川町三の二四
電話 営業部〇三（三二九一）七八一一
編集部〇三（三二九一）七八二一
振替 〇〇一九〇-五-三三二二八
郵便番号 一〇一-〇〇五二
www.hakusuisha.co.jp
乱丁・落丁本は、送料小社負担にてお取り替えいたします。

誠製本株式会社

ISBN978-4-560-09456-3
Printed in Japan